KB196786

신학과 철학 II

- 근대(18C)에서 현대까지 -

신학과 철학 II

- 근대(18C)에서 현대까지 -

볼프하르트 판넨베르크 지음

오희천 옮김

종문화사

들어가는 글

이 책은 내가 뮌헨대학교에서 1993/94년 겨울학기 강의를 마지막으로 은퇴할 때까지 수십 년간 정기적으로 강의하면서 매번 수정·보완했던 것을 약간 손질하여 출판한 것이다. 내가 이 책을 출판하기로 결심한 것은 신학자들을 위한 철학 입문이라는 중요한 과제에 적합한 문헌이 거의 없기 때문이다.[1] 신학 연구에서 이 과제가 지니는 의미에 대해서는 이 책의 서론 초반부에 밝혔다. 하지만 더 나아가 철학과 신학의 관계성은 또한 일반적인 관심사가 될 것이라고 생각한다.

철학과 신학의 관계성에 대한 물음, 특히 상호 간의 역사에서 신학에 대한 철학의 관련성에 대한 물음은 이 책의 중심 질문이다. 그런데 왜 이 물음이 순수한 체계에 따르지 않고 철학적 체계의 역사적 순서에 따라서, 그리고 철학 체계들이 기독교 신학에 수용되는 역사적 순서에 따라서 다뤄지는 지도 역시 이 책의 서론에서 해명될 것이다. 한편 그런 방식의 서술에서 철학사에 출현했던 체계의 형성들은 단지 개괄적으로 다뤄질 수밖에 없다. 이와 관련해서 제공될 문헌들의 정보도 최소한으로 제한되었다. 여기서 이런

---

1) 빌프리드 헤를레의 『체계철학: 신학생들을 위한 입문』(Wilfried Härle, *Systematische Philosophie. Eine Einführung für Theologiestudenten*, 1982)이 논리학, 인식론, 형이상학의 기초를 다루고 있다. 하지만 원전과 문헌을 거의 인용하고 있지 않으며 신학과 철학의 역사적 관계를 다루고 있지 않다. 하이모 호프마이스터의 『철학적 사유』(Heimo Hofmeister, *Philosophisch denken*, 1991)는 철학 입문을 제공하면서 철학사의 흐름 속에서 철학적 주제들의 전개를 상술하고 있다. 하지만 여기서도 기독교 신학과의 관련성은 다뤄지고 있지 않다.

저런 주제들을 더욱 깊이 탐구하기를 원하는 사람은 큰 어려움 없이 지침을 찾을 수 있을 것이다.

다양한 철학적 체계들이 신학에 미친 영향사(影響史)에 관해서도 부득이 간략하게 언급되었다. 물론 이것이 이 책의 주요 관심사다. 이 책은 먼저 기독교 사상에 대한 고대 철학의 영향사를 다룬다.(1권 2장~4장) 이어서 기독교 자체가 철학의 주제들과 과제들에 기여한 점들을 다룬다.(1권 5장) 그리고 다음 장들에서는 근대적 사유와 기독교의 관계에 주목할 것이다. 먼저 약간의 일반적인 주제들이 다뤄지며,(1권 6장) 이어서 근대 초기에 결정적인 영향을 미친 철학의 새로운 착안들이 고찰될 것이다.(1권 7장) 이때 특히 임마누엘 칸트에 주목할 것이며, 또한 그의 사상이 신학에 미친 광범위한 영향사에 주목할 것이다.(2권 1장)

이어서 관념론적 체계의 형성들에 대해서 논의할 것이고,(2권 2장, 3장) 이후에 후기 관념론 철학이 인간론으로의 전향이라는 관점에서 다뤄질 것이다.(2권 4장) 이때 실존주의 이후의 철학사조들 중에서 오직 과정철학만 베르그송에서 시작해서 화이트헤드와 그 학파에 이르기까지 특별히 서술될 것이다. 왜냐하면 과정철학은 20세기 대부분의 다른 철학적 방향들과 달리 철학 전통의 형이상학적 물음을 새롭게 하려는 시도로 이해될 수 있으며, 바로 그런 점에서 새로운 신학의 사조에 주목할 만한 영향을 끼쳤기 때문이다. 반면에 현대 철학 중에서 지식학과 언어분석 철학은 이 책에서 특별히 다루지 않는다. 왜냐하면 그 철학들이 신학의 근본적인 토론에 적잖은 의미를 가지고 있음에도 불구하고, 신학과 철학의 연관성의 중심부에 놓여 있는 하나님, 인간 그리고 세계의 관계라는 주제에 새롭게 기여한 것이 거의 없기 때문이다. 한층 더 체계적인 접근이 이루어진 마지막 장(2권 5장)은 철학과 종교의 관계에 대한 물음을 철학의 형이상학적 전통에 대한 회고 속에서 다룰 것이다. 이때 이 작업은 현대적 경험들의 관점, 특히 철학이 기존의 종교적 의식의 형성에 의존해 있음을 드러낸 현대의 역사적 사유의 관점에서 수행될 것이다. 이 결론의 장은 1994년 2월 22일 뮌헨에서 내가 했던 마지막 정규 강의 내용과 같다.

인용의 검증에 도움을 준 마르크바르트 헤어초크(Markwart Herzog) 박사에게 감사를 표하며, 원고의 완성을 위해서 수고한 나의 오랜 비서 가비 베르거(Gaby Berger) 여사에게 감사를 드리며, 참고문헌 작업에 큰 도움을 준 프리데리케 뉘셀(Friederike Nüssel) 박사에게 감사를 드린다.

1996년 1월, 뮌헨
볼프하르트 판넨베르크

차 례

철학과 신학 II - 근대(18C)에서 현대까지 -

철학과 신학 I - 고대에서 근대(17C)까지 -

서문

1. 신학 연구에서 철학의 기능

철학에 대한 철저한 이해 없이 기독교 교리를 이해할 수 없다. 기독교 교리가 어떻게 역사적으로 형성되었는지도 이해할 수 없으며, 현재 기독교 교리가 주장하는 진리에 관해 고유하고 정당한 판단도 가질 수 없다. 역사비평적 성서주석으로부터 조직신학으로 이행하는 것은 철학적으로 형성된 의식 없이 올바르게 – 자립적 판단형성을 향한 이행이라는 의미에서 – 수행될 수 없다. 이때 중요한 것은 이런 철학 혹은 저런 철학의 견해를 수용하는 것이 아니라, 신학적 개념형성과 철학적 개념형성의 역사에 대한 탐구를 통해서 생기는 문제의식을 공유하는 것이다.

조직신학은 기독교 역사에서 교부시대 이래 항상 철학과의 대결에서 형성되었는데, 이것은 신학의 대상 자체에 그럴만한 근거들이 있기 때문이다. 그 근거들 중에서 가장 중요한 것은 곧 거론될 것이다. 또한 기독교 교리의 이런 저런 형태에 대한 비판적 판단에서도 그 근거들이 항상 고려되어야 한다. 이때 그 비판적 판단은 당시의 철학적 사유형식의 제한들에도 관여할 것이며, 따라서 철학적 문제의식의 더욱 광범위한 역사에 대한 인식 안에서 수행되어야 할 것이다.

많은 신학생들이 성서주석으로부터 교리사나 조직신학으로 넘어가는 것에 대해서 어려움을 느끼는 이유 중의 하나는 철학사에 나타난 철학의 문제들을 철저히 다뤄야 한다는 요구에 대해서 부담을 가지고 움츠리기 때문이다. 하지만 조직신학에 관여하지 않는다면, 그래서 신학적 판단이 어떤 방식으로 정당화되었는지를 이해하지 못한다면 우리는 기독교 교리의 주제들에 대해 스스로 판단할 수 있는 정신적 자립에 도달할 수 없다. 우리가 성서주석으로부터 조직적·신학적 반성을 거치지 않고 직접적으로 설교의 단계로 나아갈 수 있다고 생각하는 것은 자기기만이다. 그렇게 생각한다면 해석학적 문제들은 오로지 자신의 기호에 맞는 판단들에 의해 통제될 것이며, 이때 설교자는 변화하는 시대정신의 양식들에 실제로 의존하게 될 것이다. 혹은 설교자가 자신의 판단형성의 어려움으로부터 빠져나오는 가상의 탈출구로 근본주의를 선택하게 될지도 모른다. 우리 시대의 평균적인 기독교 설교의 안타까운 상황은 특히 조직신학의 과제들과 씨름하는 것을 꺼리는 태도에 기인한다고 생각한다. 그런데 이런 조직신학의 과제들과 의미 있게 씨름하려면 바로 철학적 문제 지평에 대한 충분한 숙지가 또한 필요하다. 조직적·신학적 판단형성이 이 철학적 문제 지평 안에서 실행되기 때문이다. 성서주석, 철학, 교리사 그리고 신학사의 지식들이 결합되고 난 후에 우리는 비로소 기독교 교리의 문제들에서 논증하고 판단하는 능력을 갖추게 될 것이다.

2. 신에 관한 논의가 신학과 철학의 관계에서 가지는 중요한 의미

기독교 신학은 처음부터 철학과 관계해 왔으며 철학 이론들과의 논쟁에 관계해 왔다. 이에 대한 가장 중요한 이유는 사도들의 선교 메시지에 나타나는 하나님에 대한 선포(살전 1:9)에서 발견된다. 여기서 하나님에 대해서 말한다는 것은 만물 현실의 창조적 근원에 대해서 말한다는 것을 의미한다. 하지만 유대인의 하나님이 만물의 창조적 근원과 동일하며 따라서 모든 인간의 하나님이라는 사실은 자명하게 이해되지 않았으며, 더구나 비(非)유대인들에게 이해되지 않았다. 따라서 초기 기독교 신학은 창조자 하나님에 대한 기독교적 논의를 철학의 신개념, 참된 형태의 신적 현실성에 대한 철학의 질문과 결부시켰다.[1] 베르너 예거(Werner Jaeger)가 지적했듯이 신에 관한 물음은 서양철학의 근본물음이었다.[2]

철학의 기원은 종교와 밀접하게 연관되어 있다. 철학은 종교로부터 독립적으로 발생하지 않았다. 오히려 철학은 종교적 전승에 의해 주장되는 것에 대한 비판적 반성에서 발생했다. 이것이 철학과 신학의 관계에 대한 물음에서 근본적인 사실이다. 이런 사실의 의미가 철학자들에게 언제나 완전하게 인식된 것은 아니다. 오히려 고대 철학은 크세노파네스 이후로 이런 사실을 역전시켰다. 말하자면 철학적 진리들이 종교적 전승에 의해 감각적으로 표현된 것이라고 이해했다. 역사적으로 선행했던 종교에 대한 철학의 의존성은 근대의 역사적 의식이 출현하면서 비로소 그 근본적인 의미 속에서 평가 받게 되었다. 특별히 헤겔이 주장한 논제, 즉 철학은 자신보다 역사적으로 선행하는 종교를 개념으로 포착한다는 주장으로 인해 그 진가가 인정되었다. 이

---

1) 이에 대해서는 다음을 보라. W. Pannenberg, "Die Aufnahme des philosophischen Gottes-begriffs als dogmatisches Problem der frühchristlichen Theologie", in: *Grudfragen systematischer Theologie* 1, 1967, 296-346.

2) W. Jaeger, *Die Theologie der frühen griechischen Denker*, 1953.

로써 헤겔은 신학과 유사한 기능을 철학에 부여했다. 그럼에도 불구하고 철학이 종교적 전승의 내용들에 대한 신학적 반성과 어떤 점에서 구별되는지에 대해서는 나중에 다시 논의할 것이다.

서양철학이 처음 시작할 때 종교적 전승에 대한 철학적 사유의 관계는 본질적으로 비판적이었다. 하나씩 다 해명하기는 어렵지만 여러 이유에서 사람들은 신들의 다수성에 대한 종교적 전승의 주장을 신뢰하지 않았다.[3] 이때 가장 중요한 요인은 항해와 무역을 통해 다른 문화들과 그 신들을 알게 되었고, 다른 문화의 신들도 그리스의 신들과 광범위하게 유사한 기능들을 하고 있는 것을 알게 된 것이었다. 아마도 또한 다른 종류의 충격들, 주전 6세기 그리스가 점유하고 있었던 소아시아 지역이 페르시아에게 탈취당한 것도 자신들의 신비주의적 전통에 대한 신뢰를 의심하게 만드는 계기가 되었을 것이다.[4] 아무튼 초기 이오니아 철학자들은 이전에 신들의 것이라고 여겨졌던 기능들, 특히 인간 경험의 세계에서 나타나는 현상들의 근원(아르케 arche)이 되는 기능에 몰두했다. 그리고 그들은 신들의 속성이라고 여겼던 여타의 신적 속성들을 만물의 근원으로서의 이 기능과 비교했다. 그러자 신들에 대한 종교적 표상들이 신들의 이 중심적인 기능에 대해서 더 이상 적합성

---

3) 이런 관점은 크세노파네스 단편 11-16에서 분명하게 드러난다. 참조, F.J. Weber, *Fragmente der Vorsokratiker*, 1988, 68-70).

4) 콘포드(F.M. Cornford)는 그의 유명한 저서 『종교에서 철학으로』(*From Religion to Philosophy, A Study in the Origins of Western Speculation*(1912), Harper Torchbook 20, 1957)에서 주전 6세기 상업도시 밀레토스에서 철학이 발생한 것은 해양민족의 고유한 정신, 곧 탐구와 모험의 정신에 기인한다고 주장했다(143). 하지만 소아시아가 페르시아에 의해 점령당하는 정치적 대변혁의 - 이 대변혁의 과정에 탈레스도 분명히 개인적으로 적극 가담했는데(Herdot Historien 1,170) - 시대적 경험이 밀레토스에서의 철학의 발생에 전혀 역할을 감당하지 않았다고 말할 수 있을까?

을 띠지 않는다는 결론에 도달했다. 더구나 신들에 대한 종교적 표상들은 예를 들어 인간동형(人間同型)이었다. 신들의 다수성도 우주의 통일성과 모순되었다. 우주의 참된 근원은 단 하나일 수밖에 없다. 오로지 단 하나의 신이 우주의 통일성을 산출했을 수 있다. 따라서 철학자들은 종교적 전승과 대립각을 세우면서 세계의 신적 근원으로 간주되어야 마땅한 "참된 형태"에 대해서 물었다.[5] 이때 소크라테스 이전 철학자들의 상이한 주장들은 하나의 공통된 주제에 대한 변주들로 이해될 수 있다. 항상 다뤄지는 물음은 만물의 근원은 참으로 무엇인가, 따라서 참으로 신적인 기능을 충족시킬 수 있는 것은 무엇인가 하는 것이었으며, 이에 대한 대답으로 물, 무규정자, 공기, 이성이 제시되었다.[6]

따라서 철학은 종교적 전통에 대한 비판적 관계에서 신에 관한 논의의 정당성을 아르케(arche 만물의 근원) 기능의 입증가능성과 결부시켰다. 따라서 철학은 종교적 전승이 자신의 주제에 낯설고 적합하지 않다고 거절할 수도 있는 척도를 민족 신앙의 신들에게 적용하지 않았다. 사람들은 신들이 세계현실성의 근원이라고 혹은 어떻든 간에 세계현실성의 특정한 측면의 근원이라고 주장했다. 따라서 신들에 대한 표상들은 그 표상이 실제로 만물의 근원으로 생각될 수 있는지의 여부에 따라서 평가되어야 했다.

헬레니즘 세계에서 이미 유대교의 유일신론은 다신론적 민족 신앙에 대한

---

5) 이런 고찰 방식의 이해에 대해서는 앞의 각주 2에서 언급한 예거(Jaeger)의 책이 길라잡이가 된다.

6) 이에 대해서는 다음을 보라. U. Hölscher, "Anaximander und die Anfänge der Philosophie" (1953) in: H.G. Gadamer (Hg), *Um die Begriffswelt der Vorsokratiker* (1968) 95-176. 횔셔는 특히 탈레스가 이집트에 의존해있다는 점을 강조한다(126).

철학적 비판이 한 분 하나님에 대한 유대교의 신앙을 입증해주는 것으로 파악할 수 있었으며,[7] 더욱 정확히 말한다면 제2이사야(사 41:27, 참고, 41:4; 43:10)에 의해 이미 확립된 주장, 곧 세계의 창조자인 이스라엘의 하나님이 유일한 하나님이며, 따라서 그의 권한은 당연히 이방인들에게도 미친다는 주장을 입증해주는 것으로 파악할 수 있었다. 헬레니즘 시대의 유대교가 이미 그렇게 한 것처럼 헬레니즘 세계에서 기독교도 역시 모든 사람이 회개하고 돌아와야 할(살전 1:9) 온 인류의 한 분 하나님, 예수 그리스도 안에서 모든 사람들을 위해서 자신을 계시했던 한 분 하나님에 대한 기독교의 메시지를 위한 증인으로 철학자들을 끌어들일 수 있었다. 그러면 당연히 또한 하나님에 대한 기독교적 논의가 신적 근원과 관련하여 철학이 제시한 비판적 척도들을 충족시키며, 철학자들의 신론들에 필적하거나 혹은 오히려 그것들보다 우월하다는 것이 보여질 수 있어야 했다. 한편으로 다양한 철학 학파들이 신적 현실성에 대해서 제시하는 입장들이 모두 기독교적·성서적 하나님 이해에 동등하게 근접해 있는 것은 아니었다. 말하자면 모두가 플라톤 학파의 철학자들만큼 근접해 있는 것은 아니었다. 다른 한편으로 철학자들이 하나님에 대해 말하는 것이 모든 점에서 하나님에 대한 성서의 메시지와 일치하는 것은 아니라는 의식이 기독교 신학자들에게 여전히 남아 있었다. 이렇게 해서 철학자들의 이론들과 벌이는 논쟁의 과제가 설정되었다.[8]

---

7) 알렉산드리아의 필로(Philo)에 대해서는 볼프슨의 서술을 보라. H.A. Wolfson, *Philo*, 2 Bde. 1947.

8) 이 내용은 본 저자가 1959년에 위의 각주 1에 인용한 논문에서 주장했던 것이다.

3. 하나님에 대한 사상에 상응하는 세계 개념 그리고 철학과 개별학문들 간의 긴장

기독교 신학이 철학에 관여하는 가장 중요한 이유는 애초에도 그러했고 오늘날까지 그러하듯이 나사렛 예수의 하나님이 모든 인간의 유일하고 참된 하나님이라고 하는 기독교적 가르침 때문이다. 여기서 "하나님"이라는 단어가 단지 어떤 특수한 주제만을 표시하는 것이 아니라는 점에 대해서 분명해져야 한다. 고대 그리스 종교의 다신론적 민족신앙에 대한 철학적 비판은 분명히 하나님에 대한 이해와 세계에 대한 이해의 상호연관성에 초점을 맞추었다. 하나님에 대해 말한다는 것은 모든 현실의 창조적 근원에 대해 말한다는 것을 의미한다. 따라서 어떤 사람이 모든 현실을, 즉 인간과 우주를 이 하나님으로부터 유래한 것으로 생각하지 않았다면, 그는 아직 "하나님"을 현실적으로 생각하지 않았다는 것이다. 만약 하나님과 현실의 총체성이 이런 상관성이나 상호지시적 관계에서 생각되지 않는다면 하나님에 대한 논의는 공허한 말이 된다. 따라서 그런 하나님에 대한 논의는 예를 들어 신인동형(神人同形)의 산물, 다시 말해 종교적 투사의 산물이라고 하는 비판 앞에 무너지고 마는, 실제적인 근거를 결여한 표상에 불과하다. 사람들이 "하나님"에 대해서 말할 때 무엇을 말하는지를 아는 사람은 세계와 인간의 현실성에 대해 생각할 때 하나님을 그 근원으로 생각하지 않을 수 없다. 역으로 말한다면, 사람들이 하나님에 대해 생각할 때 모든 현실의 총체성이 하나님으로부터 나온 것이라는 생각을 동시에 하지 않을 수 없다. 따라서 소크라테스 이전의 철학자들 시대부터 현실을 전체에서 생각하는 것, 다시 말해 현실을 우주의 통일성 안에서 생각하는 것이 철학의 과제로 여겨졌다. 그것은 철학적으로 수행하는 신에 관한 물음이었다. 바로 얼마 전까지 - 말하자면 니체 이전까지 - 하나님에 대한 생각과 세계 개념 사이의 이런 상관성 안에서 철학의 포괄적인 주제가 규정되었다.

현대철학은 거의 대부분 이런 포괄적인 과제를 다루지 않는다. 인간이 포함되어 있는 현실에 대한 포괄적인 파악에 대한 과제로부터 사람들은 거리를 두고 있다. 사람들은 하나님과 세계라는 주제를 통해서 규정되는 철학적 사유의 형태를 "형이상학"이라고 부르면서,9) 그 형이상학의 종말에 대해서 말하고 있다. 하지만 형이상학의 종말이 도대체 언제부터인지에 대해서는 전혀 확실하지가 않다. 마르틴 하이데거에 따르면 니체부터, 이에 반해서 어거스트 콩트에 따르면 이미 실증학문들이 출현한 때부터, 빌헬름 딜타이에 따르면 역사적 사유 방식이 출현한 때부터 형이상학이 종말에 이르렀다고 주장한다.

현실을 전체로서 사유하는 철학의 전통적 과제로부터 이탈해가는 경향은 단지 개별학문들의 자립화의 결과라고만 볼 수 없다. 오히려 철학적 신론의 해체가 이제는 세계 개념의 통일성마저도 더 이상 철학적 사유의 주제가 되지 못하게 만든 결정적인 요인이라고 볼 수 있다. 철학적 신학의 전통과 결별한 이후에 세계에 대한 인식은 경험적 개별학문들의 다양한 접근방식에 완전히 양도될 수 있었다.

세계의 인식만이 아니라 인간 본성의 인식도 경험적 개별학문들의 소관

---

9) 이에 대해서는 하이데거가 형이상학을 존재신론적으로(ontotheologisch) 서술한 것을 보라. M. Heidegger, *Identität und Differenz* (1957), 7.Aufl. 1982, 31-67.

사항이라는 확신이 퍼져가면서 오늘날 신학에서마저도 철학과의 대화보다 이런 학문들에 대한 연구가 우선되어야 하는 것은 아닌가 하는 물음이 생겨나고 있다. 따라서 인간의 현실성에 대한 이해가 보편타당성을 주장할 수 있게 되려면 – 인간에 대한 신학적 진술들도 보편타당성을 염두에 두어야 하는데 – 철학보다는 심리학과 사회학이 적합하고 표준적인 것처럼 보인다. 그러나 주목해야 할 점은 인간 현존재의 현실성이라는 포괄적인 주제가 개별 인간학적 분과학문에 의해서는 한 눈에 포착될 수 없다는 것이다. 왜냐하면 개별학문들의 방법론으로부터 철학적인 반성으로 이행해가는 진전이 이루어지지 않았기 때문이다. 물론 이때 각 사실적 영역들과 그 문제들을 철학적으로 주제화시키는 것이 그 완전한 복합성 속에서 항상 고려되는 것은 아니다. 사람들은 각 개별 분과학문이 서있는 확고한 토대를 신뢰하고 있기 때문이다. 이에 대한 한 사례를 든다면, 위르겐 하버마스가 그의 『인식과 관심』(*Erkenntnis und Interesse*, 1968)에서 인식론적 문제에 사회학적 관찰방식을 적용한 것을 들 수 있다. 여기서 인식론의 문제들이 그때 그때 주도적인 인식 관심의 관점에서, 예를 들어 마르크스주의적 사회학자의 이데올로기 비판적 태도와 같은 인식 관심의 관점에서 고찰되었다. 하지만 이때 주장된 명제들 안에 있는 판단들의 진리 조건들에 대해서는 물어지지 않았다. 당연히 한 주장의 진리가 그 주장을 인식하게 만든다. 하버마스는 후기 저작들에서 진리 개념을 상세하게 다루었는데, 이 개념을 역시 한 사회학적 관점, 다시 말해 판단하는 사람들의 합의라는 관점에서 다루었다. 인식론적 문제들을 사회학적 관점에서 해석하는 것과 마찬가지로 생물학의 진화론을 인식론적 물음에 적용하는 것도 잘못이다. 철학적 인식론은 개별학문의 모든 구체적인 인식이 인식 일반의 "가능성의 조건들"을 이미 항상 전제하고 있으며, 또한 거기에 의존하고 있다는 사실을 고수할 것이다.

어쨌든 개별학문의 학자들은 자신의 특정 연구 영역의 보편적인 유의미성에 대한 물음과 관련하여 의견을 표명할 때에 자신의 특정 분야의 권위에 입각해서가 아니라 항상 이미 철학자로서 그렇게 한다. 그것은 세계 현실의 이해에 대한 근대 물리학의 중요성을 묘사하는 자연과학자들의 경우도 마찬가지다. 그들의 입장표명은 종종 오늘날 학문의 세계에서 기초 자연과학으로서의 물리학에 바쳐지는 존경심 속에서 수용된다. 하지만 세계이해에 대한 물리학의 역할과 한계에 대한 반성은 항상 철학적 성격을 가지는 것이기에, 물리학자가 전공학자로서 누리고 있는 그런 권위에 의해서 결코 해소되는 것이 아니다. 영국의 물리학자 스티븐 호킹(Stephen Hawking)이 1988년에 시간에 관한 유명한 저서 『시간의 역사』(A Brief History of Time)를 출판했다. 하지만 이미 제목에서 암시되고 있는 것처럼 시간의 발생에 대한 생각(혹은 시간의 역사에 대한 생각)은 역설적인 성격을 지닌다. 그런 표현 자체가 이미 시간을 전제하고 있기 때문이다. 역사는 시간 안에서만 실행될 수 있다. 따라서 시간의 발생 역사에 관한 논의는 철학적으로 문젯거리다. 그것이 논리적 순환 구조를 가지고 있기 때문이다.

인간과 세계에 대한 총체적 이해를 위해서 개별학문들이 가지는 의미와 중요성은 오직 개별학문의 방법과 결과에 대한 철학적 반성 위에서 적절하게 다뤄질 수 있다. 20세기에는 (앙리 베르그송과 특히 알프레드 노스 화이트헤드와 같이) 오로지 소수의 철학자들이 세계의 현실에 대한 철학적 설명을 제시하고자 감행했지만 상황은 별로 달라진 것이 없다. 경험적 현실 전체에 관해 근본적이고 종합적인 방향을 제시해주는 철학은 오늘날 드물다. 이미 강조했던 것처럼 이런 상황은 철학적 신학의 전통이 경시된 결과이다. 하나님에 관해 논의하려면 세계의 개념을 주제로 다루지 않을 수 없기 때문이다. 여기 현대철학이 방기한 틈새로 다양한 개별학문들이 필히 들어오기 마련이다. 이때 그 개별학문의 대리자들이 스스로 철학하기 시작한다. 하지만 유감스럽게도 그것은 종종 일면적이고, 철학적으로 충분히 반성된 방식의 철학이 아니다.

신학으로서는 이런 상황이 특별히 불만족스럽다. 왜냐하면 신학은 단지 하나님에 대해서 말을 해야 하는 것이 아니라, 하나님이 창조한 세계에 대해서도 말을 해야 하기 때문이다. 더구나 하나님에 관한 논의와 가지는 상관성의 관점에서 세계에 대해서 말해야 하기 때문이다. 이전 세기들에는 신학이 철학적 세계관이라는 상대에 대해서 긍정적으로 혹은 비판적으로 관계를 맺을 수 있었다. 오늘날에는 이런 상대가 거의 없어졌다. 하지만 신학의 과제는 여전히 남아있다. 여기서 언급된 철학적 방향설정의 공백에 대한 의식은 철학의 역사를 연구해야 할 필요성을 불러일으킨다. 철학의 역사에 대한 연구를 통해서 우리는 현실에 대한 포괄적인 방향설정과 관련하여 오늘날 풀리지 않는 과제들이 이전 시대의 철학들에서는 어떻게 파악됐는지를 살펴볼 수 있을 것이다. 그리고 이런 식으로 해결되었던 문제들 중에서 오늘날 그런 모델을 단순히 수용할 수 없게 만드는 문제들은 어떤 것인지를 살펴볼 수 있을 것이다. 물론 세계와 인간의 현실에 대한 총체적인 방향설정과 관련해서 해결되지 않은 과제는 오늘날에도 오로지 철학적으로 해결될 수 있을 것이지만 말이다.

1장 칸트와 신학에 끼친 그의 영향[1]

1. 칸트 철학의 발전에 끼친 신학적 영향 [2]

칸트는 57세에(1781년) 처음으로 비판철학의 대표작인 『순수이성비판』을 출간했다. 쾨니히스베르크에서 교수자격논문을 쓰고 25년이 지난 후였다. 이 해는 칸트의 소위 전비판적 저서들, 특히 자연과학과 형이상학에 대한 저술들이 출간된 해이기도 했다. 그 저서들 중 가장 중요한 것들은 다음과 같다.

- 『생명력의 본질에 관하여』(*Gedanken von der wahren Schätzung der lebendigen Kräfte*), 1746.
- 『일반적인 자연사와 천체이론』(*Allgemeine Naturgeschichte und Theorie des Himmels*), 1755. -행성계의 순수 역학적 기원을 주제로 하여.
- 『형이상학적 인식의 제1원리들에 관한 새로운 조명』(*Neue Erhellung der ersten Grundsätze metaphysischer Erkenntnis*), 1755. - 쾨니히베르크에서 라틴어로 작성된 칸트의 교수자격논문(*nova Dilucidatio*).

---

1) 헨리히(D. Henrich)는 *RGG*에 기고한 "Kant"라는 그의 짧은 논문에서 칸트의 철학을 간략하게 개관한다. 칸트에 관한 마르틴의 책(G. Martin, *Immanuel Kant*, 1951, 4. Aufl. 1969)은 라이프니츠와 칸트 및 뉴턴과 칸트의 관계를 중심으로 한 서론으로서 추천할 만하다.

2) 이 단원을 위해서는 특히 참조, H.-G. Redmann, *Gott und Welt. Die Schöpfungstheologie der vorkritischen Periode Kants*, 1962; J. Schmucker, *Die Ontotheologie des vorkritischen Kant*, 1980; 그리고 필자가 1964년에 *ThLZ* 89집 898ff.에 기고한 비평.

칸트의 철학적 신학을 위해 특히 중요한 책은『신 존재증명을 위해 유일하게 가능한 논거』(*Der einzig mögliche Beweisgrund zu einer Demonstration des Daseins Gottes*, 1763)이다. 그리고 마지막으로 언급될 만한 책은『형이상학의 꿈을 통해 해명된 어느 점술가의 꿈』(*Träume eines Geistersehers, erläutert durch Träume der Metaphysik*, 1766)이 있다.

초기의 자연과학 저서들은 무엇보다 형이상학적 관심과 특히 신학적 관심을 위한 것이었다. 이때 신학적 관심은 신학이란 단어가 가지는 좁은 의미의 관심, 즉 신론에 대한 관심을 말한다. 칸트의 자연탐구의 특징은 세계와 세계의 기원을 확고하게 기계적으로 설명했다는 점에 있다. 그의 이런 기계적 설명은 뉴턴의 권위에 반하는 것이기도 했다. 그리고 이런 기계적 자연관찰은 레드만(Horst Redmann)이 지적했듯이 종교개혁 신학, 특히 칼뱅주의 신학자 스타퍼(Johann Friedrich Stapfer)[3]가 강조한 신의 절대적 전능성과 초월성(Erhabenheit)에 근거한 신 이해를 통해 동기유발이 되었다. 이런 사실을 고려하여 이 장에서는 먼저 칸트의 신개념의 특징들을 간략하게 살펴보고, 그런 신 개념에 상응하는 세

---

3) 1708년에 태어난 스탑퍼는 크리스티안 볼프의 제자였다. 그는 목회자로 남기 위해 4차례에 걸친 마르부르크 대학교의 개혁신학 교수직 초빙을 거부했지만, 1743-1747년 사이에 5권으로 된 *Institiones theologiae polemicae diverse*를 출판했으며, 1746년부터는『참된 종교를 위한 기초』(*Grundlegung zur wahren Religion*)를 - 12번째 책은 1753년에 출간됨 - 출판했다.

계관을 고찰한 후, 마지막으로 신 존재증명에 관해 1763년까지 칸트가 제시한 견해들을 이론이성의 신 증명에 관한 그의 비판과 관련하여 제시할 것이다.

1-1. 초기 저작들에 나타난 칸트의 신 개념

이미 『생명력의 본질에 관하여』(1746)에서 칸트는 라이프니츠와 볼프의 형이상학을 비판하고 인간 이성의 유한성과 불완전성을 강조했다. 그는 "오성의 한계"를 지적했으며, "인간의 불완전성을 고려하지 않고 인식을 확장하려 하는 오성의 오만한 성향"을 거부했다.[4] 여기서 우리는 신과 인간의 관계에 관한 칸트의 견해를 알 수 있다. 라이프니츠가 신을 인간의 정신과 같은 정신이라고 생각했는데 반해, 칸트는 무한한 질적 차이를 말했다. 칸트에 의하면 "만일 우리가 이전에는 존재하지 않았다가 존재하게된 사물과 다른 모든 것을 존재하게 하는 사물을 비교한다면, 그들 사이의 질적 차이는 무한함에 틀림없다."[5]

칸트는 모든 유한한 존재자들과 비교할 수 없는 신의 우월성을 그의 초기 저서들에서는 여전히 무한성을 표현하는 전통적인 술어를 통해 거리낌 없이 표현할 수 있었다.[6] 그렇지만 그는 이

---

4) W. Weischedel (hg.), *I. Kant Werke I*, 42.

5) I. Kant, *Über den Begriff der negativen Größen*, 1763, 66(Werke I, 816).

6) I. Kant, *Allgemeine Naturgeschichte und Theorie des Himmels*), 1755, 17(Werke I,

미 1763년에 신의 무한성을 말하는 것에 관해 비판적이었다. 왜 냐하면 칸트에게 무한성 개념은 "그 개념의 고유한 의미에서 볼 때" 수학적 의미를 가지는 것처럼 보였으며, 따라서 그 개념을 신에게 적용할 때는 창조된 사물들에 비례하여 "주장할 수 없는 하나의 동질성"을 포함하는 것처럼 보였기 때문이다. 이와 반대 로 "신적인 자기충족성(Allgenugsamkeit)이란 개념은 가장 큰 완전 함을 나타내기에 훨씬 더 정확한 표현"[7]이라는 것이다.

칸트에 의하면 피조물들과 어떤 비교도 불가능한 신의 초월성 은 그가 세계의 창조자일 뿐만 아니라 이미 유한한 사물들 일반 의 존재근거라는 사실에 있다. "최고의 지혜를 통해 인도된 힘이 창조한 것과 그 힘이 창조할 수 있었던 것의 차이는 … 미분크기 (Differentialgröße)", 즉 그 차이는 무한히 작다.[8] 신은 "모든 본질 들의 본질로서 … 자연의 규정들 전체는 - 심지어 아직 실현되지 않은 가능한 자연의 규정들까지도 - 거기로부터 유래한다."[9]

267; 105f.(Werke I, 329); 127(I 344). Ders., *Der einzig mögliche Beweisgrund zu einer Demonstration des Daseins Gottes*, 1763, 181 und 196 Anm.(*Werke I*, 724 und 733).

7) I. *Kant Werke* I, 727 = *Der einzig mögliche Beweisgrund zu einer Demonstration des Daseins Gottes*, 1763, 186f.

8) I. Kant, *Allgemeine Naturgeschichte und Theorie des Himmels*), 1755, 107 Anm.(*Werke I*, 330).

9) I. Kant a.a.O. *Werke I*, 358.

1-2. 창조된 세계

칸트는 신의 특수성을 "자기충족성"이란 개념을 통해 표현했지만, 무한성의 관점에서 볼 때 세계는 그의 창조자와 일치한다고 생각했다. 『일반적인 자연사와 천체이론』(1755)에 의하면 세계가 무한하다고 생각하는 것은 "위대한 창조자의 무한성에 상응하는 것이다. … 계시된 지혜, 은혜, 힘은 무한하며 양적으로도 넉넉하다. 계시의 계획은 계시와 마찬가지로 무한하고 광대함이 분명하다."[10] 세계의 무한성이 창조자의 무한성에 상응한다는 생각을 가장 먼저 주장한 사람은 쿠자누스(Nikolaus von Kues)였다. 그렇지만 쿠자누스는 창조자의 무한성과 달리 세계의 무한성은 단지 유한한 피조물들의 무한한 다양성에 있다고 생각했다.[11] 그밖에도 칸트는 세계는 단지 공간적으로만 무한하다고 생각했으며, 세계는 시간적으로는 끝이 없지만 시작은 있다고 생각했다.[12]

칸트는 이제 이런 무한한 세계를 '목적인'(causa finalis)이나 신의 "우연적" 세계개입이란 개념에 의존하지 않고 순전히 기계론

---

10) *I. Kant Werke I*, 267.

11) Nikolaus von Kues, *De Docta ignorantia II*, 4; II, 1. 쿠자누스에 의하면 우주의 무한성은 단지 한계가 없는 결핍된 무한성이며, 하나님의 무한성만이 모든 유한한 것과 다른 부정적 무한성이다.

12) I. Kant Werke I, 335. "창조는 결코 완성되지 않았다. 창조는 한 번 시작되었지만 결코 그치지 않을 것이다."

적으로 설명하고자 했다. 그는 원초적 카오스 상태에서 순전히 기계적인 법칙에 따라 행성계가 형성되었다는 이론을 - 이런 이론은 뉴턴과 대립되는 데카르트의 이론을 따른 것인데 - 신학적으로도 옹호하였다. 기계론적 세계질서의 완전성은 창조자의 지혜를 나타내는 품위 있는 유일한 표현이다. 이미 스피노자도 유사한 이론을 주장한 적이 있었다.[13] 칸트는 스피노자의 기계론적 자연관에서 세계의 전적인 신 의존성 및 신과 세계의 절대적 차이가 표현되어 있음을 발견했다. 그는 자연에서 일어나는 사건을 그 사건에 내재하는 일반적인 운동법칙들과 자연의 물리력으로부터 설명하는 것은 "신에게 세계를 다스리는 권리를 인정할 수 없음"을 의미한다는 "선입견"을 분명히 거부했다. "일반적 법칙들을 통해 창조된 자연의 일치와 질서"야말로 자연이 "유일한 최고의 이성에 의해 기원되었다는" 증거라는 것이다.[14] 이런 주장은 우주의 질서와 아름다움으로부터 신의 존재를 증명하는 '우주론적 신 존재증명'을 상기시킨다. 그러나 칸트의 이런 주장에서 중요한 것은 그가 플라톤의 『티마이오스』에 기초한 전통과 달리 우주적 질서의 이런 우연성이야말로 신적인 창조행위의 자유를 표현하는 것이라고 생각했다는 점이다.

중세 기독교의 창조론은 『티마이오스』에 나타난 플라톤의 우

---

13) B. de Spinoza, *Theologisch-politischer Traktat*(1670), übersetzt und eingeleitet von C. Gebhardt (PhB 93), 110-132.

14) *I. Kant Werke I*, 356.

주론을 계속 발전시켜 창조는 이미 마련되어 있는 질료(물질)를 신의 정신에 내재하는 이데아들에 따라 형태화한 것이라고 해석했다. 오캄(Wilhelm Ockham)은 이런 견해가 신적 창조행위를 설명하기에 적합하지 않다고 비판했다.[15] 그러나 그는 이런 비판을 끝까지 고수하지는 않았다. 라이프니츠는 신의 지혜가 신적 전능성의 척도라고 생각함으로써 창조행위가 신의 정신에 내재하는 이데아들을 본으로 하여 이루어진 행위라는 플라톤의 견해를 새로운 차원에서 해석했다. 이와 반대로 칸트에 의하면 창조가 신의 정신에 내재하는 이데아들을 본으로 하여 질료를 형상화한 것이라는 견해는 한편에서는 물질이 신과 동등한 자발성을 가지고 있다고 생각하는 것이며, 다른 한편에서는 창조된 물질의 질서와 하나님 자신의 질적 차이를 부정하는 것이다. 창조된 물질의 이런 질서를 신적 정신구조 자체의 직접적인 표현이라고 생각한다면 말이다. 이에 대해 칸트는 1763년에 이렇게 말했다. "사람들은 서로 다른 사물들의 의존성을 단순히 그들의 현존에만 국한시켰다. 그렇게 함으로써 그런 완전성의 근거가 대부분 저 최고의 자연에게서 박탈되어 어떤 말도 안 되는 것에 - 그것이 무엇인지 알지 못하지만 - 부여된다."[16] 이런 비판은 특히 라이

---

15) 참조, K. Bannach, *Die Lehre von der doppelten Macht Gottes bei Wilhelm von Ockham. Problemgeschichtliche Voraussetzungen und Bedeutung*, 1975, 54-257, bes. 238ff., 248.

16) *I. Kant Werke I*, 724.

프니츠를 염두에 둔 것이었다. 라이프니츠는 신의 전능함을 그의 지혜에, 즉 그의 이데아들에서 미리 형성된 사물들의 질서에 한정된 것으로 생각했기 때문이다. 따라서 라이프니츠는 이전의 쿠자누스와 케플러와 마찬가지로 지연질서를 인식하는 것이 곧 신의 창조사상을 이해하는 것이라고 생각했다. 이와 달리 칸트는 사물들 자체의 가능성들은 신 안에 근거를 가지고 있음이 분명하다고 주장했다. 신의 창조적 행위는 자신 안에 선재하는 가능한 사물들의 질서에 매일 수 없다는 것이다.

그러므로 전통적 견해의 세계현실의 한 측면, 즉 세계에서 일어나는 사건의 질서가 그의 피조성에서, 즉 신과 신의 지혜와의 차이성에서 적절하게 평가되지 않는다면, 신에 의해 여전히 형성되어지고 정돈되어질 물질에게 부당한 자발성이 부여되며 결과적으로 물질이 신에 의존한다는 사실을 이해할 수 없게 만든다. 따라서 칸트는 전통적인 물리 신학적(physikotheologische) 관찰방식을 기부했다. "이런 방법은 단지 물질 자체가 아니라 세계를 인위적으로 결합한 존재자와 우주의 근원을 입증할 수 있을 뿐이다. 이런 관찰방식은 그런 방법만 고집하는 모든 사람들을 소위 세련된 무신론의 오류에 빠지게 할 위험이 있다. 그리고 이런 관찰방식에 따르면 신은 엄밀한 의미에서 세계의 창조자가 아니라 장인, 즉 물질을 정돈하고 조성하기는 했지만 창조하지는 않은 장인으로 간주된다."17)

칸트는 자연계의 형식적 구조만이 아니라 총체적인 물질적 존재도 창조된 것으로 이해하고자 했다. 그에 의하면 자연계는 한편에서는 신 자신과 전적으로 다르지만, 다른 한편에서는 바로 이런 차이에도 불구하고 신에게 전적으로 의존적이다. 신의 차이성을 강조하기 위해 칸트는 사물들의 형식들과 법칙들을 물질적 순환과정의 기능들이라고 생각했다. 그리고 신의 차이성에 대한 이전 강조는 당시의 자연과학적 상황에서 볼 때 생성과 소멸을 기계적으로 설명하는 칸트의 이론을 통해 가장 잘 수행될 수 있었다. 그러나 바로 신과 무관한 세계발전은 그의 우연성을 통해18) 세계가 창조된 것임을 알 수 있게 한다. 칸트가 볼 때 세계의 우연성은 전체적으로, 그리고 그의 우연적인 질서구조와 관련해서도 세계를 신과 연결하는 최후의 결정적인 끈, 즉 세계가 전적으로 신에게 의존적임을 입증하는 끈이다.

세계와 그 질서의 우연성은 그런 우연성이 어떻게 가능한지 묻지 않을 수 없게 한다. 그러나 이런 물음은 더 이상 자연철학적으로 대답될 수 없다. 만일 세계가 우연적이라면 세계는 그의 근원과 같을 수 없기 때문이다. 이미 중세철학은 필연적으로 작용하는 원인들과 우연적으로 작용하는 자유원인들 사이를 구분하

---

17) *I. Kant werke I*, 689f.
18) 우연성 개념에 관해서는 참조, *Kant Werke I*, 644.

였으며, 단지 필연적인 원인들에 대해서만 인과율이 적용될 수 있다고 주장했다.

50년대 중반 이후 칸트는 세계와 신의 관계에서 발생하는 세계의 우연성을 존재론적 차원에서 계속 탐구하고자 했다. 따라서 그의 형이상학 저서들의 주제는 초기의 자연철학적 저서들의 신학적 동기와 내적 연관성을 가진다. 이것은 신의 존재를 증명할 수 있는 유일한 근거를 다룬 1763년의 저서에도 마찬가지이다.

1-3. 이성으로부터의 신 존재증명

자연의 우연성으로부터 신의 존재를 인과율에 따라 귀납적으로 추론하는 것이 불가능하다 할지라도, 칸트는 교수자격논문(Nova dilucidatio)을 발표한 1755년부터 "신 존재증명을 위한 유일하게 가능한 근거"에 관해 논문을 발표한 1763년까지도 여전히 이성은 신의 존재를 전제하지 않고는 아무것도 생각할 수 없음을 입증할 수 있다고 생각했다. 이와 같은 방식으로 신의 존재는 어떤 경험에도 의존하지 않고 아프리오리하게 입증될 수 있었다. 그렇다면 칸트가 당시에도 여전히 불가피한 것으로 생각했던 논증은 어떤 것인가?

이성의 사유 가능성들과 이성 자체는 사실적으로 주어진 것의 한계를 넘어설 수 없다.[19] 그러나 존재하는 것은 우연적이다. 즉 그것은 그의 존재의 "내적 가능성"을 자기 자신 안에 가지지 않는다. 따라서 모든 이성적 사유의 가능근거로서 사실적으로 주어져 있는 것은 단지 그의 가능성과 모든 가능성들의 근거, 즉 사실적 존재의 '실질적 근거'(Realgrund)를 전제해서만 가능하다.[20] 이런 논증에서는 세계의 존재가 신개념으로부터 논리적으로 입증되지 않으며, 반대로 신 개념도 세계의 존재로부터 입증되지 않는다. 세계는 오히려 그의 순수한 사실성에 있어서 무로부터 창조된 것이며, 따라서 논리적으로 이해 불가능한 것으로 드러난다.

그러므로 칸트의 논증에서 중요한 것은 이성으로부터 신의 존재를 증명하는 것이 아니라 현실을 넘어설 수 없는 이성의 한계성으로부터 증명하는 것이다. 그것은 칸트가 이미 1746년에 라이프니츠-볼프의 형이상학을 비판하면서 주장했던 이성의 한계로부터의 증명이다. 후에 칸트는 1763년의 논문과 그 논문에서 제시된 신 존재증명에 관해 자신도 절대적으로 확신하지는 못한다고 말했다. "왜냐하면 그는 그런 존재의 객관적 필연성을 설명

---

19) 칸트는 이미 1755년에도 『일반적인 자연사와 천체이론』에서 그렇게 생각했다. 참조, *Werke I*, 381.

20) 칸트의 '실질적 근거' 개념에 관해서는 부정적 크기 개념에 관한 그의 논문 결론에 있는 일반적 각주를 참조하라(*Werke I*, 816-819). '실질적 근거'는 논리적 근거와 달리 "어떤 것이 어떤 다른 것으로부터 유래하는 - 그러나 동일률에 따르지 않고 - 근거"를 의미한다. 이런 의미에서 볼 때 "오직 신의 의지만이 세계의 실질적인 존재근거이다."(817)

할 수 없고,[21] 단지 그런 존재를 인정해야 할 주관적 필연성만 설명할 수 있을 뿐이기 때문이다."『순수이성비판』(1781)에서 칸트는 1763년의 논문을 바로 이런 관점에서 수정했다. 이성의 대상은 사실적으로 주어진 것이라는 전제를 가지고 절대적으로 필연적인 것을 전제하는 것은 실제로 이성을 위해 불가피하기는 하지만 단지 주관적으로만 그렇다. 이런 전제는 『순수이성비판』에서 실재성 전체(omnitudo realitatis)의 총괄개념(Inbegriff)이자 모든 가능한 대상규정들의 근거인 초월론적 이념을 통해 구체적으로 제시된다.[22]

칸트는 비록 그가 전통적인 형이상학의 신 개념을 비판하기는 했지만 이론이성을 위해서도 신개념은 타당하다고 주장했다. 그러나 그런 타당성은 단지 이성에 의해 요구되는 주관적 타당성이다. "그러므로 최고의 존재는 이성의 사변적 사용을 위해 유일하지만 완벽한 이념으로 머문다. 이런 이념은 모든 인식의 건전성을 최종적으로 보증해 주는 개념이다. 이 개념의 객관적 실재성은 이런 과정에서 입증될 수는 없지만 반박될 수도 없다. 그리고 만일 이런 결핍을 채워줄 수 있는 도덕신학이 있어야 한다면, 불완전하기만 했던 이전의 초월론적 신학이 그런 도덕신학의 불

---

21) 칸트는『철학적 종교론에 관한 강연들』에서 그렇게 말했다. (*Vorlesungen über philosophische Religionslehre*, hg. Polity, 2. Aufl. 1830, 72f., zit. bei D. Henrich, *Der ontologische Gottesbeweis. Sein Problem und seine Geschichte in der Neuzeit*, 1960, 148).

22) 참조, I. Kant, *Kritik der reinen Vernunft* (1781), 2. Aufl. 1787 B 599-611.

가피성을 입증해 준다. … "(B 669) 이성을 위해 주관적으로 요청되는 신 개념을 단순히 이성의 "이념"으로서 뿐만 아니라 객관적 실재성으로서 수용하는 것은 실천이성의 역할이다. 그리고 그것은 이미 실천이성이 신에 관한 물음에 기여하는 것이기도 하다.

그렇지만 만일 신 개념이 이성의 필연적 요청이라면 그 개념은 왜 이성을 통해 실제로 입증되지 않는가?『순수이성비판』에서 이성신학에 대한 비판은 이런 물음을 다룬다.

칸트는 전통적인 신 존재증명을 세 부류로 구분했다. 우주론적 신 존재증명, 물리 신학적 신 존재증명 그리고 존재론적 신 존재증명이 그것이다. 우주론적 논증은 사물들의 사실적 존재로부터 신의 존재를 추론하며, 물리 신학적 논증은 세계에서 관찰될 수 있는 질서로부터 이런 질서의 지성적 원인자를 추론하며, 존재론적 논증은 우리 이성에 내재하는 신개념으로부터 그 개념의 존재를 추론하는 것이다. 칸트는 우주론적 논증을 다시 다음과 같은 서로 다른 세 가지 논증들로 구분하였다. a) 모든 운동에는 최초의 원인이 있음에 분명하다는 논증. 이 논증은 아리스토텔레스의 철학에 기초하여 신의 존재를 증명하는 토마스 아퀴나스의 5가지 방법들 중 첫 번째 방법이다. b) 존재의 최초 근원을 추론하는 논증. c) 모든 유한한 사물들의 우연성과 달리 필연적이고 스스로 존재하는 존재자를 전제하는 논증. 두 번째와 세 번째 논증은 중세의 아랍철학과 기독교철학에서 처음 시도되었다. 칸트가 우주론적 논증에 관해 말했을 때, 그는 무엇보다 토마스 아퀴나스의 다섯 가지 논증들 중 세 번째에 해당되는 논증을 염두에 두고 있었다. 이 논증형식은 유한한 사물들의 우연성으로부터 존재가능성의 조건인 자기 원인적이고 필연적으로 존재하는 존재자를 추론하는 형식으로 라이프니츠에 의해 칸트에게 전수되었다.[23)]

칸트에 의하면 필연적 본질이란 개념은 세 유형의 논증들을 모두 관통하는 개념이다. 우주론적 논증은 사물들의 우연성에 대립되는 개념으로서 필연적인 본질이란 개념에 도달하지만, 이 개념에 내용을 줄 수는 없다. 칸트에 의하면 개념에 내용을 주는 것은 존재론적 논증의 과제이다. 존재론적 논증의 과제는 칸트가 "초월론적 이념"이라고 표현한 가장 완전한 본질이 바로 실재성 전체(omnitudo realitatis)라고 생각함으로써 필연적이고 스스로 존재하는 존재자란 개념에 내용을 부여해 주는 것이다. 존재도 실재성 전체에 속한다고 생각할 수 있기 때문이다. 칸트에 의하면 이렇게 하여 우주론적 논증의 목석 개념이 규정되기 때문에, 이런 논증은 본질 개념으로부터 그 본질의 존재를 추론하는 존재론적 논증을 전제한다. 마찬가지로 우주론적 논증의 추론 가능성도 존재론적 논증에 의존한다는 것이다.

그러나 신의 존재를 증명하기 위한 존재론적 논증은 완전한 본질이란 개념으로부터 그 본질의 존재가 추론될 수 없다는 반

---

23) 칸트는 순수이성비판 B 632에서 자신이 우주론적 논증이라 부르는 논증은 라이프니츠가 "세계의 우연성"(contingentia mundi)라고 표현한 논증과 동일하다고 분명히 말했다.

론에 직면한다. 존재는 실재성 전체에 포함된 실제적 완전성들의 하나라고 생각될 수 없기 때문이라는 것이다.[24] 이런 반론이 칸트의 비판적 논증에 대해 가지는 타당성은 신 개념으로부터 그의 존재를 추론하는 논증이 논박되기 때문이라기보다는 오히려 실재성 전체의 초월론적 이념은 본질과 존재의 통일성을 주장하는 필연적 본질개념을 충분히 설명하지 못하며 따라서 그런 본질 개념으로부터는 신의 존재가 확실하게 추론되지 못할 것이기 때문이다.[25] 필연적 본질이란 개념 자체가 확실하게 규정될 수 없다면, 이런 개념에 근거한 존재론적 증명은 성공하지 못할 뿐만 아니라 그 개념을 전제하는 다른 두 증명들도 실패할 수밖에 없다. 세상의 우연성은 이성이 모든 실재성의 근원인 어떤 필연적이고 스스로 존재하는 본질을 생각하도록 하는 계기가 된다. 그러나 이성이 그렇게 생각한다고 해서 그런 필연적 본질이 실제로 스스로 존재한다는 사실은 물론 그가 어떻게 스스로 존재하는지 보장되지는 않는다.

칸트와 달리 헤겔은 후에 우주론적 증명은 이미 독자적으로 필연적 본질이란 개념에 도달하며 따라서 그런 본질의 사실적 존재를 입증하기 위해 보편실재(Allrealität)를 생각할 필요가 없다고

---

24) 칸트의 존재론적 논증과 이성신학 비판을 위한 그 논증의 의미에 관해서는 참조, D. Henrich, *Der ontologische Gottesbeweis. Sein Problem und seine Geschichte in der Neuzeit*, 1960, 139-178.

25) 참조, D. Henrich a.a.O. 156ff. 보다 정확하게 말해 본문에서 언급된 설명은 일반적인 증명이라 할 수 있다.

강하게 주장했다.[26] 이런 비판의 초점은 헤겔의 철학체계 전체와 관련하여 후에 다시 더 자세하게 평가될 것이다. 여기서는 무엇보다 칸트가 신의 존재를 이론적으로 증명할 수 없다는 전제하에 이성 자체와 그의 기능들을 이성에게 본질적인 신학적 관계들로부터 어떻게 해방시켰는지 제시하는데 만족하기로 한다.

2. 『순수이성비판』에서 신의 형이상학적 기능들에 관한 인간론적 해명[27]

이미 언급된 1746년과 1770년 사이의 칸트의 사상에서 알 수 있듯이 칸트가 이성의 능력을 격하하여 유한성의 영역에 국한시킨 이유는 바로 그가 창조자로서 하나님의 전능성을 철저히 강조했기 때문이었다. 칸트는 인간의 이성에 관해서도 하나님과 피조물 사이의 질적 차이를 강조하였기 때문에 한편에서는 이성의 활동이 감각적 인상들에 제한되어 있음을 점점 더 강조하여 경험론의 논증, 특히 흄의 인식비판을 수용하였으며, 다른 한편에서는 신, 세계 그리고 영혼에 관한 전통적인 형이상학적 진술들은

---

26) G. W. F. Hegel, *Vorlesungen über die Beweise vom Dasein Gottes*, hg. G. Lasson PhB 64)1930), 136ff, bes. 142f.

27) 여기서 제시될 내용은 F. 델레카트에 의해 이미 다른 형태로 다루어진 적이 있다. 참조, F. Delekat, *Immanuel Kant, Historisch-kritische Interpretation der Hauptschriften*, 1962.

유한한 이성이 감각적 인상들에 국한된 그의 한계를 넘어서려는 경향의 표현에 불과하다고 평가할 수 있었다. 물론 칸트는 이성이 감각적 인상을 통해 수집한 자료에 자신에게 이미 선험적으로 갖추어져 있는 형식을 적용한다고 믿었다. 이성은 이런 인상들을 수용하여 가공함으로써 인식을 생산하기 때문이다. 비록 "우리의 인식이 경험과 함께 시작하지만, 그렇다고 해서 모든 인식이 경험으로부터 오는 것은 아니다."[28] 그러나 칸트에 의하면 모든 경험에 앞서(a priori) 이성의 본성에 속하는 형식들은 감각적 인상을 통해 획득될 수 있는 경험에 적용될 때에만 의미를 가진다. 그렇지만 우리의 경험을 그렇게 해석하기 때문에 이전에는 신 개념과 결합되어 신 개념을 통해 구성되었던 세계경험의 관계체계가 이제는 인간 주체성의 표현으로서 인간론적으로 재해석되었다. 이런 해석은 우선 감각적 지각의 가장 보편적 형식인 시간과 공간에 관한 해석인데, 칸트는 『순수이성 비판』 1부에서 감각적 직관의 일반적인 가능조건들에 관한 이론인 "초월론적 미학"이란 제목으로 이 문제를 다루었다. 다음에는 오성의 판단에서 감각적 인상들의 일반적인 결합조건들을 다룬 "초월론적 분석"이 이런 인간론적 해석이며, 마지막으로는 경험의(또는 오성사용의) 총체성을 위해 전제되어야 하는 "이념들"인 세계, 영혼 그리고 신도 인간론적으로 해석되었는데, 이런 이념들은 "초월론적 요소론"의 3

---

28) I. Kant, *KrV, B* 1.

부에서 "초월론적 변증론"이란 제목으로 다루어졌다.

2-1. 초월론적 미학에서 공간과 시간의 인간론적 해석

공간과 시간은 17세기와 18세기 초에 스피노자는 물론 뉴턴
과 라이프니츠에 의해서도 신학적으로 해석되었다. 스피노자가
공간과 시간을 연장(Ausdehnung; 延長)이란 개념 아래 통합하면서
신적 실체의 속성이라고 생각했는데 반해, 뉴턴은 '신의 감각기
관'(sensorium dei), 즉 신이 그의 피조물의 장소에 창조적으로 현
존하는 매개체라고 생각했다.[29] 뉴턴과 스피노자는 모두 무한한
공간과 시간을 실제적인 것이라고 생각했지만, 독립적으로 존재
하는 실체는 아니라고 보았다. 신의 실제적인 무한성 이외에 어
떤 다른 무한한 존재자도 인정될 수 없기 때문이다. 만일 실제로
무한한 실체가 둘이라면 그들은 서로에게 제한될 것이며, 따라서
엄밀한 의미에서 둘 중 어느 것도 무한하지 못할 것이기 때문이
다. 그러므로 오직 단 하나의 실질적인 무한자만이 존재한다. 그
리고 공간의 무한성은 신의 무한성에 "속하는" 어떤 것, 즉 신의
속성이나 뉴턴처럼 신의 창조적 행위의 매개수단으로 간주되어
야 한다. 이때 뉴턴의 견해에 대한 사무엘 클라크의 해석에 따르

---

29) 참조, Pannenberg, "Gott und die Natur. Zur Geschichte der Auseinandersetzung
zwischen Theologie und Naturwissenschaft", in: *Theologie und Philosophie* 58, 1983,
481–500, bes. 491.

면, 부분들로 이루어진 기하학의 공간과 달리 분할되지 않은 측정 불가능한 신적인 무한한 공간만이 신의 속성으로 이해될 수 있다.[30] 이와 달리 스피노자는 그런 차이를 인정하지 않았으며, 따라서 범신론이란 비판을 받게 되었다. 라이프니츠는 뉴턴과 클라크의 견해도 마찬가지로 범신론이라고 보았다. 그들도 신적인 무한성이 부분들로 구성되어 있으며 따라서 분할 가능하다는 불합리한 생각을 한다고 보았기 때문이다. 라이프니츠 자신은 그런 범신론적 혐의를 피하기 위해 공간은 실체로서의 실재성도 가지지 않으며 속성으로서의 실재성도 가지지 않으며, 단지 우리에게 표상된 사물들 사이의 총체적 관계망에 불과하다고 생각했다. 그러므로 공간은 인식형식이다. 그러나 그렇다고 해서 공간이 사물들의 존재에 외부에서 부가된 것은 아니다. 공간은 신적 근원모나드들을 통해 창조된 우주와 우주질서에 관한 신적 근원모나드들의 지식에 근거하기 때문이다.

　칸트는 라이프니츠와 클라크의 주장을 모두 거부하고 공간과 시간은 결코 신에게서 기원된 것이 아니며 단지 인간의 주체성에 근거한 직관형식들이라고 생각했다. 따라서 칸트는 한편에서는 라이프니츠를 비판하고 클라크의 주장을 지지했다. 클라크의 주장에 따르면 공간은 무한한 전제로서 부분적 공간들, 공간적 형태들과 대상들 및 그들 사이의 상호관계를 위해 이미 전제된다.

---

30) 더 자세한 것을 알기 위해서는 참조, a.a.O. 495.

칸트에 의하면 공간은 "무한한 크기로 주어져 있는 것이다."(KrV B 39f.) 다른 한편 칸트는 공간을 주체의 직관형식으로 파악함으로써 클라크에 의해 도출된 결론, 즉 모든 분할에 이미 전제된 것이기 때문에 무한하고 분할되지 않은 이런 공간은 무한한 신의 속성으로서 신적 무한성과 동일시될 수 있다는 클라크의 결론을 피하였다.[31]

칸트는 시간에 관해서도 마찬가지로 논증했다.[32] "서로 다른 시간들은 단지 동일한 시간의 부분들이다."(B 47) 따라서 전체로서의 시간직관은 분할된 시간을 표상하기 위해 언제나 이미 전제되어 있다. 우리는 분할된 어떤 시간도, 즉 어떤 지금도 이전과 이후가 없이는 생각할 수 없기 때문이다. 이미 플로티노스도 시간을 운동의 수로 파악한 아리스토텔레스에 대해 이런 반론을 제기한 적이 있었다.[33] 그에 의하면 시간을 초월하는 영혼의 동일성과 그런 동일성을 통해 보증된 총체적 생명으로서의 영원성이 시간의 근거이다.[34] 그렇지만 칸트는 플로티노스와 달리 시

---

31) 참조, a.a.O. 494 Anm. 47.

32) 참조, K. H. Manzke, *Ewigkeit und Zeitlichkeit. Aspekte für eine theologische Deutung der Zeit*, 1992, 55-160, bes. 127-153.

33) *Plotin Enn. III*, 7, 9; 참조, W. Beierwaltes, *Plotin über Ewigkeit und Zeit* (1967) 3.Aufl. 1981, 123 und 235.

34) 플로티노스에게 있어서 영원과 시간을 매개하는 영혼에 관해서는 참조, *Enn. III*, 7, 11; Beierwaltes, a.a.O. 241ff. bes. 260f.; Enn. III, 7, 13, 49-53. 여기서 우리가 주목해야 할 것은 시간이 영혼에 의존한다는 플로티노스의 주장에서 중요한 것은 플라톤의 세계영혼이지 인간의 개별적 영혼들이 아니라는 사실이다. 영원성이 생명 전체의 "총체적 완성"이라는 사상에 대해서는 참조, *Enn. III*, 7, 3, 17-19 (Beierwaltes 99 und 166ff., 172).

간의 근원은 세계영혼이 아니라 경험 가능성의 "초월론적" 조건인 인간의 주체성이라고 생각했다. 칸트에 의하면 시간은 "우리 자신과 우리의 내적 상태를 직관하는 형식이며"(B 49), 따라서 모든 현상들 일반의 조건이며(B 50), 또한 외적(공간적) 직관들의 - 외적 직관들이 우리 안에서 지각들의 연속으로서 일어나는 한 - 조건이기도 하다. 시간은 우리의 고유한 내적 상태의 직관으로서 "마음(Gemüt)이 이렇게 직관의 표상을 정립하는 자신의 행위를 통해 촉발되는, 따라서 자기 자신을 통해 촉발되는 방식"의 표현이다(B 67f.). 마음의 자기촉발(Selbstaffektion)에 관해 칸트는 자아의 행위와 자기의식의 관계를 통해 자세히 설명했다. 자아는 그의 자발적 행위에서 자기 자신을 의식한다(B 68). 그러나 연속 또는 무한한 전체로서의 시간이 자아의 그런 자기의식을 통해 어느 정도나 우리에게 주어지는가? 『순수이성비판』 1판에 의하면 연속적인 무한한 전체로서의 시간은 마음이 "다양성을 두루 경험하고 그렇게 경험된 것이 재인의 종합(Synthesis der Apprehension)에 의해 종합됨으로써" 의식에 주어진다(A 99). 그렇지만 그런 시간의식에는 연속적 계기들의 다양성으로서의 시간이 이미 전제되어 있다. 그러므로 칸트는 『순수이성비판』 2판에서 "생산적 구상력"(produktive Einbildungskraft)이 자신의 활동의 연속적 계기들을 생산하고 종합한다고 주장했다(B 152ff.).[35]

---

35) 참조, B 154f.

결과적으로 인간의 자아가 바움가르텐(Alexander Gottlieb Baumgar-
ten)의 형이상학에서 "신의 창조적 직관"이 차지하였던 자리를 대
신한다.[36] 신의 창조적 직관 기능을 대신하기 위해 자아는 무시
간적인 것으로 간주되어야 했다. 자아는 그의 자기촉발을 통해
먼저 시간을 구성해야 하기 때문이다.[37] 따라서 유한한 자아가
시간과 공간의 무한한 전체의 근원으로 간주되어야 한다. "그러
므로 칸트에 의하면 자기 자신을 무한한 전체로서 가지지 못하
는 주체가 시간의 통일성을 보장해야 한다. 결과적으로 칸트에
게는 시간의 통일성이 신의 영원성에 근거한다고 볼 수 있는 가
능성이 없게 되었다."[38] 그러나 그 대가는 컸다. "유한성이 자기
자신을 절대적으로 정립한다는 모순된 '이념'이 바로 그것이다.
시간 속에서 자신을 이해하는 유한한 자아가 시간 밖에서 시간
의 통일성을 보증한다."[39] 인간의 이성과 신적 무한성의 차이를
그토록 강조한 칸트가 주체를 경험의식의 근거로서 독립시킴으
로써 현실의 유한한 자아가 신을 대신하도록 만들었다.
그러나 공간과 시간을 인간론적 관점에서 해석함으로써 칸트
의 경험의식 분석은 내적 모순에 직면하게 된다. 감성적 직관은

---

36) 참조, F. Delekat, *Immanuel Kant*, 1962, 94. 만츠케(K. H. Manzke)도 델레카트의 이런
판단에 동의한다(a.a.O. 151).

37) K. H. Manzke, a.a.O. 150-153.

38) K. H. Manzke, a.a.O. 153.

39) K. H. Manzke a.a.O. 160. 그런 자기정립의 근거는 "변하지 않는 지속적 자아"(A 123) 사
상인데, 만츠게는 이런 사상이 영원성을 시간의 전제와 근원으로 파악한 플로티노스와
아우구스티누스의 영향이라고 보았다.

칸트가 부여한 그의 고유한 기능, 말하자면 우리의 지각과 오성판단의 현실관계, 즉 우리 밖에서 우리에게 이미 주어져 있는 현실을 지각과 오성판단과 매개하는 기능을 더 이상 수행할 수 없기 때문이다. 공간과 시간이 주관의 산물이라 할지라도 이런 직관형식들이 동시에 직관대상 자체의 형식이라고 단정할 수는 없다.[40]

2-2. 오성기능의 주관성과 그의 객관적 타당성 문제

칸트의 "초월론적 분석"은 아리스토텔레스의 논리학에서 이미 제시된 판단양식들에서 시작하여 우리의 판단들에서 (또는 명제들에서) 사용되는 결합형식들을 확보하고자 한다. 그런 결합형식들은 판단하는 능력인 오성에 선험적으로 갖추어져 있는 개념이기 때문에 "순수오성개념들" 또는 범주들(카테고리들)이라 하는데, 칸트는 이 범주들을 전통에 따라 다시 양, 질, 관계 그리고 양상으로 세분하였다(B 106). 범주들은 판단에서 술어들의 결합을 위해 전체가 상호 귀속적 연관관계에 있다. 예를 들어 관계의 범주들(실체와 우연성, 인과성, 상호작용)은 결합기능이 두드러지기 때문에 다시 다른 범주들과 구분된다.

이미 라이프니츠는 아리스토텔레스의 범주들은 – 실체의 범주

---

40) 참조, T. Delekat, *Immanuel Kant*, 1962, 62ff.

는 예외로 하고 - 결국 관계의 관점으로 환원될 수 있다고 생각
했다.[41] 그러나 라이프니츠에 의하면 관계는 사물들 자체의 속
성이 아니라 사유된 것이며, 따라서 시간과 공간도 그렇다. 그렇
지만 여전히 라이프니츠 사상에서 중요한 것은 신적 사유였다.
창조된 모든 모나드들에 모사되어 나타나는 사물들의 질서는 신
적 사유에 근거한다는 것이다. 이런 의미에서 라이프니츠에 의
하면 신적 오성(der göttliche Verstand)에는 "영원한 진리들"이 들어
있다. 그리고 신적 오성은 모나드들의 상호관계에서 "영원한 진
리들"의 형식들을 직관한다.[42] 이와 달리 칸트에 의하면 순수한
오성인식의 요소들은 인간의 오성에 속하는 "진리의 논리"이다(B
87). "따라서 신적 창조의 영원한 진리의 요소들(elementa veritatis
aeternae)은 학문의 방법론적 원리체계(organon)가 된다."[43] 신학자
델레카트의 이런 판단과 철학자 고트프리트 마틴의 일치된 판단
에 따르면 라이프니츠와 칸트는 다음과 같은 점에서 일치한다.
"라이프니츠는 기하학적 진리들이 신의 사유라고 생각했지만, 칸
트는 동일한 진리들을 인간의 사유라고 이해했다. 라이프니츠와
칸트의 차이는 진리의 근거를 신학적 관점에서 제시하느냐 아니
면 인간중심적 관점에서 제시하느냐 하는 관점의 차이이다."[44]

---

41) 참조, G. Martin, *Leibniz. Logik und Metaphysik*, 1960, 59-62.

42) G. Martin a.a.O. 125ff.

43) F. Delekat a.a.O. 76.

44) G. Martin a.a.O. 129. 그렇지만 마틴은 라이프니츠가 아우구스티누스의 전통에서 제시

그렇지만 칸트는 신적 지성도 인정했다. 그가 주장하는 신적 지성은 개개의 시간적 규정들을 두루 경험한 후 그런 경험들을 종합하는 우리의 추론적(diskursiv) 지성과 달리 직관적으로(intuitiv) 총체적 세계질서를 통일적인 것으로서 직관한다.[45) 칸트는 그런 신적인 '근원적 직관(intuitus originarius)' 또는 '근원적 지성(intellectus archetypus)'의 표상에 어떤 객관적 실재성도 인정할 수 없었다. 그러나 칸트에 의하면 그런 표상은 우리의 추론적 오성, 즉 전체의 부분들을 단지 연속적으로 파악하기는 하지만 세계질서 전체를 결코 완전히 파악하지는 못하는 오성의 특성을 이해하기 위한 대립개념 또는 배경으로서 기여할 수는 있다. 그렇지만 이런 사실은 시간과 공간에 관한 우리의 직관들과 모순된다. 칸트에 의하면 시간과 공간은 언제나 무한한 전체로서 주어져 있으며 따라서 오성개념들의 추론적 성격과 달리 직관으로서 주어져 있기 때문이다.

그렇지만 칸트에 의하면 경험의 추론성과 미완결성에도 불구하고 오성사용과 모든 경험의 통일성을 보증하는 의식의 통일성이 있다. 의식의 그런 통일성은 모든 가변적 의식내용들에 동반하는 자기의식, 즉 칸트가 "초월론적 통각"(A 107; 참조, B 139ff.)이라 표현한 "나는 생각한다"는 의식에 근거한다. 그런데 여기서

한 진리의 신학적 논증을 강하게 비판했다(ebd.).

45) I. Kant, *Kritik der Urteilskraft*, 1790, 343 ff.

주목해야 할 것은 초월론적 통각으로서의 자기의식은 경험적으로, 즉 시간적으로 규정된 자기의식과는 다르다는 점이다.[46] 경험 의식의 통일적 근거인 자기의식의 이런 통일성에서도 중요한 것은 관점이 형이상학적 신론으로부터 인간으로 바뀌었다는 점이다. 바움가르텐의 "초월적 신의 통일성"(unitas transcendentalis Dei), 즉 신적 자기직관의 토대가 인간의 초월론적 통각으로 대체된다. "신은 창조적 직관에 의해 모든 피조물들에 현존하는데, 인간의 구상력이 신의 그런 창조적 직관을 대신한다."[47]

칸트는 인식능력의 객관적 타당성에 관한 물음, 즉 우리의 인식이 사실적인 것을 사실적으로 파악하느냐 하는 물음에 대해서도 구상력을 통해 대답하고자 했다. 모든 주장은 객관적 타당성을 요구한다. 그러나 모든 주장이 객관적 타당성을 가지는 것은 아니다. 따라서 "우리의 표상들에 있어서 단순히 주관적인 통일성은 객관적 통일성과 구분되어야 한다."[48] 카테고리들에 따른 오성의 종합작용은 구상력이 오성개념들을 직관형식들에 적용함으로써 객관적 타당성이 보장된다.[49] 오성개념들은 오직 직관과

---

46) 이런 차이에 관해서는 참조, D. Henrich, *Identität und Objektivität. Eine Untersuchung über Kants transzendentale Deduktion*, 1976, 89ff.

47) F. Delekat a.a.O. 94. 참조, 98 und 99f. 참조, KrV B 153f.

48) D. Henrich a.a.O. 25. 참조, KrV B 142.

49) 이런 내용은 『순수이성비판』에 있는 "순수오성개념의 도식론" 장에서 다루어진다(B 176-187). 구상력의 역할에 관해서는 B 179ff.를 참조하라. 도식(Schema)은 순수오성개념(카네고리)의 시간적 규정이다. 따라서 칸트에 의하면 '크기'라는 순수오성개념(범주)의 도식은 수이며(B 182), 실체라는 범주의 도식은 "시간에서 사물의 지속성"이며(B 183), 인과성의 도식은 "다양한 것의 규정된 연속성"이다(ebd.). 순수오성개념의 이런

의 관계를 통해서만 대상과 관계하기 때문에, 칸트는 카테고리들은 "가능한 경험적 사용 이외의 어떤 다른 것이 아니다"고 주장할 수 있었다.[50] 이런 주장에 근거하여 칸트는 초월적 대상들, 특히 신에 관한 전통적 형이상학을 비판하였다. 그렇지만 문제는 카테고리들을 시간과 공간이란 직관형식들과 결합하는 것이 인식의 객관성을 실제로 보장해 줄 수 있느냐 하는 것이다. 이런 직관형식들도 오성의 기능들과 마찬가지로 우리의 주관성에 속하기 때문이다.

인식 주체가 더 이상 - 고대의 인식론에서처럼 - 수용적 주체가 아니라 능동적 주체로 간주된 이후, 인식의 객관적 타당성에 관한 문제도 철학적 전통에서 신학적으로 해명되어 왔었다. 이미 위에서(1권 3장) 언급되었듯이 인식 행위에 생산적 주관성이 있다는 결정적인 견해는 중세 철학에서 제시된 적이 있었다. 아리스토텔레스의 능동적 지성을 인간의 영혼에 속하는 것으로 해석함으로 말이다. 그러나 인식과정에서 인간 정신의 생산성과 함께 다음과 같은 물음이 제기되었다. 그런 생산성으로 인해 인식될 사태가 왜곡지지 않는가? 쿠자누스(Nikolaus von Kues) 이후 이런 물음에 대한 대답은, 인간의 생산성은 만물을 창조한 하나님의 창조적 생산성이 인간의 생각에 모사된 것이라는 것이었다. 칸트

도식들은 "순수오성개념들에게 대상과의 관계를 마련해 주는 참되고 유일한 조건들"이다(B 185).

50) *KrV* B 185.

는 이런 해결책을 거부하고[51] 대신 오성개념들의 초월론적 연역을 제시했다. 그는 감성과의 관계를 통해 오성개념들에 "대상과의 관계"(B 185)가 보증된다고 생각했다. 그렇지만 감성적 직관의 보편적 형식인 시간과 공간은 주관적이기 때문에, 그리고 통각의 통일이 비록 의식내용들의 일반적 종합과 일관성을 보증하기는 하지만 의식 외부 대상과의 일치를 보증하지는 못하기 때문에, 그런 방식으로는 주관적 인식행위의 객관적 타당성이 거의 확보되지 않는다.

2-3. 특수형이상학과 이성의 이념들

칸트에 의하면 감각자료들은 기본적인 결합형식들인 카테고리들을 통해 오성에 의해 가공되어 명제(판단) 형식으로 표현된다. 오성의 이런 결합작용은 "나는 생각한다"라는 통각의 통일성에 근거한다. 그렇지만 통각의 통일성은 경험의식 일반의 통일성에서 비로소, 즉 모든 경험적 인식들이 경험의 통일성에서 보편적으로 결합될 때 비로소 완전하고 포괄적으로 실현된다. 칸트에 의하면 통각의 이런 완전한 실현은 오성이 아니라 이성의 과제이다. 이성에 의한 이런 실현은 구체적으로 볼 때 주어진 것에 전제가 되는 것들의 "총체성"을 발견하는 것이다. 그리고 전제들의

---

51) 참조, Delekat a.a.O. 81f.

이런 총체성은 다시 무전제적인 것에 의존한다(B 379). 경험적으로 주어진 것과 전제들의 총체적 결합은 논리적 추론을 통해 이루어진다. 그리고 논리적 추론은 아리스토텔레스의 논리학에 따르면 결국 최고의 원리들에 의존하는데, 이런 원리들은 무전제적인 것이다. 이런 의미에서 칸트에 의하면 이성은 오성의 "다양한 인식들에 개념들을 통해 선험적 통일성을 부여해 주기 위해 오성의 규칙들을 원리들 아래 통일시키는 능력"이다(B 359).

무전제적인 것에 관한 이성개념들은 이제 "절대적"이기는 하지만(B 380ff.), 오성의 판단들을 통일적으로 종합하기 위해서는 오성사용과 관계를 맺는다. 오성이 감각인상들("직관의 다양")을 종합하듯이, 이성개념들은 오성의 판단들을 결합하는데 도움을 준다(B 362). "그러나 그런 원칙은 대상들에게 어떤 규칙도 지시하지 않으며, 대상들 자체를 인식하고 규정할 수 있는 가능근거도 가지지 않는다. … "(ebd.) 이성은 오성과 달리 직관에 주어진 대상들에 직접 관계하지 않고 단지 오성의 판단들과 그 판단들의 상호결합에만 관계한다. 따라서 이성개념들은 대상들의 인식이 아니며, 그렇기 때문에 이성과 결합된 "초월론적 가상"(transzendentaler Schein)이다. 이성개념들은 단지 오성사용의 종합에 봉사할 뿐이지만 이성은 오성사용과의 관계를 단절할 수 없다. 이성개념들은 존재자의 구성적 원리들이 아니며,[52] 단지

---

52) F. Delekat a.a.O. 160에 의하면 칸트의 이런 주장은 단지 이론적 인식의 영역에만 해당된다. 칸트는 실천적 영역에 대해서는 구성적 원리들을 인정했다는 것이다.

경험인식들의 종합, 연속과 확장을 위한 규칙들, 즉 "규제적 원리들"(B 537)이다. 칸트는 그런 이성개념들을 "이념들"이라 부르기도 하는데, 그가 사용하는 "이념들"은 플라톤의 용법과 관련이 있기는 하지만(B 369ff.) 내용에 있어서는 전혀 다르다. 칸트에게 있어서 이념들은 실제적인 대상들이 아니기 때문이다. 플라톤의 이념은 사실적 존재자인데 반해, 칸트에 의하면 "모든 현상들의 절대적 전체는 단지 이념이며"(B 384), 결코 실제적 대상이 아니다 (B 393).

칸트는 이성의 원리들 또는 이념들 아래 경험을 통합하는 다양한 형식들을 구분하였다. 형식적으로는 세 유형의 추리들을 구분하였으며(정언적 추리, 가언적 추리, 선언적 추리; B 361, 참조, B 378), 내용적으로는 사유하는 주체의 절대적 통일성, 인과적 관계에서 상호 규정하는 현상들에서의 통일성(세계) 그리고 신의 사유에서 "모든 사유 대상들 일반의 조건의 절대적 통일성"(B 391)을 구분하였다. 칸트의 이런 구분에서 제시된 세 이념들은 특수형이상학의 대상들인 영혼, 세계 그리고 신이다.[53] 그런데 이 이념들은 더 이상 이성인식의 대상들이 아니라 단지 경험을 통일하기 위한 규제적 이념들일 뿐이다. 칸트는 당시의 자연과학적 세계관과 유신론적 형이상학의 전통적 주제 사이의 충돌을 해결하고자 했다.[54]

---

53) 참조, F. Delekat a.a.O 162.
54) F. Delekat a.a.O. 165f., 참조, 186f.

그런 충돌은 세계 개념을 대상적으로 이해할 때 발생하는 이율배반들에서 두드러지게 발견된다. 그런 이율배반들은 다음과 같다. 1) 유신론적 형이상학은 세계가 신에 의해 창조된 것이며 따라서 유한하다고 생각했는데 반해, 당시 고전적 자연과학은 세계가 시간적으로도 공간적으로도 무한하다고 생각했다. 2) 전통적 형이상학은 세계가 분할 가능한 최종적인 구성요소들로 이루어져 있다고 생각했는데 반해, 자연과학에 의해 관찰된 실재는 무한히 분할 가능한 것처럼 보였다. 3) 형이상학적 전통은 인간의 자유를 강조했는데 반해, 자연과학적 탐구에서는 인과적 필연성이 지배적인 생각이었다. 4) 유신론적 형이상학이 세계에서 일어나는 사건들의 절대적 근원을 제시하고자 했는데 반해, 자연과학적 세계관은 그런 가정을 필요로 하지 않았다. 그렇지만 신에 관한 주제는 단지 세계 개념을 다루는 네 번째 이율배반에서(B 480ff.) 다루어졌을 뿐만 아니라 후에 다시 한 번 "초월론적 이념"(B 595ff.)이란 제목으로 상세하게 다루어진다. 물론 거기서는 신에 관한 주제가 네 번째 이율배반에서와 유사하게 우연적 사물들의 존재 근거로서 필연적 존재를 전제하는 우주론적 신 존재증명을 언급할 때 다루어진다.(B 633ff.) 그렇지만 네 번째 이율배반에서는 필연적 존재가 "세계에서" 일련의 현상들의 마지막 단계로서 전제되었다. 그리고 칸트는 이런 방식으로 이루어지는 필연적 존재주장을 거부했다. 그러나 그는 스스로 존재하는 필연적 존재로부터 기원된 우연적 사물들과 세계 전체의 초월적 근원은 이론적으로 입증할 수는 없지만 (최고의 완전성 사상을 통한 해석에서 모든 실재의 총괄개념으로서) "오류가 없는 이념"으로서 다른 실천적 근거들로부터 가정될 수 있는 대상과 일치할 수도 있음을 인정하였다.

칸트의 이성비판은 경험의식에 대한 분석으로서 실제로 모든 부분들에서 유신론에 근거한 계몽주의의 형이상학을 인간론적 관점에서 기술한 것이라 할 수 있다. 그렇지만 칸트가 그의 이성비판에서 시공간적 경험세계의 독립적 존재를 인정하고 이성의 기능을 그 세계에 한정시킨 것은 그의 초기 사상, 즉 라이프니츠 형이상학의 형상세계를 물질과 동일시하고 세계가 스스로 조성되었다고 보는 기계론적 세계관에 따라 세계를 이해한 그의 초기 사상을 계속 발전시킨 것이라 할 수 있다. 따라서 1763년에도 이미 그는 이성은 실제로 존재하는 것을 전제로 해서만 사유할 수 있다고 생각하였다. 그런데 1781년의 이성비판에 의하면 이성은 범주들에 따라 감성의 자료들을 정리할 때 어떤 형이상학적 신도 전제하지 않는다. 따라서 이성비판은 유신론적 형이상학 대신 인간론적 관점에서 경험의식을 이성의 인식형식들에 근거하여 해명한다. 신 개념은 더 이상 인간 의식의 자기 자신과 세계와의 관계를 위해 본질적이지 않고 단지 이론이성의 한계개념에 불과하다. 그럼에도 불구하고 칸트는 인간의 세계이해와 자기이해로부터 신을 배제하지는 않았다. 오히려 그는 『순수이성비판』 2판 서문에서 밝히듯이 "믿음을 위한 자리를 마련하기 위해 지식을 폐기하고자"(B XXX) 했다. 도덕적으로 근거지어진 믿음을 위해서 말이다. 칸트의 이런 노력은 근본적으로 그의 신 이해에 기인한 것이었다. 결과적으로 그는 이런 신 이해로 인해 순전히 기계론적으로 설명될 수 있는 세계와 이성을 신으로부터 독립시켜 창조자와 피조물의 차이를 강조하게 되었다. 세계와 인간은 그의 존재의 우연성 때문에 여전히 의존적인 것으로 규정되었으며, 신에 관한 물음을 피할 수 없었다. 그러나 칸트는 도덕철학에서 처음으로 이런 물음에 대해 대답했다.

3. 칸트의 윤리와 종교철학 [55)]

칸트는 도덕철학에 관한 저서들에서 신의 존재를 전제하지 않고는 인간의 도덕적 규정이 보증되지 않는다고 주장했다. 따라서 이런 전제는 도덕적으로 - "실천적으로" - 필연적이다. 그런 전제는 비록 이론적으로 입증할 수 없기는 하지만 인간의 자기이해를 위해 필연적으로 요청되기 때문이다. 칸트는 루소와 마찬가지로 도덕을 위한 종교의 의미를 확신하였다. 루소는 교육소설『에밀』(1762)에서 만일 신이 존재하지 않는다면 악한 사람만이 이성

---

55) 이 단원은 칸트의『도덕형이상학을 위한 기초』(*Grundlegung zur Metaphysik der Sitten*: 1785)는 학술판(Aksdemieausgabe: AA IV, 1903, 385-463)의 쪽수에 따라 인용하였고,『실천이성비판』(1788)과『순수이성의 한계 내에서의 종교』(1793)는 원판의 쪽수에 따라 인용하였다.

적으로 행동하며 도덕적인 사람은 불합리하게 처신하는 것이라고 주장했다. 이 세상에서는 선한 사람은 보상을 기대할 수 없고 오히려 희생해야 하기 때문이라는 것이다. 따라서 도덕적 선은 인간이 그의 본성에 따라 추구하는 행복에 이르지 못한다. 저 세상에서의 보상이 신에 의해 보증될 수 있다면 모르지만 말이다.

칸트는 루소의 이런 사상에 보다 엄밀한 근거를 제시하고자 했다. 칸트에 따르면 이런 도덕의식은 이성과 함께 주어져 있으며 보편성과 절대성에 대한 이성의 요구를 본질로 하는 도덕법을 의식할 때 형성된다. 칸트는 행위의 원칙들을 일반화하기 위해 적용된 보편적이고 절대적인 이성의 요구를 "정언명령"이라 불렀다. 정언명령은 목적에 의존하는 가언명령과 달리 절대적이다. 칸트는 행동원칙을 일반화할 수 있는 정언명령을 다양한 방식으로 제시했다. 이성의 법칙으로서 정언명령의 특성은 특히『도덕형이상학을 위한 기초』에 잘 나타난다. "원칙(Maxime)이면서 동시에 보편적 법칙(ein allgemeines Gesetz)이 될 수 있는 그런 원칙에 따라 행동하시오."(420f.) 보편성에 대한 요구는 그와 관련된 절대성(정언적인 것)과 마찬가지로 이성의 직접적 표현이다. 그렇게 요구된 보편성과 절대성은 칸트의 도덕법칙에 형식적 특성을 부여해 준다. 그렇지만 그런 정언명령으로부터 행위의 질료적 내용들을 철저히 관찰하고 규정하여 그 내용들이 법칙과 일치하면 긍정적으로, 일치하지 않으면 부정적으로 분류해야 할 과제가 생긴다. 더 나아가 인간의 본성에 속하는 행복추구보다 도덕적 가치가 더 중요한 조건이 된다. 이런 근거에서 칸트는 세상에서 추구될 수 있는 "최고선"의 목적개념에 도달했다. 최고선에 도달할 수 있기 위해서는 신의 존재가 필연적으로 요청된다는 것이다. 왜냐하면 도덕적 요구와 자연계의 순환이 일치하면 개인들에게 행복은 단지 도덕적 가치를 지니는 한도에서만 허용되는데, 이런 일치는 단지 도덕적이면서 동시에 세계의 순환을 주도하는 존재자를 통해서만 보장될 수 있기 때문이다.

이런 일련의 논증들에 있어서 행복에 대한 희망은 그리고 도덕적 가치기준에 따라 그런 행복에 도달할 수 있도록 보증해 주는 신이 『순수이성비판』의 관점에서는 여전히 윤리적 행위가 이성적이기 위한 조건이었다. 따라서 "신은 … 그리고 내세에서의 삶은 순수이성이 우리에게 부과하는 의무로부터 분리될 수 없는 두 개의 전제들이다. 두 전제들은 동일한 순수이성의 원리들에 따라 부과된 전제들이기 때문이다." 이성은 신을 전제하든가 "아니면 도덕법들을 단순한 망상으로 간주해야 한다. 왜냐하면 이성이 부과하는 도덕법들의 필연적 성과는 저 두 전제들이 없다면 불가능할 수밖에 없기 때문이다."(B 839) 칸트의 이런 견해는 루소의 사상과 전적으로 일치한다. 그렇지만 도덕적 행위의 결과와 무관하게 명령하는 이성의 자율성은 철저하게 고수되지 않은 것처럼 보였다. 오히려 도덕법의 의무는 개인적 행복에 대한 기대에 의존하는 것처럼 보인나. 따라서 칸트는 후에 도덕과 행복의 상호 관련성을 훨씬 더 분명하게 주장했다. 만일 본성의 세계와

도덕의 세계가 무관하다면 그것은 1788년의 『실천이성비판』에
서 주장하듯이 의지의 통일성과 양립할 수 없을 것이다. 그렇다
면 도덕적 의지의 수고는 헛될 것이기 때문이다. "행복이 필요하
고 그것이 가치 있음에도 불구하고 그런 행복을 누리지 못하는
것은 모든 것을 지배한다고 하는 이성적 존재자의 완전한 의지
와 전혀 양립할 수 없다."(199)[56] 『순수이성의 한계 내에서의 종
교』(1793)에 의하면 "모든 행위들에 대하여 법칙 이외에 또 하나
의 목적을 설정해야 하는 인간의 자연적 본성 때문에"(XII Anm.)
도덕적 가치와 일치하는 행복을 동반하는 최고선 사상이 형성된
다. 그리고 "인간의 능력은 도덕적 가치와 일치하는 행복을 구현
하기에 충분하지 못하기 때문에, 세계를 섭리하는 전능한 도덕
적 존재자가 전제되어야 한다."(XIII Anm.) 그렇지만 칸트는 1788
년의 『실천이성비판』 이후에는 "모든 의무 일반의 근거로서 신의
존재를 전제하는 것이 필연적"이라고 말하지 않았다. "세상에서
그 가능성이 요구될 수 있는 최고선을 실현하고 촉구하기 위해
우리 존재의 자연적 조건들을 개선하는 것만이 의무에 속한다.
그러나 우리의 이성은 최고의 지성적 존재자를 전제하지 않고는
최고선의 가능성을 생각할 수 없다."(226f.) 비록 그런 존재자의
전제가 이론이성에게는 가설에 머물기는 하지만 말이다. 마찬가

---

56) 칸트에게서 종교의 도덕적 근거해명과 관련된 내적 긴장들에 대해서는 그리고 그런 긴
   장들에 대한 칸트의 진술들에 대해서는 참조, Jaeschke, *Die Vernunft in der Religion.
   Studien zur Grundlegung der Religionsphilosophie Hegels*, 1986, 39-91.

지로 1793년의 『종교문집』(Religionsschrift)에 의하면 세상에서 최고선의 조건으로서 신의 존재를 전제할 때 중요한 것은 "어떤 단언적 지식이 아니라 단지 실천이성을 위해 대담한 단언적 믿음만이 확증하는 문제점이 있는 전제(가설)이다." 그런데 "이런 단언적 믿음은 선의 실현을 위한 모든 진지한 도덕적 노력이 필연적으로 도달하게 되는 신의 이념을 필요로 하지만, 이론적 인식을 통해 그 이념의 객관적 실재성을 입증할 수 있다고 주장하지는 않는다."(230 Anm.) 계속해서 칸트는 말한다. "모든 인간이 실천하도록 명령될 수 있는 것에 이르기 위해서는 신이 존재할 수 있다는 최소한의 인식만으로도 이미 주관적으로 충분함에 틀림없다." 따라서 칸트는 이성적 도덕과 신 존재요청 사이의 관계를 점차로 약화시켰는데, 이는 그런 관계 때문에 자신에 의해 그처럼 강조된 이성의 자율성이 그의 도덕적 입법에서 손상된다는 비판에 대처하기 위해서였다. 『종교문집』 서문에서 밝히듯이 도덕은 "자기 자신을 위해 … 결코 종교를 필요로 하지 않는다. 도덕은 순수한 실천이성에 근거하기 때문에 자기 자신으로 충분하다."(IIIf.) 그럼에도 불구하고 도덕법의 구속력으로부터 최고선 사상을 넘어서는 길에 종교철학이 등장한다. 비록 종교철학의 진술들은 문제점이 있는 가설의 성격을 가지긴 하지만 말이다.

칸트에게서 종교철학은 인간의 이기심과 악의가 도덕의 실현을 방해한다는 관점에시 전개된다. 난지 그런 이유 때문에 종교가 필요하다. 따라서 칸트는 인간의 선한 기질에도 불구하고 그의 내면에서 작용하는 악한 경향, 즉 인간의 내면에서 작용하는 내적 동기가 왜곡되는 경향을 기술함으로써 그의 종교철학 논의를 시작한다. 인간은 도덕적 행위를 할 수 있는 능력이 있기는 하지만, 단지 그런 행위가 자신의 이기적 관심들에 부합할 수 있는 한에서 그렇다. 자연적인 행복추구가 의무의 법에 따르기보다는 오히려 도덕적 명령이 이기적 관심에 종속된다. 칸트에 따르면 이렇게 전도된 내적 동기야말로 근본적 악이다. 악에 대한 칸트의 이런 규정은 죄의 본질이 인간 행위의 전도된 목적에 있다는 아우구스티누스의 주장과 대단히 유사하다.[57]

의무보다 행복추구를 더 중요시함으로써 내적 동기가 왜곡되는 그런 경향에도 불구하고 인간에게 선한 원리를 요구하는 것은 여전히 중요하다. 이런 원리는 우리의 이성에 내재하는 "도덕적으로 하나님의 뜻에 따르는 인간"(77f.)의 전형을 보여주는 그리스도에게서 인격적으로 구현되어 있다. 그러므로 그리스도는 인간을 갱신시키는 주체가 아니라 단지 모든 인간이 성취해야 할 "사고방식의 혁명", 즉 모든 사람들에게 말하는 의무의 소리를 듣고 악한 성향을 극복하는 사고방식의 혁명을 보여주는 한 예이다.

칸트는 역사에서 인간들이 서로 얽혀 있는 상황에서 악한 원리를 극복할 수 있는 방법은 오직 "악의 나라"(107)에 있는 악의 사

---

57) 참조, W. Pannenberg, *Systematische Theologie* 2, 1991, 279ff.

회적 실재성에서 떠나 "도덕법에 따르는 공동체"(129)를 형성하는 길 뿐이라고 생각했다. 칸트에 의하면 도덕법에 따르는 그런 공동체는 법을 통해 형벌로써 외적 태도를 규제할 뿐 내적인 도덕의식을 고쳐시킬 수 없는 국가와는 다르다. 따라서 칸트는 루소와 달리 "도덕법에 따른 공동체"로서 규정된 교회와 국가를 철저히 구분하였다. 그에 의하면 도덕적 공동체로서의 교회를 세우는 일은 "지상에서 하나님 나라를 실현하는 일"이다(127).

칸트에 의하면 기독교를 포함한 역사적 종교들은 단지 도덕법에 따른 공동체를 건설하는 한에 있어서만 인정될 수 있다. 여타의 모든 다른 종교적 내용들은 무시될 수 있다. 마찬가지로 칸트에 따르면 도덕적 이성신앙은 기독교 신앙의 특성을 가장 잘 드러내 보여주는 최고의 해석자이다(157). 도덕과 종교의 관계규정에 있어서도 도덕이 역사적 종교에 근거한다기보다는 오히려 종교가 도덕에 기초한다.

도덕과 종교에 관한 이런 관계규정은 칸트 이후에 격렬한 신학적 논쟁의 주제가 되었다. 이런 논쟁과정에서 칸트 자신이 이미 『종교문집』에서 제시한 다음과 같은 개념규정에서 어떤 입장을 지지하느냐에 따라 합리주의자들과 초자연주의자들이 구분되었다. "단순히 자연종교를 도덕적으로 필연적인 것, 즉 의무라고 주장하는 사람은 (신앙적으로 볼 때) 합리주의자라 할 수도 있다. 만일 합리주의자가 초자연적 계시의 가능성을 전적으로 부정

한다면, 그는 자연주의자이다.[58] 그런데 그가 그런 계시의 가능
성을 인정하기는 하지만 그런 가능성을 인식하고 사실로 인정하
는 것이 종교에게 필연적으로 요구되는 것은 아니라고 주장한다
면, 그는 순수한 합리주의자라 할 수 있을 것이다. 그러나 그가
그런 계시의 가능성에 대한 믿음이 모든 종교에게 필연적이라고
생각한다면, 그는 순수한 초자연주의자일 수 있을 것이다."(231f.)

신에 대한 믿음을 도덕철학적 관점에서 해명하는 칸트의 이론
은 철학적 논쟁에서 칸트 생전의 1790년 무렵에도 격렬한 비판
의 대상이었다. 이런 비판은 그 이론의 내적 모순, 즉 한편에서
는 실천이성의 자율성을 주장하면서 다른 한편에서는 실천이성
의 확신이 세계를 섭리하는 신을 전제해야 실현될 수 있는 최고
선에 대한 믿음에 의존한다고 주장하는 모순에 대한 비판이었
다.[59] 칸트 자신은 도덕법의 권위와 신 존재요청 사이의 결합관
계를 완화시킴으로써 자신의 주장이 가지는 약점을 제거하려 했
지만,[60] 그를 비판하는 사람들은 오히려 둘 사이의 모순적인 관
계를 더욱 부각시켜 비판했다. 전통적인 유신론적 형이상학에 대

---

58) 신학에서 자연주의의 대표적인 인물은 바르트(Karl Freidrich Bahrdt; 1741-1792)인데,
그는 할레에서 신학교수이자 관구 총감독이었으며, 마지막에는 식당을 경영하기도 했
다.

59) 참조, W. Jaeschke a.a.O. 39-91; Th. Wizenmann, *Deutsches Museum*(1787); J. E. G.
Maaß., *Kritische Theorie der Offenbarung*, 1792; F. Köppen, *Über Offenbarung*, 2.
Aufl. 1802; K. H. L. Köhlitz, *Beitrag zur Kritik der Religionsphilosophie und Exgese
unseres Zeitalters*, 1795; F. W. J. Schelling, *Philosophische Briefe über Dogmatismus
und Kritizismus*, 1796. 비제만(Wisemann)에 대해서는 참조, H. Timm, *Gott und die
Freiheit. Studien zur Religionsphilosophie der Goethezeit*, 1974, 441ff.

60) W. Jaeschke a.a.O. 52.

한 칸트의 비판에 따르면 신 개념에 대한 그의 도덕적 근거해명은 신 개념을 고수하는 유일한 대안이었다. 따라서 칸트의 도덕신학에 대한 비판은 18세기 말의 포르베르크(F. K. Forberg)에게서처럼, 그리고 피히테의 무신론 논쟁에서처럼 결과적으로 도덕적 무신론을 야기하게 되었다.[61] 사람들이 야코비(Freidrich Heinrich Jacobi)를 따라 이성 대신 감각에 의지하여 단번에 믿음으로 뛰어들지 않는다면 말이다.[62] 이런 상황에서 사람들은 스피노자의 사상에 관심을 가지게 되었다. 그런데 역설적이게도 이런 관심의 계기가 된 것은 스피노자의 이론이 정통적인 신앙에 대립된다는 사실을 알리기 위해 1785년에 야코비가 쓴 편지들에서 소개한 스피노자의 이론이었다. 그리고 후기 피히테는 물론 슐라이어마허와 셸링이 제시한 새로운 종교철학 이론은 스피노자에 대한 이런 관심에 의해 가능했다. 이에 관해서는 다음 장에서 다시 다루어질 것이다. 어쨌든 칸트가 제시한 신에 대한 믿음의 도덕적 근거해명은 유신론적 형이상학을 해체하려는 그의 의도와는 달리 19세기 초가 되자 시대에 뒤떨어진 철학이 되었다.

비록 칸트의 철학적 발전이 신학적 동기를 통해, 즉 신의 초월성에 대한 관심 및 자발성에 있어서 유한하고 우연적인 세계에 대한 관심과 감각적 경험에 의존하는 이성의 유한성에 대한 관심

---

61) W. Jaeschke a.a.O. 98ff.
62) W. Jaeschke a.a.O. 117ff.

을 통해 규정되었다 할지라도, 결과적으로 그의 철학은 그의 주
된 의도와는 반대로 이성의 자아와 경험의식을 신과의 결합으로
부터 완전히 차단하였다. 신에 대한 믿음을 도덕철학적으로 근
거지우려는 의도가 좌절됨으로써 이런 결과는 더 두드러지게 드
러났다. 실제로 칸트는 ─ 헤겔이 후에 그를 비판했듯이 ─ 유한한
자아를 경험의 절대적 근거로 제시했으며, 따라서 그의 의도와는
반대로 자아를 신의 자리에 놓았다.[63]

헤겔의 이런 비판의 정당성은 『순수이성비판』 1부에서는 이전
과 달리 시간과 공간이란 직관형식들의 신학적 의미연관성이 사
라졌다는 사실을 통해 입증된다. 전에 칸트는 시간과 공간의 신
학적 관련성을 주로 공간과의 관계에서 집중적으로 언급한 적
이 있었으며, 그의 교수자격논문(1770)에서도 여전히 그런 관련
성을 긍정적으로 수용한 적이 있었다. 물론 칸트가 공간과 시간
의 무한성을 통해 세계와 신의 무한성이 매개된다는 생각을 포
기한 것은 범신론의 위험을 염려해서였다.[64] 그러나 이렇게 함으

---

63) 『신앙과 지식』(Galuben und Wissen)에서 헤겔이 설명하는 시간의 입장을 참조하라.
   헤겔에 의하면 "시간은 소위 인간을 인식할 수 있지만 신을 인식할 수는 없다. 이런 인
   간과 인간성이 시간의 절대적 입장, 즉 확고하고 극복할 수 없는 이성의 유한성이다. ...
   "(PhB 62 b, 11) 이런 비판에서 헤겔은 무엇보다 칸트를 염두에 두고 있었다.(a.a.O. 23)
   그는 칸트의 입장에 대해 "현상만 인식할 수 있을 뿐 물 자체를 인식할 수 없는 오성 자
   신은 현상이고 물 자체가 아니라고" 비판했다(ebd.). 마찬가지로 헤겔은 1817년에도 여
   전히 『철학백과사전』(3. Ausg. 1830)에서 "한편에서는 오성이 단지 현상만 인식한다
   는 사실을 인정하면서, 다른 한편에서는 이런 인식이 절대적이라고 주장하는 것은 커다
   란 모순"(60)이라고 주장했다. 헤겔의 칸트 비판에 대해서는 참조, B. Burkhardt, *Hegels
   Kritik an Kants theoretischer Philosophie dargestellt und beurteilt an den Themen der
   metaphysica specialis*, 1989.

64) 참조, K. H. Mazke a.a.O. 114f.

로써 그는 사실상 유한한 자아를 절대시하게 되었다. 만츠케는 특히 초월론적 미학의 시간개념을 설명하면서 이런 사실을 지적했다. "시간 속에서 인식하는 자아가 시간 밖에서 시간의 통일성을 보증하며", 이로써 전에는 신의 영원성에 돌려졌던 기능을 넘겨받았다.[65] 이와 함께 전통적인 철학사 기록이 데카르트에게서 기원되었다고 잘못 생각했던 개념이 칸트에게서 실제로 나타났다. 칸트가 처음으로 경험 전체는 신의 사유에 근거하는 것이 아니라 '코기토'(cogito)의 통일성에 근거함을 해명하려 했다.

그러나 이런 판단을 고려해 볼 때 그리고 신의 존재에 대한 믿음의 도덕철학적 근거해명이 1800년 무렵에 이미 진부한 것으로 평가되었다는 사실을 고려할 때, 칸트의 철학이 19세기와 20세기 초의 개신교 신학에 그렇게 지속적으로 영향을 끼쳤다는 사실이 어떻게 이해될 수 있는가? 사람들은 심지어 칸트를 개신교 철학자라고 평가하기까지 했었다. 그리고 1917년에도 여전히 당시의 대표적인 개신교 교의학자였던 카프탄(Julius Kaftan)은 『개신교 신학』(Philosophie des Protestantismus)이란 책을 출판했는데, 이 책은 근본적으로 칸트의 입장에 서 있었다.[66] 다음 단원에서는 칸트의 철학이 개신교 신학과 카톨릭 신학에 끼친 영향사를 전반적으로 개관하고 그 이유들을 제시할 것이다.

---

65) 참조, Manzke a.a.O. 160.

66) K. H. Kaftan, *Philosophie des Protestantismus. Eine Apologetik des evangelischen Glaubens*, 1917.

4. 칸트의 신학적 영향들

카프탄에 따르면 복음적 신앙은 "순전히 이론적인 작용"이 아니며, 따라서 이론적인 세계관과는 "본질적으로 다른 내적 근거"를 가진다. 이런 주장과 함께 그는 칸트의 철학이 개신교 신학에 대해 가지는 매력의 가장 중요한 이유를 올바로 제시했다.[67] 따라서 종교는 무엇보다도 인간의 실천적 관심사로 이해될 수 있다는 것이다. 그리고 카프탄에 따르면 칸트는 그런 종교관의 선구적 역할을 함으로써 이미 종교개혁의 신앙관에 놓여있던 기독교 이해를 더욱 심화시켰다. 이런 긍정적인 평가는 종교와 도덕의 관계에 관한 칸트의 견해와는 무관하게 이루어진 판단이었다. 합리주의를 제외한 대다수의 신학자들은 종교와 도덕의 관계에 관해 칸트와 다른 견해를 가지고 있었다. 칸트를 긍정적으로 평가하는 결정적인 이유는 오히려 지식에 의존하지 않는 신앙의 독자성이 칸트를 통해 더욱 확고하게 되었기 때문이다. 그런 시각에서 보면 이론적 인식의 근거는 신이 아니라 자아의 자기확신이라는 칸트의 주장 때문에 그에 관한 긍정적 평가가 영향을 받을 필요는 없어 보였다. 칸트를 따르는 신학에서 가장 중요한 것은 칸트의 실천철학에 기초하여 신학을 재정립하는 것이었다. 이때

---

67) J. Kaftan a.a.O. 21.

도덕과의 관계에서 종교의 기능은 칸트의 이론을 적용하는 신학적 경향에 따라 - 초자연주의(Supranaturalismus), 각성신학(Erweckungstheologie) 그리고 리츨학파(Ritschlschule) - 서로 다르게 규정되기는 했지만, 그런 규정은 언제나 칸트의 도덕적 합리주의를 수정하면서 이루어졌다.

4-1. 초자연주의에서의 칸트 수용

칸트에 의해 공식적으로 구분된 합리주의와 초자연주의는 개신교 신학에서 19세기 초반 20년을 규정하는 논쟁의 특징적인 경향이었다.[68] 이런 논쟁에서 두 진영은 칸트 철학을 서로 다른 관점에서 해석하였다.

초자연주의자들은 칸트의 전제들에 근거하여 칸트가 계시신앙을 평가절하했다고 비판했는데 반해, 합리주의자들은 칸트의 주장을 신학에도 도입하여 예수의 가르침을 도덕적으로 해석하였으며, 기독교의 역사적 교훈들은 이성종교를 사람들에게 소개하는 수단이라고 생각했다. 이런 의미에서 이미 헬름스테터의 교수 헹케(Heinrich Philipp Konrad Henke; 1752-1809)는 이후의 신학적 합리주의 발전에 방향을 제시하는 그의 교의학에서 그리스도에 대한

---

68) 이런 논쟁의 역사와 양대 진영의 다양한 신학자들의 입상은 유감스럽게도 아직도 출판되지 않은 볼프강 라이흐의 뮌헨대학교 박사학위 논문에서 포괄적으로 제시되었다. 참조, Wolfganf Reich, *Der Offenbarungsbegriff im Supranaturalismus. Eine überlieferungs- und wirkungsgeschichtliche Untersuchung*, 1974.

믿음으로부터 그리스도 자신의 도덕종교로 되돌아갈 것을 요구했다.[69] 크룩(Wilhelm Traugott Krug)은 계시종교의 완전성에 관한 그의 편지들에서(1894/95) 역사적 계시신앙을 도덕적 이성종교로 들어가는 입문이라고 생각한 칸트의 견해를 옹호했다. 칸트의 이런 견해는 레싱이 인간성의 교육에 관한 그의 저서(1780)에서 이미 주장한 적이 있었다. 뿐만 아니라 티프트룽크(Johann Heinrich Tieftrunk)와 니타머(Friedrich Immanuel Niethammer)와 같은 칸트의 다른 제자들도 크룩과 마찬가지로 그들의 저술들에서 칸트의 견해를 옹호했다. 바이마르의 관구 총감독인 뢰르(Johann Friedrich Röhr)는 합리주의에 관한 그의 편지들에서 우리는 더 이상 성서가 아니라 그리스도의 교훈과 삶을 하나님의 계시로 생각해야 한다고 주장했다. 합리주의 후기에는 할레 대학의 교수인 벡샤이더(Julius August Ludwig Wegscheider)와 같이 뢰르의 견해를 지지하는 사람들은 칸트 이후의 관념론을 범신론이라고 생각하여 거부하고 초월적 신에 대한 칸트의 믿음을 옹호했다.[70]

초자연주의자들은 합리주의자들보다 더 독창적인 방식으로 칸트의 철학을 해석했다. 그들은 칸트의 전제들을 토대로 계시신앙에 대한 칸트의 논리와 도덕과 종교의 관계에 관한 그의 주

---

69) H. Ph. K. Henke, *Lineamenta institutionum fidei Christianae historico-criticarum*, 1793.

70) J. A. L. Wegscheider, *Institutiones theologiae christiane dogmaticae*, 1815, 8. Aufl. 1844.

장을 철학적으로 논박하려 했기 때문이다. 특히 튀빙겐의 초자연
주의 창시자인 슈토르(Gottlieb Christian Storr)가 대표적인 인물이
다.[71] 한편 그의 제자들은 슈토르가 닦은 길을 더 확장했으며,
- 쥐스킨트(Friedrich Gottlieb Süskind)는 피히테의 『모든 계시에 관
한 비판적 시론』(1792)과의 논쟁을 통해 그랬다 - 후에는 헤겔과
슐라이어마허에 대해 그를 변호했다. 그러나 초자연주의 신학은
라인하르트(Franz Volkmar Reinhard)의 영향력 있는 교의학 강의들
(1801)에서처럼 성서의 내용에 초점을 맞춘 비철학적인 형식으로
도 개진될 수 있었다.

슈토르는 『칸트의 철학적 종교론에 관한 논평들』(1794)[72]에서
도덕과 종교에 관한 칸트의 이율배반적인 견해를 지적하면서 도
덕의 기초로서 종교의 불가피성과 역사적 계시의 권위를 옹호하
였다. 첫 단계에서 슈토르는 이성은 "초감각적인 대상들에 관해
서는 아무것도 이론적으로 - 긍정이든 부정이든 - 확정할 수 없
다"는 칸트의 명제에 동의한다.(1) 여기서 우리는 계몽주의의 합
리주의적 형이상학의 부담에서 벗어나려는 개신교 신학이 칸트
의 이론을 지지하는 근본적인 이유를 발견할 수 있다. 그렇지만
슈토르는 종교적인 문제들에 있어서 이론이성의 능력을 제한하
는데 동의하기는 하지만 "초감각적인 일들에 관한 성서의 기록

---

71) G. Chr. Storr, *Doctrinae christianae pars theoretica e sacris literis repetita*, 1793.

72) 이 책은 1793년에 라틴어로 출판되었다. 이후의 쪽수는 1968년에 출판된 독일어판에 따
른다.

들을 이론적인 이유들 때문에 단적으로 부정하는 것은" 타당하지 않다고 생각했다.(2) 말하자면 도덕적인 근거들은 성서의 기록과 모순되지 않는다는 것이다.(6ff.) 오히려 슈토르에 의하면 도덕법의 구속력 자체는 최고선을 보증하는 신에 대한 믿음에 의존한다. 최고선은 도덕적으로 필연적인 궁극적 목적으로서 "도덕법 자체에 대한 존중이 약해지거나 완전히 무시되지 않는 한 의문시되거나 부정될 수 없다. 인간의 본성에 주어져 있는 법이 인간의 본성에 주어져 있는 궁극적 목적에 도달하는데 전혀 유용하지 않다면 그런 법을 어떻게 존중하겠는가? 만일 그렇다면 무엇이 법의 신성함을 의심하는 것을 막을 수 있으며, 법을 단순한 이성의 기만과 허황된 망상이라고 생각하는 것을 막을 수 있겠는가?"(35)

이런 논증에 있어서 슈토르는 칸트가 특히 『순수이성비판』의 방법론에서 제시한 주장에 동의하였다. 칸트에 의하면 "행복하고자 하는 희망과 행복을 누릴 만한 자격을 갖추려는 부단한 노력의 필연적인 결합은 단지 도덕법에 따라 주어진 최고의 이성이 동시에 본성의 원인으로서 전제될 때에만 기대될 수 있다."(B 838) 그렇지 않으면 이성은 "도덕법을 헛된 망상으로 간주하지 않을 수 없게 된다."(B 839)[73] 그렇지만 칸트는 슈토르의 저

---

73) 위에 인용된 곳에서(a.a.O. 35) 슈토르는 『순수이성비판』 B 839와 856을 전거로 제시했다. 그밖에도 그는 『판단력비판』(1790) 456을 전거로 제시하기도 하는데, 그곳에서는 "최고의 도덕적 목적의 조건들은 그런 목적에 이르기 위해 참으로 인정된다." 그러나 바로 앞에서는 이런 최종목적이 "의무 자체처럼 실천적으로 필연적인 것으로 이해될 수는

서가 출판되기까지의 10년 동안 여러 차례에 걸쳐 도덕법의 구속력과 최고선에 대한 희망 사이의 연관성에 관한 주장의 강도를 완화하면서 도덕법의 명령은 어떤 결과와도 무관함을 강조했다. 이와 달리 슈토르는 1781년에 칸트가 주장한 연관성을 강조하면서 다음과 같이 말했다. "도덕법과 행복에 대한 기대의 관계가 약화되거나 포기되는 곳에서는 도덕의 광채와 존엄성이 약화된다."(36) 반대로 도덕은 "도덕법을 따를 때 기대되는 행복에 대한 희망을 통해 고양된다."(37) 따라서 슈토르에 의하면 도덕법이 의지의 본성과 일치하는 것으로 간주되고 "결단과 실행의 동력"이 되어야 할 때 행위에 따라 보상하는 하나님에 대한 종교적 신앙은 불가피한 것이다.[74] 종교적으로 보장된 희망이 없다면 "지속적으로 법을 존중하고 따르는 것이 … 불가능하다"(48)는 것이다.

슈토르는 물론 1781년의 칸트의 언급들에 의존하여 그렇게 주장했다. 그러나 그는 칸트의 이런 언급들을 칸트가 『도덕형이상학의 기초』(1785) 이후 "도덕의 최고원리"로서 지속적으로 강조한 이성과 의지의 입법적 자율성과는 대립되는 방향으로 해석했다.[75] 슈토르의 해석은 결과적으로 종교적 타율성, 즉 도덕이 종교에 의존한다는 주장을 야기했다. 따라서 최고선과 도덕법의 구

없다"고 분명히 언급되었다. 슈토르는 칸트의 후기의 언급들을 1781년의 언급들의 관점에서 이해했다.

74) Storr a.a.O. 43. 슈토르의 이런 표현은 순수이성비판 B 841에 따른 것임이 분명하다.

75) *Grundlegung zur Metaphysik des Sitten*, 1785, AA IV, 440f., 참조, 432f.

속력에 관한 슈토르의 해석은 칸트의 이런 언급들에 내재된 갈등의 요인을 주목하게 하는 계기가 되었다. 특히 청년 셸링이 칸트를 비판할 때, 그는 이런 갈등 요인에 주목하였다.

슈토르는 종교적으로 보장된 희망과 도덕법에 대한 존중 사이의 연관성에 근거하여 "종교를 무시하는 것"(54)과 성서적 계시가 진리임을 거부하는 것은 우리의 의무에 위배된다고 주장했다. 슈토르의 이런 주장에는 종교적 타율성으로의 전환이 아주 분명하게 드러난다. 말하자면 "기독교 교리의 역사적 부분은 … 도덕적 신앙의 정당성을 인정하고, 지원하며 고무하는데" 크게 기여했다는 것이다(65f.). 그러므로 한편에서 예수는 도덕적 완전성의 본보기일 뿐만 아니라 도덕적 완전성에 근거한 행복의 본보기이기도 하다는 것이다.[76] 그리고 다른 한편에서 예수의 교훈과 역사는 "단순한 이념이나 의견이 아니라 의심의 여지가 없는 역사적 사실이다.(71)"[77] 이런 전제에서 슈토르는 다음과 같이 주장할 수 있었다. "그러나 만일 사대에 관여하는 것이 중요하다면, 그리고 어떤 사람이 객관적으로 조사한 후 확실한 증거에 대해 단순한 반대 가능성 이외의 어떤 이의도 제기할 수 없다면, 그의 판단을 제지하거나 사실 전체에 대한 판단을 유보해서는 안 된다. 그런 경우에 그 증거가 말하는 것을 인정하지 않으려 하는 사람은 바

---

76) Storr a.a.O. 67. 참조. F. Schleiermacher, *Die christliche Glaube*, 1821, § 88, 2; §§ 100 und 101.

77) 성서적 증언들의 역사적 확실성은 뒤따르는 §§ 15-20에서 슈토르에 의해 자세히 논의된다.

로 그렇기 때문에 그가 그 증거를 부정하고 싶어 한다는 사실을 입증한다. … "(75f.)

초자연주의의 논증이 종교에 대한 도덕적 관심으로부터 성서의 권위에 대한 동의를 요구하는 방향으로 이행했음을 입증할 길은 없다. 그러나 슈토르는 여전히 일괄적으로 성서적 증언들의 역사적 확실성을 주장할 수 있었으며, 그런 주장으로부터 성서에 기초한 교의학 개혁에 착수할 수 있었다. 성서에 대한 역사적-비평적 연구의 발전과 함께 기독교 교리의 역사적 근거를 중요시하는 사조와 성서의 권위를 전체적으로 인정해야 한다고 주장하는 사조가 등장했다. 후자의 사조는 역사적 문제보다 주관적 경험을 통해 복음의 내용에 직접 접근하는 것이 중요하다는 생각을 야기했다. 이런 경험에서 중요한 것은 도덕법의 요구를 경험하는 것이었기 때문에, 신학은 그런 경험을 위해 칸트의 이론을 적용할 수 있다고 믿었다. 왜냐하면 도덕법의 구속력은 도덕법에서 행해질 경험을 위한 전제라고 생각했기 때문이다. 이런 이유로 인해 각성신학자들과 그들의 신학을 지지하는 사람들이 칸트를 주목하게 되었다.

4-2. 각성신학의 발단

1826년 이후 할레에서 활동했던 톨룩(A. G. Tholuck)의 각성신학은 초자연주의와 마찬가지로 이론이성이 초감성적 대상을 인식할 수 없다는 칸트의 주장을 전제하였으며, 종교에서 윤리적이고 실천적인 것의 중요성을 주장하기도 했다. 그렇지만 그의 이런 주장에서 그의 관심사는 최고선의 가능성이나 도덕법적 구속력의 근거라기보다는 오히려 도덕법의 요구와 함께 인간이 경험하는 죄책감이었다. 죄책경험이 모든 인간에게 보편적임을 논증하기 위해 신학은 근본악에 관한 칸트의 이론에 의존할 수 있었다. 그렇지만 죄책경험이 도덕법의 근원인 신과의 관계를 위한 결과들에 관해서는 칸트와 각성신학이 서로 다른 견해를 가지고 있었다.

칸트는 인간 이성의 이율배반적인 자기모순을 지적하면서 물었다. 인간이 죄책에도 불구하고 행복에 대한 희망을 가지고 그런 희망 때문에 도덕적으로 행동하게 되는 것은 오직 "선을 행하려는 모든 노력에 선행하는" 초월적인 은혜에 대한 믿음을 통해서만 가능한가? 아니면 "인간이 그런 높은 은혜를 받을 수 있다는 희망에 최소한의 근거만이라도 제공하기 위해 삶의 자세를 개선하는 것이 선행되어야" 하는가?[78] 칸트는 이런 물음에 대해 후자의 관점에서 대답하였다. 왜냐하면 그는 인간이 정직한 노력을 할 때 신이 그의 은혜를 통해 "성실한 태도를 고려하여 행위의 결핍을 어떤 방식으로든 보완할 것이라고"(176) 생각했기 때문이다. 이렇게 대답함으로써 칸트는 전에 펠라기우스가 아우구

---

78) I. Kant, *Die Religion innerhalb der Grenzen der bloßen Vernunft*(1793), 2. Aufl. 1794, 171f.

스티누스를 비판하면서 주장했던 견해를 선택했다. 칸트는 인간의 모든 행위에 앞서 하나님의 은총이 선행한다는 사상을 거부했다. 칸트의 이런 견해는 "하나님께서 하고자 하시는 자를 긍휼이 여기시고, 하고자 하시는 자를 완악하게 하시느니라"(롬 9:18)라고 말함으로써 하나님의 절대적 주권을 강조한 바울의 사상과 대립된다. 바울의 이런 주장을 "축자적으로 해석하는 것은 인간 이성의 위험한 모험(salto mortale)"(178)이기 때문이다. 그러므로 칸트는 이전에 창조를 주제로 다룰 때는 하나님의 절대적 자유를 강조했었지만, 종교론에서는 하나님의 은혜가 창조에 상응하는 자유를 가진다는 사실을 인정하고자 하지 않았다.

각성신학은 종교개혁의 전통에 따라 죄를 범한 인간은 용서를 요청할 수 없고 단지 하나님의 용서를 수용할 수 있을 뿐이라고 주장함으로써 칸트가 제기한 모순을 칸트와는 다른 방식으로 해결하였다. 이 점에서 각성신학의 주창자이자 헤르만(Wilhelm Herrmann), 리츨(Albrecht Ritschl)과 켈러(Martin Kähler)의 스승인 톨룩은 도덕적 경험이 계시신학의 기준이라고 주장했다. 계시는 죄책경험의 모순을 해결할 수 있기 때문에 진리로 입증되어야 한다. 만일 인간이 "모순을 가장 본질적으로 해결하는 계시를 발견한다면, 그에게는 이런 계시가 진리이다."[79] 마찬가지로 헤르만도 "우리의 도덕적 싸움에서 우리가 내적으로 실제로 복종할 수

---

79) A. G. Tholuck, *Guido und Julius. Die Lehre von der Sünde und vom Versöhner oder die wahre Weihe des Zweiflers*, 1823, 296.

있는 힘으로서 입증된 하나님만이 우리에게 자신을 계시할 수 있다"[80]고 주장했다. 그런 계시는 예수의 용서선포를 통해 일어난다. 그의 높은 도덕적 기품에서 동시에 율법의 요구가 인간을 만나기 때문이다.[81]

이런 선상에서 율법과 복음에 관한 루터의 이론은 칸트의 윤리학과 결합될 수 있었고, 그럼으로써 새로이 정립될 수 있었다. 인간은 율법에서 경험하는 죄책감으로 인해 복음의 용서선포에서 도피처를 찾게 된다는 것이다. 이와 달리 종교개혁 교리에서는 복음과 율법의 권위가 모든 죄책경험에 앞서 하나님의 말씀으로서 확립되어 있었다. 각성신학의 관점에서 볼 때 죄책경험과 용서의 관계는 율법에 대해서는 여전히 유효하였다. 그것도 이 경우에는 성서의 권위 때문이 아니라 칸트의 도덕철학에 의존해서 그렇다. 그리고 도덕법의 권위가 이성에 근거하는데 반해, 복음의 진리는 율법과 함께 경험된 복음의 구원의 능력을 통해서 비로소 입증된다. 각성신학에 기초한 이런 신학은 톨룩에서 시작되어 헤르만과 켈러를 거쳐 불트만, 에른스트 푹스와 에벨링에 이르기까지 지속되었다. 비록 그런 신학적 기초가 니체의 도덕비판 이후 흔들리기는 했지만 말이다.[82] 기독교적 진리의식과 기독교적 경

---

80) W. Herrmann, *Der Verkehr des Christen mit Gott*, 1866, 169.

81) W. Herrmann, *Die Religion im Verhältniß zum Welterkennen und zur Sittlichkeit*, 1879, 396.

82) 참조, W. Pannenberg, "Die Krise des Ethischen und die Theologie", in: ders., *Ethik und Ekklesiologie*, 1977, 41-54.

건의 기초로서 죄책경험을 지나치게 중요시하면 각성신학에 기초한 신앙이 약화된다. 한편 각성신학이 매력적인 이유는 그것이 단순히 종교개혁 전통의 중심 주제를 따르기 때문일 뿐만 아니라, 비판적 성서주석의 역사적 문제들에 의해 영향을 받지 않는 것처럼 보이는 복음의 진리를 위해 확고한 기초를 제공하기 때문이기도 하다. 그렇지만 신학에서 이런 경험적 주관주의와 결의적 주관주의 노선이 추구되지 않는 곳에서도 칸트의 도덕철학과 종교철학은 개신교 신학의 철학적 방향설정을 위해 제3의 길을 제시해 주었다.

4-3. 예수에 의해 선포된 하나님 나라의 윤리적 해석

하나님 나라를 윤리적으로 해석한 사람은 칸트가 처음이 아니었다. 법, 정의와 평화를 통한 하나님의 왕적 통치는 이미 성서의 전승들에 기록되어 있다.[83] 그렇지만 이미 이스라엘의 선지자들은 미래의 희망, 즉 하나님 자신의 왕적 통치에 의해 개선되고 완성될 미래에 대한 희망을 중요한 주제로 다루었다. 예수는 바로 이런 하나님 나라가 가까이 왔음을 선포하고자 했다. 그렇지만 기독교 신학에서 하나님 나라의 종말론적 미래성은 종종 잊혀졌다. 하나님이 영원하기 때문에 당연히 그의 나라도 영원하다

---

83) 참조. J. Jeremias, *Das Königtum Gottes in Psalmen*, 1987, 114ff; J. Gray, *The Biblical Doctrine of the Reign of God*, 1979.

고 생각했기 때문이다. 17세기에 요한 코체유스(Hohann Coccejus)
에 의해 주창된 연방신학(Föderaltheologie)은 하나님 나라가 세상
에서 실현되고 있다는 사상을 통해 하나님 나라의 영원성과 그
나라의 완성의 미래성을 종합하고자 했다. 이와 달리 라이프니츠
에 의하면 영적 존재자들을 통치하는 하나님의 나라는 도덕적인
의의 왕국, 즉 "은혜의 나라"로서 그 나라의 백성들은 선을 행할
의무가 있다.[84] 그에 의하면 창조 때 이미 하나님의 통치는 이
런 나라의 완성을 목표로 하였다. 칸트는 그가 사용하는 용어에
서 볼 때 라이프니츠의 이런 사상을 지지하지만, 더 나아가 인간
성에는 공동체적 결속력이 있음을 강조한다. 따라서 칸트는 그의
종교론에서 "도덕법에 따라 공동체를 세우고 확장함으로써 지상
에 하나님 나라를 건설하는 것"에 관해 말한다.[85] 하나님의 나
라는 "윤리적 공동체"로서 "악의 왕국", 즉 악의 원리가 지배하
는 현실사회와는 전혀 다르다. 하나님의 나라는 국가의 법질서
와 달리 "언제나 인간 전체의 이념을 목표로 하지만", 교회를 통
해 구체적으로 실현된다. "교회는 지상에서 인간을 통해 실현될
수 있는 하나님의 도덕적 왕국이기 때문이다."(142)

---

84) 참조, A. Görland, *Der Gottesbegriff bei Leibniz. Ein Vorwort zu seinem system*, 1907,
119 und 138ff. 라이프니츠는 그의 『형이상학 논고』(discours de Metaphysique, 1686)
의 마지막 부분에서, 특히 『자연과 은혜의 원리에 관하여』(*Abhandlung über die
Prinzipien der Natur und Gnade*, 1714, 15)와 『단자론』(*Monadologie*, 1714, 83-90)에
서 이런 주제를 다루었다.

85) I. Kant, *Die Religion innerhalb der Grenzen der bloßen Vernunft*(1793) 2. Ausg. 1794,
127ff., bes.129.

하나님 나라에 대한 칸트의 윤리적 해석은 그의 영향을 받은 신학자들 이외에도 광범위하게 영향을 끼쳤다. 특히 슐라이어마허는 칸트의 정언윤리에 대한 그의 비판에도 불구하고 하나님 나라 개념을 최고선 사상과 결합한 칸트의 윤리적 해석을 수용하여,[86] 자신의 핵심적 신학개념으로 삼았다.[87] 슐라이어마허의 교의학에 따르면 기독교는 본질적으로 하나님 나라를 목표로 하는지만(9,2), "나사렛 예수를 통해 성취된 구원"(11)을 통해 매개된 "목적론적이고", 따라서 윤리적인 종교이다.(§ 11) 하나님 나라 사상의 근본적인 의미가 슐라이어마허 윤리학 전체에서 두드러지게 나타나지는 않는다. 그의 교의학의 핵심적 주제는 구원이기 때문이다. 그러나 그리스도를 통한 교회의 시작이 하나님 나라의 건설이란 사실은 명백하게 제시된다.(§ 117) 그리고 그리스도와의 연합은 개인들에게 있어서 "언제나 새로워지는 하나님 나라의 의지"(110, 3; 112, 2)를 의미한다.

하나님 나라 사상에 대한 칸트의 윤리적 해석이 19세기 개신교 신학에 끼친 영향은 슐라이어마허 이후 특히 로테(Richard Rothe)와 리츨(Albrecht Ritschl)에게서 두드러졌다. 그런 영향은 리츨에게서 최고조에 달했다. 리츨은 칸트의 해석에 의존하였으며, 슐라

---

86) 참조, N Metzler, *The Ethics of the Kingdom*, München 1971, 42ß74, bes. 50ff. 57ff.; M. E. Miller, *Der Übergang. Schleiermachers Theologie des Reiches Gottes im Zusammenhang seines Gesamtdenkens*, 1970.

87) 밀러에 의하면 "슐라이어마허의 신학은 하나님 나라의 신학이라 할 수 있다."(M. E. Miller a.a.O. 133.)

이어마허를 그의 선구자로 생각하기도 했다. 비록 그가 슐라이어마허의 교의학에는 하나님의 "궁극적 목적"인 하나님 나라와 그리스도를 통한 구원의 관계가 분명히 드러나지 않는다고 비판하기는 했지만 말이다.[88] 그렇지만 리츨은 교회와 하나님 나라를 구분하고자 했다. 오히려 "예수 자신은 하나님 나라에서 자신에 의해 수립될 종교적 공동체의 윤리적 목표를 보았다"는 것이다. 이 공동체가 "사랑의 동기에서 행동하는 인간성 형성을 목적으로 하는"한에서 말이다.[89] 이때 리츨은 칸트의 많은 견해들을 수정했다. 첫째, 그는 슐라이어마허와 마찬가지로 예수를 단순한 상징이 아니라 세상에서 하나님 나라를 세운 역사적 인물이라고 보았다. 둘째, 그는 하나님의 도덕적 왕국은 칸트가 주장하듯이 이성의 도덕법에 기초한 나라가 아니라 "사랑의 동기에서 행동하는" 나라라고 보았다. 셋째, 리츨은 기독교를 단순히 윤리적 종교라고 보는데 반대했다.[90] 슐라이어마허가 리츨과 함께 기독교의 핵심이라고 생각했던 그리스도를 통한 구원의 궁극적 목표는 하나님 나라라는 것이다. 한편 죄인은 죄의 용서를 받은 후에 비로소 신실하게 하나님을 믿고 세상에서 하나님 나라 확장에 참여할 수 있게 된다는 것이다.

---

88) A. Ritschl, *Die christliche Lehre von der Rechtfertigung und Versöhnung III* (1874) 3. Aufl. 1888, 11f. und 9.

89) A. Ritschl a.a.O. III, 12.

90) A. Ritschl a.a.O. III, 13f.

예수에 의한 하나님 나라 선포에 대한 윤리적 해석의 영향은 요한네스 바이스(Johannes Weiß)에 의해 처음으로 차단되었다. 그는 『하나님 나라에 관한 예수의 설교』(Die Predigt Jesu vom Reiche Gottes)에서 예수의 선포에 따르면 하나님 나라는 인간의 어떤 행위와도 무관하게 구원이 완성된 후 오직 하나님 자신에 의해 미래에 도래할 것이라고 주장했다.[91] 이와 함께 예수의 하나님 나라 예상에 대한 "종말론적" 해석이 등장했다. 칸트, 슐라이어마허와 리츨도 하나님 나라와 세상에서 그 나라의 실현이 전적으로 인간의 행위에 의존한다고 보지는 않았다. 이미 칸트에게서 하나님 나라 개념과 최고선 개념의 결합은 하나님 나라가 인간의 행위를 통해서만 실현될 수 있는 것이 아님을 함축하고 있다. 최고선은 신의 존재를 전제한다. 최고선이란 개념은 행동하는 인격체들의 도덕적 품위와 세상사 또는 세상사의 종말과의 일치를 함축하며 이런 일치는 인간을 통해서가 아니라 자연적이면서 도덕적인 세계질서의 근원을 통해서만 실현될 수 있기 때문이다. 그러나 하나님 나라를 목표로 하는 인간의 행위는 세상에서 하나님의 활동에 참여하는 것이다. 마찬가지로 슐라이어마허는 하나님의 나라를 "하나님에 의해 주어질 새로운 총체적 삶"이라고 말

---

91) 요한네스 바이스의 주장에 대한 광범위한 동의에도 불구하고 예수의 하나님 나라 선포에 대한 윤리적 해석이 개신교 교리에서 결코 완전히 사라진 것은 아니다. 그런 해석은 특히 1차 세계대전 이후에 등장한 기독교 사회주의에서 그리고 후에는 해방신학에서 여전히 강하게 지속되었다. 참조, W. Pannenberg, *Grundlagen der Ethik*, 1996, 70f.

했다.[92] 그런 삶은 구원자를 통해 실현된다. 하나님이 그를 통해 일하기 때문이다. 인간의 행위는 그리스도와 그에 활동에 참여함으로써 하나님의 일에 참여하는 것이다.[93] 리츨도 그렇게 생각했다. 그러나 요한네스 바이스의 주석에 의하면 하나님 나라는 인간의 어떤 협력도 없이 오직 하나님으로부터 온다. 신학에서 윤리가 중요한 이유는 하나님 나라가 동시에 인간 행위의 목표이기도 하다는 사실 때문이 아니라 오히려 신앙에서 하나님 나라의 현재가 신앙인들의 행위의 출발점이자 동기라는 사실 때문이다.

4-4. 초월론적 토미즘

칸트의 이론을 지지하는 19세기의 개신교 신학자들이 대체로 칸트의 실천철학에서 출발했는데 반해, 현재의 로마 카톨릭 사상에서는 스콜라 철학의 존재론을 인식론적 근거에서 해명함으로써 스콜라 철학을 갱신하려는 운동이 일어났다. 그런 운동은 특히 조셉 마레샬(Joseph Maréchal, 1878-1944)과 함께 시작되었는데, 프랑스어 사용권에서는 물론 독일어 사용권에서도 많은 사람들이 그의 이론을 지지하였다.[94] 그는 세계인식을 인식론적 근거

---

92) F. Schleiermacher, *Der christlicher Glaube*, 2. Aufl. 1830, 87, 3.

93) F. Schleiermache a.a.O. 110, 3 und 112, 1f.

94) E. Coreth (Hg.), *Christliche Philosophie im katholischen Denken des* 19. *und* 20.

에서 해명할 필요가 있다고 생각하였으며, 존재가 자의식의 근거라고 생각한 피히테의 이론을 수용하여 칸트의 인식론적 분석을 심화시키려 했다. 『순수이성비판』과 마찬가지로 마레샬도 오성활동에 관한 그의 분석을 판단작용에서 시작했지만, 칸트와는 달리 칸트가 간과한 계사(Kopula)와 존재의 의미에 주목했다. 판단에서 주장의 최종적 근거는 존재와 신이라는 것이다. 판단자의 주체성도 궁극적으로는 존재에 근거하기 때문이다. 이와 함께 마레샬은 아퀴나스의 존재론과의 연계성도 발견했다고 믿었다. K. 라너와 같이 그를 지지하는 많은 사람들은 인식 가능성의 조건들에 관한 초월론적 반성을 인간의 생활 전반에까지 확대 적용했다.[95] 라너는 이런 방식으로 기독교 교의학을 인간론적으로 해석하기 위한 근거를 확보했다. 그러나 그의 인간론적 해석은 연역적인 해석이 아니었다. 라너에 의하면 하나님의 존재와 그의 계시는 인간의 주체성을 구성하는 근거이기 때문이다.[96] 그렇지만 라너의 이런 해석은 칸트와는 지향점이 상당히 달랐다.

Jahrhunderts 2, 1988, 453-469. 코레트가 발행한 이 사전에서 로츠(J. B. Lotz)가 쓴 마샬에 관한 항목을 참조하라. 프랑스어를 사용하는 마샬학파를 다루는 항목(470-484)과 독일어를 사용하는 마샬학파를 다루는 항목(590-622)도 참조하라. 독일어권 마샬학파에는 로츠, K. 라너, W. 브루거와 E. 코레트가 있다. 로마 카톨릭 철학과 신학에 끼친 칸트의 영향에 관해서는 그 사전의 1권(1987)에서 다루어졌다. 거기서는 특히 슈베트(H.H. Schwedt)가 게오르그 헤르메스(Georg Hermes, 1775-1831))에 관해 쓴 항목(221-241)에 주목할 필요가 있다.

95) 참조, F. Greiner, *Die Menschlichkeit der Offenbarung Die transzendentale Grundlegung der Theologie bei Karl Rahner*, 1978.

96) 라너는 『말씀을 듣는 자』에서 자신의 신학을 종교철학적 근거에서 해명했다. 그의 이런 해명에 대한 비판에 관해서는 참조, E. Simons, *Philosophie der Offenbarung*, 1966.

2장 초기 관념론

철학적으로 19세기 전반부는 독일관념론이 주도적인 영향력을 행사한 시기였다. 독일관념론은 1790년대에 시작되어 1800년대 초에 이르기까지 계속되었는데, 이 시기를 초기관념론 시기라 한다. 이 시기의 대표적인 철학자는 피히테였다. 그밖에도 셸링과 헤겔의 초기철학도 이 시기에 속한다. 그리고 슐라이어마허의 종교론도 이 시기에 속하며, 그가 자신의 철학적 윤리학과 변증법을 위해 결정적으로 중요한 입장으로 선회한 것도 이 시기였다. 독일관념론의 전성기에 속하는 시기는 『정신현상학』(1807) 이후 헤겔의 철학체계 수립과 셸링의 후기철학에 의해 대표된다. 그러나 셸링의 후기철학은 말년의 피히테와 바이스(Christian Herrmann Weiß)의 사변적 유신론과 함께 후기관념론 시기에 속한다. 이 장에서는 초기관념론이 자세히 다루어지지 않을 것이다. 피히테의 경우에는 그의 지식학의 근거해명 및 무신론 논쟁과 지식학의 관련성에 초점을 맞추게 될 것이다. 셸링의 철학은 그의 후기철학을 위해서도 중요할 경우에만 다루어질 것이다. 셸링의 후기철학과 사변적 유신론은 다음 장에서 간단하게 언급될 것이지만, 자세하게 논평되지는 않을 것이다.

1. 피히테(Johann Gottlieb Fichte)와 무신론 논쟁

피히테는 1762년에 태어나 1780~84년에 예나와 라이프치히에
서 신학을 공부했지만, 중도에 학업을 포기하고 가정교사가 되
었다. 그는 칸트의 사상을 접한 후 결정론적 세계관으로부터 벗
어나게 되었으며, 1791년 7월에는 칸트를 직접 방문하기도 했다.
1792년에는 『모든 계시에 관한 비판적 시론』(Versuch einer Kritik al-
ler Offenbarung)이 칸트의 추천으로 출판되었지만, 익명으로 출판
되었기 때문에 사람들은 그 책을 칸트 자신의 저서라고 생각했
다. 1794년에는 바이마르의 장관인 괴테가 피히테를 예나대학의
철학교수로 초빙하였으며, 같은 해에 칸트의 선험철학을 체계적
으로 재구성한 『총체적 지식학의 토대』(Die Grundlage der gesamten
Wissenschaftslehre) 초판이 출판되었다. 그 책의 목표는 자의식이
통일적 경험의 근거임을 논구하는 것이었다. 이 책이 출판된 후
여러 해에 걸쳐 피히테는 그 책의 해설문들을 발표했고, 죽을 때
까지(1814) 여러 차례에 걸쳐 개정판을 계획하였으며, 엄선된 청중
에게 강연을 하였다. 그렇지만 지식학에 관한 이런 개편작업들은
대부분 출판되지 않았기 때문에 대체로 1794년 판이 여전히 그
의 사상을 이해하는데 결정적으로 중요한 자료였다. 예나에서 그
는 1796년에 『지식학의 원리에 따른 자연권의 토대』(Grundlage des
Naturrechts nach Prinzipien der Wissenschaftslehre)를 출판했으며, 1798

년에는 『도덕철학 체계』(System der Sittenlehre)를 출판했다. 1798년에 그는 무신론 혐의에 대해 자신을 변호해야 했으며, 이로 인해 1799년에는 교수직에서 해임되었다. 해고된 후에 쓴 책들 중에서 특히 중요한 것은 『인간의 규정』(Bestimmung des Menschen 1800)과 『행복한 삶의 지침』(Die Anweisung zum seligen Leben 1806)이다. 피히테는 베를린 대학의 창립 발기인들 중 한 사람이었으며, 1810년에 그 대학의 초대 총장이 되었다.

1-1. 피히테의 지식학에 나타나는 그의 자아철학

피히테는 예나 시절에도 여전히 오랫동안 칸트의 견해를 지지하고 있었다. 그러나 그는 경험의식의 구조에 관한 칸트의 분석을 경험의식의 근거가 되는 자기의식으로부터 보다 완결된 체계로 새로이 정초하고자 했다. 이때 중요한 것은 오성의 판단력을 분석하여 최종적 전제들(초월론적 조건들)을 추론하고 마지막에는 경험의식의 근거인 자아의식("초월론적 통각")에 도달한 칸트의 방법론적 과정을 수정하는 것이었다. 이런 방법론적 수정은 이미 피히테보다 예나대학에서 피히테의 전임자였던 라인홀드(Karl Leonhard Reinhold)에 의해 시도된 적이 있었다. 라인홀드는 물자체(Ding an sich)를 전제하는 칸트의 견해, 즉 물자체가 감각기관들을 촉발하고 그렇게 촉발된 대상을 인식주체가 수용함으로써 경험이 성립한다는 칸트의 견해를 비판했다.[1] 칸트를 비판하는 사람들 중 대표적인 인물인 야코비(Friedrich Heinrich Jacobi)는 1787년에 출판된 관념론과 실재론에 관한 그의 저서에서 칸트의 이런 견해가 경험의식의 모든 내용들이 자아(Ich)의 인식형식들을 통해 규정된다는 칸트의 증명과 모순된다고 비판했다.[2] 피히테도 이 책에 의거하여 물자체에 관한 칸트의 주장을 수용하지 않았다. 물자체의 수용을 포기한다면 이제 남은 과제는 자의식이 단순히 경험의식의 "조건"일 뿐만 아니라 동시에 경험의식을 "규정하기도"한다는 사실을 제시하는 것이다.[3] 그리고 피히테는 그렇게 제시함으로써 칸트의 『순수이성비판』에 함축된 경험의식의 체계를 완성할 수 있다고 믿었다.

피히테에 의하면 모든 판단행위의 근저에는 자아의 "사실행위"(Tathandlung)가 있는데, 자아는 사실행위를 통해 자기 자신을 정립한다.[4] 이때 자아는 "행위의 주체이면서 동시에 행위의 산물이다."(16절 6) 그러나 이것은 자아(Ich)에 의해 사각된 자기(Selbst)

---

1) 참조, Karl Leonhard Reinhold, *Versuch einer neuen Theorie des menschlichen Vorstellungsvermögen*, 1789.

2) 참조, F. H. Jacobi, *David Hume über den Glauben, oder Idealismus und Realismus*, 1787. 또한 1798년에 출판된 피히테의 지식학 서론을 참조하라(J. G. Fichte, *Versuch einer neuen Darstellung der Wissenschaftslehre*(1797-98), hg. P. Baumanns PhB 239, 62). 야코비는 인식주체 외부의 대상의 실재성을 결코 부정하고자 하지는 않았지만, 그 실재성을 믿음의 문제라고 생각했다.

3) 피히테는 칸트와의 관계를 그렇게 표현했다(Fichte, a.a.o. 571f.).

4) J. G. Fichte, *Grundlage der gesamten Wissenschaftslehre*(1794), 3. Aufl. 1802, hg. F. Medicus PhB 246, 11ff. (제1 기본 원리). 이 책에서 앞으로 제시되는 쪽수는 3판의 쪽수(PhB 246, 1988과 동일)를 따른다.

가 자아 자신이 주체로서 생산한 산물이라는 의미로 이해되어서는 안 된다. 왜냐하면 "자아는 그가 자기 자신을 의식하는 한에서만 자아이기 때문이다."(17절 7) 자기 자신에게 돌아감으로써 자기 자신을 자기에게 대상으로 정립하는 자기의식 자체가 바로 사실행위이며, 이 행위가 바로 자아이다.[5]

자아가 곧 사실행위라고 해석할 때 비로소 자아가 자기와 다름을 아는 비아(非我)는 자아의 산물 이외의 다른 것이 아님을 알 수 있다. 자기의식과 대상의식은 필연적으로 결합되어 있다. 그러나 이때 자기의식이 대상의식의 근거라고 생각되어야 한다.[6] 1794년 판 『지식학』에 의하면 "반정립(Gegensetzen)의 가능성"은 "의식의 동일성", 즉 자아를 전제한다(23절 2, 4). 그러나 반대로 자아의 자기정립 행위는 타자를 통해 "자아에게 대상이 주어지지 않는다면" … 가능하지 않다.[7]

그렇게 반정립된 비아는 아직은 전혀 공허하며 따라서 어떤 것이 아니라 무이다.[8] 그렇지만 자신이 비아에게 반정립되어 있음을 알게 됨으로써 자아는 자신이 비아를 통해 제한되어 있으며 따라서 유한함을 안다.[9] 그리고 이제 비로소 "우리는 자아와 비

---

5) 피히테는 1798년 판 『지식학』의 두 번째 서론에서 그렇게 설명한다(*PhB* 239, 38 und 39).

6) J. G. Fichte, a.a.O. 37f.

7) Zweite Einleitung a.a.O. 38.

8) J. G. Fichte 1794, a.a.O 24n 9ff., 참조 30.

9) Zweite Einleitung a.a.O. 69.

아에 관해 그 둘이 '어떤 것'이라고 말한다."[10] 이런 세 번째 근본명제와 함께 피히테는 그의 사유과정에서 순수한 자아의식으로부터 출발하여 주체와 대상으로 분할된 의식 영역에 도달했는데, 주객으로 분할된 이런 의식은 칸트의 『순수이성비판』이 기술했던 지각의식의 기초이기도 한다. 그러나 유한한 자아의 제한성은 처음에는 어떤 매개도 없이 단지 감각의 방식으로만 지각된다. 그리고 "이런 근원적 감각을 '어떤 것'의 작용으로부터 더 설명하려 하는 것은" 물자체를 전제하는 "칸트주의자들의 독단론이다." 감각이 먼저 "직관을 통해 연장성을 가진 물질을 상상한다. 그리고 감각은 다시 사유를 통해 이전에 느낀 단순히 주관적인 것을 감각의 근거로서 그렇게 상상된 (객관적) 물질과 결합한다. 감각은 전적으로 이런 종합을 통해서 하나의 대상을 만든다."[11]

의식대상들과 구분된 상태로 그 대상들과 관련된 유한한 자아는 자아의 근원적 직관에 의해 직관된 절대적 지아와는 다르다. 그러나 유한한 자아와 대상의 전체적인 대립관계는 이제 절대적 자아에 기인한 것으로서 의식된다.[12] 그러나 피히테가 여러 차례에 걸쳐 강조했듯이 자아의 정립과 최초의 비아의 반정립은 이

---

10) J. G. Fichte 1794, 30. 참조, Zweite Einleitung a.a.O. 69. "그렇게 내가 나를 정립할 때, 나는 나를 유한한 것으로서 정립한다. ... 이런 자각의 결과 나는 유한하다."

11) J. G. Fichte, Zweite Einleitung a.a.O. 71.

12) J. G. Fichte 1794, 30.

론적으로 추론할 수 없다. 그것들은 우리가 도덕법칙의 요구에서 경험하는 "자발성과 자유"(Selbsttätigkeit und Freiheit)에 근거한다. "나는 사유할 때 순수한 자아로부터 출발해야 하며, 순수한 자아를 절대적 자발성에 따라 사물에 의해 규정된 것으로서가 아니라 사물을 규정하는 것으로서 사유해야 한다."[13]

칸트와 달리 피히테는 자아와 함께 시작하여 경험의식이 자아에 근거한다고 생각했기 때문에, 자기의식의 통일성에 대한 문제에 훨씬 더 큰 관심을 기울여야 했다.[14] 칸트는 자아의 자기의식을 경험의식과 관련하여 자기반성으로서 모든 경험에 동반하는 것이라고 설명하기는 했지만, 자기의식을 구성하는 자아(Ich)와 자기(Selbst)의 이중성의 문제는 간과하였다. 경험의식에서는 인식하는 자아와 인식된 자아가 이미 언제나 전제되어 있다. 그러나 자아가 모든 경험의 통일적 근거이려면, 자아는 무엇보다 먼저 자기 자신의 통일적 근거이어야 한다. 자아가 사실행위(Tathandlung)라는 피히테의 견해는 자아의 이런 기능에 관한 것이었다. "이제 나는 하나의 행위를 통해서만 나에게 도달하게 되었다. 나는 자유롭기 때문이다. 그 행위는 바로 자아라는 개념이다."[15] 그렇지만 사실행위는 자아의 자기반성적 인식이 아니다. 피히테에 의하면 자아의 자기반성적 인식은 자아와 분리될 수 없

---

13) J. G. Fichte, Zweite Einleitung 46f., 주 47번.

14) 참조, D. Henrich, *Fichtes ursprüngliche Einsicht*, 1967. S. 11.

15) J. G. Fichte, Zweite Einleitung a.a.O. 40.

다. 사실행위로서의 자아는 "자아의 자기의식보다 더 근원적이
며, 따라서 자아에서 기원되었다고 볼 수 없다."[16] 따라서 피히
테는 1797/98년에 그의 첫 번째 근본명제를 수정했다. 즉, 자아
의 자기직관이 "정립하는 자로서 자기를 정립함"이라고 정의되었
다.[17] 그렇지만 이런 수정에도 불구하고 피히테는 아직 정립하
는 자아와 정립된 자아의 동일성을 체계적으로 제시하지는 못했
다. 자아가 어떻게 자기 자신을 자각하고 의식하는 주체로서 정
립하는지 분명하지 않기 때문이다. 따라서 말년의 피히테는 자기
정립이 자아의식의 토대라는 생각을 더 이상 주장하지 않았다.
자아가 자기 자신의 근원일 수는 없다. 자아는 자기보다 더 근원
적으로 작용하는 근거로부터 자신을 이해해야 하는데, 이 근거가
또 다른 "자아"일 수는 없다.[18] 따라서 1801/2년의 『지식학』은
자아의 자기직관을 "자유로운 빛의 개입", 즉 눈이라고 기술하였
다.[19] 피히테는 이미 이런 새로운 지식학 체계 말미에서 "감각세
계의 영원한 창조력"으로서 이성에 내재하는 보다 높은 신적 능
력으로의 고양에 관해 말했으며, 그런 신적 능력으로 고양된 사

---

16) D. Henrich, a.a.O.

17) J. F. Fichte, *Versuch einer neuen Darstellung der Wissenschaftslehre*, hg. P. Baumanns
PhB 239, 108.

18) D. Henrich, a.a.O. 25.

19) J. G. Fichte, *Darstellung der Wissenschaftslehre aus den Jahren* 1801/2, fg. R. Lauth
PhB 302, 1977, 48, 참조, D. Henrich a.a.O. 26f. 눈이 "개입되어 있다"는 생각은 이미
1798년의 윤리학 체계 여백 주에서도 발견된다(Sämtliche Werke 4, 33 Anm.).

람들은 감각세계에서 "신 안에서 자신과 세계를 직관한다"[20]고 말했었다. 더 나아가 그는 후에 자기의식이 바로 신의 현현이라고 설명하기도 했다.[21] 1804년의 지식학에 따르면 자아의 "절대적이고 내적이며 생동적인 자기창조"는 "전제된 원리", 즉 자아 자신의 빛의 근원인 신적인 빛이다.[22] 그 빛으로부터 "빛의 현상"(200, 12f.)이 "신의 계시이자 외화"로서 파생된다.[23] 『행복한 삶의 지침』(1806)에서 피히테는 "존재(Sein)의 현존(Dasein)"이 "존재의 외화이자 계시"라고 말했다.[24] 여기서 의식은 인간의 의식을 의미한다. "의식 또는 우리 자신은 신의 현존 자체이며, 신과의 단적인 일치이다. 이 존재에서 인간의 의식은 이제 자신을 이해하며 그렇게 함으로써 의식이 된다. 그리고 인간의 고유한 또는 신적인 참된 존재는 그에게 세계가 된다." 의식과 함께 신적인 생명은 세계가 되며, 반성을 통해 "무한한 형태들로" 분화된다.[25] 그러나 "그렇게 분화된 신적인 빛이 자기 자신을 통해 이런 분화로부터 다시 자신을 통합할 수도 있고, 자신의 고유한

---

20) J. G. Fichte, *PhB* 302, 218f.

21) D. Henrich, a.a.O. 39.

22) J. G. Fichte, *Die Wissenschaftslehre. Zweiter Vortrag im Jahre* 1804, hg. R. Lauth u.a. *PhB* 284, 1975, 216, 참조, 226, 231ff.

23) J. G. Fichte a.a.O. 172, 27. 1810년의 지식학에서는 자아가 진적 존재의 "도식"(Schema)으로서 기술되었다(*Die Wissenschftslehre in ihrem allgemeinen Umriß*, 1810, hg. G. Schulte 1976, 26ff.).

24) J. G. Fichte, "Die Anweisung zum seligen Leben", hg. H. J. Verweyen *PhB* 234, 1983, 50. 참조, 63: 신의 절대적 존재가 "자신을 계시한다."

25) J. G. Fichte a.a.O. 68.

정체성을 확보할 수도 있으며, 자신의 고유한 본질이 신의 현존
(Dasein)이며 계시라는 사실을 이해할 수도 있다."[26]

1-2. 피히테 철학의 근본 특징과 무신론 논쟁

피히테에게서는 칸트처럼 이론철학과 실천철학이 더 이상 분리
되지 않는다. 비록 피히테가 법철학(1796)과 윤리학(1798) 및 종교
철학을 분리해서 다루기는 했지만, 원칙적으로 그에게 있어서 실
천철학과 이론철학은 하나이다. 둘은 모두 행동하는 이성의 "자
기입법" 또는 자율성을 다루며, 자아가 사실행위로서 자신을 성
취하는 자아의 자기정립을 다루기 때문이다. 이때 자아의식의 근
원은 결국 도덕적인 것이다. 자아는 도덕법을 통해 "절대적이고
오직 자신에게만 기초한 행위라는 느낌을 가지게 되는데", 바로
이런 도덕법이 자아의식의 근원이다. 1794년의 지식학에서 제시
된 두 개의 근본명제들에서는 더 이상 소급될 수 없는 것으로 나
타나는 "자발성과 자유"[27]가 1798년의 『지식학』에서는 도덕법
에 기초한 것으로 나타난다. 마찬가지로 1796년의 자연법의 기
초에 관한 글에 의하면 "실천적 자아는 근원적 자기의식의 자아
이며", 의지는 "이성의 고유하고 본질적인 특성"이다.[28] 그리고

---

26) J. G. Fichte a.a.O. 73.

27) J. G. Fichte, Zweite Einleitung in *die Wissenschaftslehre* 1798, PhB 239, 46f.

28) J. G. Fichte, *Grundlage dees Naturrecjts*, PhB 256, 21.

피히테는 인간에 관한 정의에서도 이와 동일한 견해를 주장했다. "운동이 감성계의 작용하는 힘이고 생명력이듯이, 의지는 이성세계의 작용하는 힘이며 생명력이다."[29] 또한 신은 "생명, 힘과 행위, 즉 근원적 생명의 이런 영원한 흐름의 원천이다. 그는 자신의 생명의 원천이며 영원한 존재자이다. 모든 생명은 신 자신의 생명이며, 오직 신앙적인 눈만이 진정한 아름다움의 세계를 통찰할 수 있기 때문이다."[30]

피히테에게 있어서 이런 견해의 출발점은 이미 1792년에 쓴 『모든 계시에 관한 비판적 시론』에서 발견된다. 피히테에 의하면 신의 의지가 도덕법의 내용적 근거로 간주될 수는 없다. 도덕법은 타율적일 수밖에 없기 때문이다. 그러나 신의 의지는 "우리 안에 있는 도덕법의 실존적" 근원일 수는 있다.[31] 신의 본질에서는 도덕법이 그의 최고의 형상이다. 그러므로 도덕법의 내용은 신의 의지에 의존할 수 없지만, 우리 안에서 그의 실존을 확인할 수 있는 증거일 수는 있다. 신은 자연계의 근원이며 따라서 우리 자신의 현존의 근원이기 때문이다. 당시 피히테는 칸트의 최고선 개념에 근거하여 신의 현존에 관한 그의 견해를 제시했다. 후에 그는 신의 존재를 요청하는 칸트의 이론을 전반적으로 비판

29) J. G. Fichte, *Die Bestimmung des Menschen*, PhB 226, 118.

30) J. G. Fichte a.a.O 151.

31) J. G. Fichte, *Versuch einer Kritik aller Offenbarung* (1792), hg. H. J. Verweyen PhB 354, 26. 참조. F. Wagner, *Der Gedanke der Persönlichkeit Gottes bei Fichte und Hegel*, 1971, 24ff.

함으로써 이런 논증을 포기했으며, 그와 함께 신이 우리 안에 있는 도덕법의 근거라는 생각도 더 이상 주장하지 않았다. 그렇지만 '자연법'에 관한 1796년의 글에는 여전히 인간은 다른 사람을 통해 자유로운 자발성이 요구될 필요가 있으며, 이런 요구는 교육에서 일어나지만 궁극적으로는 신에게까지 소급된다는 사상이 발견된다.[32] 이와 달리 1798년의 『윤리학 체계』에서는 신이 우리 안에서 작용하는 도덕법의 근원이라는 언급이 전혀 발견되지 않는다.[33]

1798년에 무신론 논쟁을 야기한 「신적인 세계정부에 대한 믿음의 근거에 관해」란 논문에서 피히테는 "우리의 도덕적 본성에 관한 신념" 자체가 "믿음"이라고 주장했다.[34] 말하자면 내가 "나의 고유한 본질을 통해 나에게 규정된 목적을 파악함으로써, 그리고 그런 목적을 나의 실제적 행위목표로 설정함으로써, 나는 동시에 실제적 행위를 통해 그 목적을 완수할 수 있다."[35] 이

---

32) J. G. Fichte, *Grundlage des Naturrechts*, PhB 256, 33ff, 특히 39쪽.

33) 그렇지만 극단적인 악에 관한 칸트의 이론을 보충 설명하는 곳에서는(Fichtes SW IV, 198ff.) 도덕성을 확실하게 촉구할 필요가 있다는 언급이 발견된다. "실정종교(實定宗敎; positive Religion) 및 탁월한 사람들이 다른 사람들에게 도덕의식을 고취시키기 위해 만났던 모임들이 지금 그렇게 도덕성을 촉구한다."(205)

34) 피히테의 이 논문보다 먼저 그의 제자인 포르베르크(Friedrich Karl Forberg)가 1798년에 철학지에 "종교개념의 발전"이란 제목의 논문을 발표하였다. 피히테는 앞에 언급된 논문("신적인 세계정부에 대한 믿음의 근거에 관해")을 통해 그의 제자의 논문이 모든 종교에 대해 회의적인 생각을 조장한다는 인상을 받지 않도록 변호하고자 했다. "피히테와 포르베르크의 무신론에 관해 아버지가 아들에게 쓴 편지"라는 익명의 글에 의해 하나의 논쟁이 야기되었는데, 드레스덴의 주교구 재판소는 즉시 작센의 선제후에게 고발함으로써 이 논쟁에 개입했다.

35) *Die Schriften J. G. Fichte's zum Atheismusstreit*, hg. H. Lindau (1912), 28 = 9f. in Philosophisches Journal 8, 1798.

렇게 함으로써 우리의 삶에 "새로운 질서"가 수립된다는 것이다. 세계는 우리에게 "우리 의무의 구체적인 장치"로서 나타난다. 우리는 이런 질서의 실재성에 대한 믿음이 "우리에게 가하는 강요"를 "계시라고 부를 수 있을 것이다." 그리고 "이것이 진정한 믿음이다. 이런 도덕질서는 우리 안에 있는 신성(神性: das Göttliche)이다."[36] 이와 함께 피히테의 신개념은 계시비판과는 달리 도덕의식으로 축소되었다. "이미 언급된 생동적이고 현실적으로 작동하는 도덕질서가 바로 신이다. 우리는 다른 어떤 신도 필요로 하지 않으며, 어떤 다른 신도 이해할 수 없다." 도덕질서와 자연질서의 근원으로서의 신에 관해서는 더 이상 언급되지 않았다. "이성에는 도덕적 세계질서를 떠나야 할 어떤 근거도 없으며, 근거지어진 것으로부터 근거를 추론하는 방식으로 또 하나의 특별한 존재를 근원으로서 설정해야 할 어떤 근거도 없다."[37] 오히려 이와 관련하여 "신을 특별한 실체로서 생각하는 것은 불가능하며 모순이다."[38] 왜냐하면 피히테가 후에 설명했듯이 불변적인 것으로서의 실체 개념은 칸트의 근본 명제들에 따르면 단지 공간적이고 물질적인 사물들에게만 적용할 수 있기 때문이다.[39] 피히테에

---

36) J. G. Fichte a.a.O. 31 = 여백 주 13.

37) J. G. Fichte a.a.O. 32 = 여백 주 15.

38) J. G. Fichte a.a.O. 32 = 여백 주 18.

39) J. G. Fichte, *Der Herausgeber des Philosophischen Journals Gerichtliche Verantwortungsschriften gegen die Anklage des Atheismus* (1799), zit. nach dem Sammelband von Lindau 1912, 221ff.

의하면 인격적인 신 개념도 마찬가지로 모순이다. 인격성이란 개념은 신의 무한성과 모순되기 때문이다. 인격성과 의식은 "제한성과 유한성을 떠나서는 결코 생각될 수 없기 때문이다."[40] "여러분은 이런 술어들을 첨가함으로써 영원한 신을 여러분과 동일한 유한한 존재로 제한하고 있습니다. 그리고 여러분은 여러분이 원하는 것과는 달리 신을 생각한 것이 아니라 여러분 자신을 확대하여 생각했을 뿐입니다." 이런 비판에는 전지전능한 신에 관한 중세 기독교의 신관에 대한 스피노자의 비판이 투영되어 있다.[41] 그러나 이런 비판은 또한 자신의 제1 근본명제를 둘러싼 피히테의 고심에 찬 노력, 즉 자아의 근거는 다른 자아(절대적 자아)일 수 없고 전혀 다른 종류이어야 한다는 통찰에 의해 자아의 자기정립 명제가 좌절된 사실과 관계가 있다. 무신론 논쟁에 대한 글들에서 - 무신론 논쟁 직후의 "인간의 본질규정"(s. o. Anm. 29)에서도 그렇듯이 - 피히테는 전혀 다른 종류의 자아가 우리 안에 있는 실천이성의 도덕의지라고 생각했다. 그러나 그는 지식학에 관한 후기의 글들에서는 보다 일반적으로 우리 안에서 작용하는 빛에 관해 말했으며, 1806년 이후에는 훨씬 더 스피노자

---

40) J. G. Fichte, 우리의 믿음의 근거에 관해서는 참조, a.a.O. 34 = 16 in Philosophisches Journal 8, 1798. 바로 뒷 문장의 인용문은 17쪽에 나오는 문장이다.

41) J. G. Fichte, *Ethica I propo*, 17, *Scholium zu Coroll. II*. 또한 1787년의 헤르더의 논평 (W. XVI, 497ff.)을 참조하라. 이 논평은 H. Timm, *Gott und die Freiheit*, 1974, 339쪽에서도 언급되어 있다.

적인 관점에서 우리의 의식은 신적 존재의 계시라고 말했다.[42]

피히테는 전통적인 신 이해에 대한 비판을 통해 1798년에는 "참된 종교가 드러나도록 하기 위해 진부한 학적 논쟁(Schulgeschwätz)"를 잠재우고자 했다.[43] 그렇지만 그의 주장들은 도덕을 위해 특정 종교를 부정하는 것으로 인식되었다. 따라서 그의 주장들이 격렬한 저항에 부딪힌 것은 놀라운 일이 아니다. 드레스덴의 주교구 재판소는 피히테와 그의 제자 포르베르크의 주장에 관해 작센의 선제후에게 고발했다. 1798년 11월 19일자 선제후의 답변서는 철학지를 몰수하도록 명령했으며, 라이프치히와 비텐베르크대학 교수들에게는 "공격당한 종교를 강하고 열정적이고 정중하게 보호하고 신에 대한 건전한 믿음과 기독교 진리에 대한 확신을 체계화하여 널리 보급하고 정착시키도록 노력하라고" 촉구했다. 피히테는 우선 "압류하기 전에 먼저 읽어야 할 글"이란 신랄한 부제가 달린 「대중에게 호소함」(1799)이란 글로 선제후의 결정을 반박했다. 그 결과 피히테와 그의 「무신론 소송에 대한 법정 변론서」(1799)를 지지하는 학생들이 성명서들을 발표했다. 피히테는 인격모독에 대해 사직서를 제출하겠다고 주교구 재판소에 맞섰으며, 결과적으로 그는 1799년 4월 3일자 답

---

42) S. o. Anm. 24f. 피히테의 후기 글들에서 발견되는 스피노자와의 유사성에 관해서는 참조, W. Panneberg, "Fichte und die Metaphysik des Unendlichen", in: *Zeitschrift für philosophische Forschung* 46, 1992, 348-362, bes. 351ff.

43) J. G. Fichte, "Über den Grund unsers Glaubens etc.", a.a.O. 35 = 18 in *Philosophisches Journal* 8, 1798.

변서를 통해 공직에서 해고되었다. 괴테는 (J. G. 슐로서에게) 다음과 같이 짧게 유감을 표명했다. "우리는 그를 잃어버려야 했습니다. 그의 어리석은 불손함은 그가 광활한 지구에서 ... 다시 발견하지 못할 실존 밖으로 그를 내던져 버렸습니다." 그러나 피히테는 베를린으로 갔다. 그곳에서 당시의 국왕 빌헬름 3세(Friedrich Wilhelm III)는 미래의 베를린대학 창설자인 피히테에게 다음과 같은 말과 함께 체류를 허가했다. "그가 자비로운 하나님을 대적한 것이 사실이라 할지라도 자비로운 하나님은 그와 함께 협상할 수도 있다. 그것은 내게 문제가 되지 않는다."

피히테는 무신론 소송으로 인해 깊은 상처를 받았다. 비록 1798년에 쓴 그의 글들이 무신론 소송을 야기하기는 했지만, 그 소송은 엄밀한 의미에서 피히테에게 정당하지 않은 것이었다. 이런 사실은 이후에 전개된 그의 사상을 보면 알 수 있다. 그 사건 이후 피히테의 사상은 단순히 무신론 소송에 대한 반작용이 아니라 자아의 자기확신을 체계적으로 설명하려는 그의 치열한 노력이었다. 이런 노력에서 피히테는 자아 주체성의 신적 근거를 표현하고자 했기 때문에 신을 주체나 자아로 생각하지는 않았다. 이와 함께 피히테는 단지 자아를 또 다른 자아를 통해 근거 지우는 순환논증을 피했으며, 자아가 자기와 다른 근거를 필요로 하듯이 절대자도 그럴 것이라고 생각하는 모순을 피했을 뿐만 아니라 그가 무신론 논쟁에서 소박한 사상이라고 비판했던 전통적 신인식의 '신인동형동성론'(Anthropomorphismus; 神人同形同性

論)을 피했다. 후기 피히테의 지속적인 의미는 바로 여기에 있다. 비록 새로운 유형의 지식학을 위한 중요한 생각들은 1810년까지 발표되지 않았기 때문에, 이런 사상적 발전의 주체성 이론적 동기는 거의 공개적으로 알려지지 않았지만 말이다. 피히테는 이런 물음에서 주체로서의 절대자에 관한 헤겔의 명제, 사변적 유신론 그리고 포이어바흐의 종교비판을 넘어서 신의 초월성을 보다 객관적으로 긍정하는 미래의 철학적 신학을 정립하고자 한다. 물론 그것이 그에게 허락되지는 않았지만 말이다.

2. 초기 셸링과 헤겔

독일 관념론의 대표적인 사상가들인 셸링과 헤겔은 1790~93년에 횔덜린과 함께 튀빙겐에서 공부했으며, 튀빙겐 신학교에서 살았다. 프랑스 혁명과 그 혁명을 자유의 새로운 전환기의 신호라고 생각한 비판철학에 고무된 그들은 튀빙겐의 교의학자 슈토르(Storr)가 칸트의 철학을 통해 자신의 초자연 신학을 철학적으로 변증하려는 시도에 거부감을 가지게 되었다.[44] 그들은 슈토르에 반대하여 이성의 자율성을 강조하는 칸트의 사상을 지지했으며, 슈토르의 논리적 근거를 허물기 위해 실천이성에 의해 요

---

44) 참조, D. Henrich, *Hegel im Kontext*, 1971, 41ff.

청되는 신 개념에 숨겨진 칸트의 낙관론을 포기할 준비가 되어 있었다.

셸링은 어린 나이에도 불구하고 튀빙겐의 학생들 사이에서 뛰어난 지적 능력을 인정받고 있었다. 17세의 셸링은 1792/93년에 바울의 로마서와 갈라디아서에 대한 주석에서 예수의 원래 교훈은 칸트의 실천이성의 윤리학과 동일한 것이며, 하나님 나라에 관한 예수의 선포에는 이성의 법을 보편적 가치로 정립하기 위한 지상에서의 정치적 혁명이 내포되어 있음을 제시하고자 했다. 슈토르가 1793년에 칸트의 철학적 종교론에 관한 논평을 발표하자, 셸링은 신학을 포기하고 철학, 특히 칸트의 철학적 단초들을 더욱 발전시켜 체계화한 피히테의 철학에 전념하기로 결심했다. 1795년에 셸링은 「철학의 원리로서의 자아」란 글을 발표했는데, 이 글에서 셸링은 피히테의 관점에서 모든 대립들을 초월하는 절대적 자아가 대상과의 관계를 통해 규정된 경험적 자아의 자유와 자발성의 근거라고 주장했다.[45] 경험적 자아는 피히테가 이미 주장했듯이 자신의 자아성(Ichheit)을 "지성적 직관"(intellektuelle Anschauung)에서 의식하며,[46] 모든 차이를 극복하고 절대적 자아

---

45) F. W. J. Schelling, *Ausgewählte Weke I* (Schriften von 1794-1798), 1975, 56ff.(6), 참조, 60(8). 셸링에 의하면 절대적 자아는 "모든 존재, 모든 실재성"을 가지는 "유일한 실체"(72, 12)이다. 이때 셸링은 자신이 사용한 "유일한 실체"란 개념은 스피노자의 개념임을 명시적으로 말한다(74). 셸링에게 있어서 피히테의 자아철학은 단지 칸트의 비판철학의 완성일 뿐 아니라 스피노자 철학의 완성이기도 했다.

46) F. W. J. Schelling a.a.O. 61(8, vgl. 112f.). 피히테는『에네시데무스 논평』(Aenesidemus-Rezension)에서 자아의 자기 자신에 대한 의식에 대해 "지성적 직관"이란 개념을 처음 사용했다(Werke AA I/2, 1965, 48). 1794년의『모든 지식학의 기초』에서는 지성

와 일치될 것이다. 이런 법은 유한한 자아에게는 도덕법이며, 모든 실재성을 소유한 절대적 자아에게는 자연법이다.[47] 셸링의 이런 견해에서 우리는 그가 피히테의 자아철학을 스피노자의 관점에서 해석함으로써 그의 관심이 도덕적 의지를 초월하는 절대적 원리로 이행함을 발견할 수 있다. 이런 절대적 원리는 유한한 자아에서 표현되지만 자연철학의 출발점이 될 수도 있기 때문이다.

무신론 논쟁이 야기된 1798년에 23세의 셸링은 예나대학의 부교수가 되었다. 한 해 전에 그는 『자연철학에 대하여』(Ideen zu einer Philosophie der Natur)를 출판했다. 이 책에서 셸링의 출발점은 자아가 아니라 절대자 또는 절대적 실재와 절대적 이념의 통일성(무차별성)으로서의 절대적 지식이었다.[48] "이런 절대자는 스스로 질료이면서 동시에 형식인 영원한 인식행위이다. 그리고 절대자의 이런 인식행위는 그가 영원한 방식으로 스스로 현실적인

적 직관이란 개념 대신 경험적 자아의 자기 자아성 반성이란 표현이 사용되었다. 그렇지만 1797/98년에는 다시 시성적 직관이란 개념이 사용되어 자세히 설명되었다. 그러나 여기서는 그 개념이 절대적 자아의 자기이해 및 경험적 자아의 입장에서 절대적 자아를 인식함과 관련되어 사용되었다. 참조, *Versuch einer neuen Darstellung der Wissenschaftslehre*(1797/98) PhB 239, 39ff, 특히 42 und 43ff. 동시에 피히테는 지성적 직관이란 개념에 칸트로부터의 일탈이 발견된다는 비판에 맞서 그 개념을 상세하게 방어했다(a.a.O. 51ff.). 피히테는 1795년에 이미 자아와 비아의 관계와 관련하여 직관이란 개념을 사용한 적이 있었다(*Grundriß des Eigentümlichen der Wissenschaftslehre*, PhB 224, 18).

47) F. W. J. Schelling a.a.O. 78f.

48) F. W. J. Schelling a.a.O. 385. 그렇지만 인식의 통일성의 토대로서의 자아 개념이 사용되지 않은 것은 단지 자연철학이 주제였기 때문이다. 『초월론적 관념론 체계』(1800)에서는 자아가 다시 중요한 개념으로 사용되었다.

형식이 되고, 다시 역으로 동일하게 영원한 방식으로 형식으로서, 즉 형식이 된 대상으로서 본질 또는 주체로 용해되는 생산작용이다."[49] 그러므로 절대자의 인식행위는 이중적 운동이다. "절대자는 영원한 인식행위에서 자신을 개별자로 확장하는데, 이것은 오직 그의 무한성을 유한자에 접합시키는 행위에서 유한자를 자신 속에 다시 취하기 위해서이다. 이렇게 스스로 개별자가 되고 그 개별자를 다시 자기 안으로 취하는 이중적 행위는 절대자에게 있어서 동일한 행위이다."[50] 철학체계 자체에 내재하는 초월철학과 자연철학의 이중성은 절대자의 이런 이중적 운동에 상응하는 현상이다. 셸링은 이제 철학이 가지는 이런 양면성의 통일을 "절대적 관념론"이라 불렀다.[51] 셸링은 피히테가 이념과 현실의 동일성을 "다시 하나의 특수성으로서 주관적 의식에 한정시키는데" 만족했다고 비판했으며, 그 동일성이 절대자에게서 이미 실현된 것으로 생각하지 않고 "절대자의 절대성을 끝없는 과업의 대상, 즉 절대적 요청의 대상으로 만들었다"고 비판했다.[52]

---

49) F. W. J. Schelling a.a.O. 386.

50) F. W. J. Schelling a.a.O. 389.

51) F. W. J. Schelling a.a.O. 392.

52) F. W. J. Schelling a.a.O. 396. 이와 달리 스피노자의 철학은 "무한자의 이념에서 직접 유한자를 파악하고 유한자를 오직 무한자에게서 인식한 창조적 상상력의 비범한 발상이었다".(344, 1803년 2판이 본문). 그렇지만 "그는 자신의 자기의식 깊은 곳으로 침잠하여 거기에서 우리 안에 있는 두 세계, 즉 이념적 세계와 현실적 세계의 생성을 주목하지 않고, 자기 자신 너머로 날아가 우리 밖에 있는 무한자의 이념에서 자신을 잃어버렸다(360). 피히테에 대한 셸링의 비판은 후에 더욱 신랄해졌다. 참조, 『자연철학과 철학일반의 관계에 관해』, *Ausgewählte Werke* 2 (Schriften von 1802-1804), 1973, 422-440.

1795년의 셸링은 피히테와 마찬가지로 절대자를 경험적 자아
의 구성근거로서 경험적 자아에서 직관적으로 파악될 수 있는 영
원한 자아 또는 절대적 자아, 즉 의식과 인격을 가지지 않고 모
든 실재성을 자신 안에서 정립하는 자유의 행위라고 생각했었지
만, 1797년의 셸링은 자아는 단지 절대자의 한 측면일 뿐임을 인
식했다. 자연은 자아와 함께 절대자의 또 다른 측면이다. 그리고
자아와 자연은 절대적 지식에서 종합된다. 셸링의 본래 의도는
단지 정신은 자연에서 자기 자신이 된다는 사상을 통해 자연과
유한한 자아의 관계를 피히테의 지식학 체계 내에서 설명하는 것
이었다. "그러나 바로 이런 시도를 통해 무의식적인 것이 의식적
인 것이 되는 객관적 과정을 밝혀주는 자연에 관한 독자적인 관
찰이 준비된다."[53]

셸링과 스피노자의 밀접한 관계가 두드러지게 드러나는 1801
년의 셸링의 사상체계에 의하면 자연과 의식의 근거인 절대자는
더 이상 자아가 아니라 "주관적인 것과 객관적인 것의 완전한 무
차별성"으로 간주될 수 있는 "이성"이다.[54] 이성을 절대적인 것
으로 생각하기 위해서는 피히테에게서 그랬듯이 "경험적 자아로

53) 참조, W. Schulz, "Einleitung" zu Schellings System des transzendentalen Idealismus
   (1800), PhB 448, 1992, XXV. 슐츠의 이 서문은 1795-1800년 사이 셸링의 사상 발전을
   체계적으로 개관할 수 있게 해준다.
54) F. W. J. Schelling, "Darstellung meines Systems der Philosophie", in: Ausgewählte
   Werke 2, (Schriften von 1801-1804), 10(1절). 바로 뒤에 인용된 본문은 바로 여기서 인
   용된 것이다. 이미 1797년에 무차별성으로서의 절대자 사상이 등장하는데 이에 관해서
   는 위의 각주 48번을 참조하라.

부터 절대적 자아를 추론해야 한다." 결과적으로 "이성 이외에는 아무것도 없으며, 모든 것은 이성 안에 있다."[55] 이것이 셸링의 스피노자주의이다. 그러나 셸링의 스피노자주의는 이성의 스피노자주의, 즉 이성이 자신의 절대적 동일성을 본질적으로 인식하고(18절) 그런 인식을 통해 형식에 있어서 "주체이면서 동시에 대상으로 정립되는"(22절) 이성의 스피노자주의이다. 총체성으로서의 절대적 동일성은 우주인데,(26절과 33절) 이 우주 안에서 절대적 이성은 모든 개별자들을 자기 안에 수집하여 지양함으로써 자기 자신을 인식한다.[56] 이런 과정에서 절대적 근거는 비로소 신성이 된다. 이런 의미에서 이제 셸링에게는 "전체로서의 역사는 지속적이고 점진적으로 드러나는 계시이며", 역사의 종말에는 "신도 존재할 것이다."(System des transzendentalen Idealismus a,a,O. 273, 275)

셸링은 대학에서의 연구방법에 관한 그의 강의들에서 - 그 강의들은 1803년에 출판되었다 - 1802년의 그의 새로운 체계계획의 특징을 쉽게 이해할 수 있는 형식으로 제시했다. 14개의 강의들 중에서 절대적 학문개념에 관한 첫 번째 강의는 체계의 기초에 관한 내용을 다루고 있다. 체계는 "대상과 완전히 일치하는 절대적인 지식의 이념"에 근거한다. 그러므로 "참으로 이상적인 것은 그 자체로 그리고 더 이상의 매개가 없이 참으로 현실

---

55) F. W. J. Schelling a,a,O. 11(2절).

56) 그 글은 단편으로 남아있으며, 무차별성의 체계는 단지 자연철학을 위한 것이었다.

적인 것이며 이상적인 것 이외의 어떤 다른 것도 존재하지 않는다."[57] 이런 "근원지식"(Urwissen)은 가장 먼저 절대자 자체에 내재한다. 그러나 우리의 지식은 "저 영원한 지식의 모사"이어야 하거나 모사가 되어야 할 것이다.[58] 우리의 지식과 마찬가지로 자연도 "동일한 우주"의 "현상"이다.[59] 이때 현실적인 것의 영역에서는 유한성이 지배하며, 이상적인 것의 영역에서는 무한성이 지배한다. 말하자면 이상적인 것은 그의 본질을 현실적인 것으로 형상화하여 유한한 것이 되는데 반해, 우리의 지식에 모사된 근원지식은 유한한 형상들을 "다시 본질로 용해시키며",[60] 이를 통해 그 형상들은 절대자의 무한성에서 통합된다.

셸링의 이런 견해는 1801~1803년 예나에서 그와 밀접한 관계를 맺고 있던 헤겔에게도 중요한 철학적 기초가 되었으며, 다른 방식으로이긴 하지만 슐라이어마허의 철학적 변증법의 토대가 되기도 했다. 그렇지만 셸링은 - 표면적으로는 - 그가 카롤린 슐레겔과의 관계 때문에 뷔르츠부르크로 떠났을 때 헤겔과 헤어졌다. 카롤린은 뷔르츠부르크에서 바로 (이혼한 후) 셸링과 재혼했다. 셸링은 뷔르츠부르크와 뮌헨에서 1806년 이후 그의 체계개념을 심화하여 「인간 자유의 본질에 관하여」(1809)라는 연구논문을

---

57) F. W. J. Schelling, *Ausgewählte Weke* 2 (Schriften von 1801-1804), 449.
58) F. W. J. Schelling a.a.O. 450f.
59) F. W. J. Schelling a.a.O. 452.
60) F. W. J. Schelling a.a.O. 453.

발표했다. 현실적인 것은 어둡고 양면적인 힘으로 나타나는데, 그 힘의 충동은 정신을 통해 제어되어야 한다. 충동과 정신은 모두 신에게서 유래하지만, 현실적인 것은 "신 안에 있는 자연", 즉 신 안에 있기는 하지만 "신 자신 안에서는 신 자신이 아닌 것"에서 나온다.[61] 그러나 신 안에서는 "이상적인 원리", 즉 "신의 말(* 로고스)이 자연에서 표현되어지는 수단인 사랑의 의지"와 그로 인해 일어나는 계시도 "행위와 사실"이다.[62] 신 안에서는 "근거의 의지"와 정신이 불가분적이지만, 현상계에서는 분할 가능하다. 그리고 이 논문의 중요한 주제인 악은 바로 그런 분할 가능성에 근거한다.

셸링은 '인간 자유의 본질'에 관한 그의 논문에서 – 이 논문은 프란트 바더(Franz Baader)의 권고를 통해 그가 기독교로 새로이 회귀한 결과물이기도 한데 – 세계창조의 근원이 자유라고 생각하기 시작한 사상적 전환의 문지방 위에 서 있었다. 그러나 그가 아직 문지방을 넘어서지 못한 이유는 "신 안에 있는 자연"이 동시에 창조의 근원이라고 생각했기 때문이었다. 셸링이 스피노자의 영향을 받아 모든 것을 절대자 개념과 관련하여 – 그 절대자가 자아이든 아니면 이성이든 간에 – 생각한 시기에는 어떻게 절대자로부터 유한한 것이 생겨날 수 있는가 하는 물음에 대답할 수 없

---

61) F. W. J. Schellings Sämtliche Werke I, 7, 359.

62) F. W. J. Schelling a.a.O. 395. 참조, 363: "… 영원한 신은 자연에서 통일성 또는 말(로고스, 역자)을 표현한다."

었다.[63] 1809년에 셸링은 신의 자유에 의해 무한자가 유한자로 넘어갈 수 있다고 생각했다. 이렇게 생각의 문지방을 결정적으로 넘은 것은 그가 유고로 출판된 『우주의 나이』(Weltalter, 1813)라는 단편이었다. 이 단편에 의하면 "신은 그의 본성의 맹목적 필연성에 의해서가 아니라 최고의 자유의지에 의해 세계를 창조했으며", 신적 본성의 단순한 필연성으로부터는 "어떤 피조물도 없을 것이다."[64] 셸링은 그의 후기철학의 토대가 된 이런 주장과 함께 초기의 스피노자주의와 결정적으로 결별했다. 이와 함께 그는 1801~1803년 예나에서 그와 함께 청년시절을 보낸 이후 헤겔이 걸었던 길과 다른 길을 걷게 되었다.

헤겔은 다섯 살 어린 셸링보다 훨씬 더 오랫동안 신학을 공부한 후 철학으로 방향을 전환했다. 유고로 남은 소위 『청년시절 연구서들』(Jugendschriften)(1800)은 전부 신학적 주제들을 다루었지만, 그 주제들은 정치적 관점들과 밀접한 연관을 가지고 있었다. 그 연구서들은 칸트와 피히테에 의해 시작된 자유의 관념론

---

63) 이미 독단론과 비판론에 관한 철학적 편지들(1795)은 "절대자로부터 밖으로 나옴"을 "철학의 핵심적 논점"이라고 표현했다(Schellings Ausgewählte Werke I, 174 = Sämtliche Werke I-1, 1856, 294). 그리고 셸링의 판단에 의하면 "어떤 체계도 무한자로부터 유한자를 추론할 수 없다." 철학은 단지 "역으로 유한자로부터 무한자를 추론할 수 있을 뿐이다." "무한자로의 초월", 즉 "무한자와 합일하려는 노력"은 유한자의 고유한 본성이기 때문이다(194f.=I, 314).

64) F. W. J. Schellings Werke VIII, 210. 초월론적 관념론 체계(1800)에서도 여전히 절대적 자유는 절대적 필연성과 동일시된다. 그러므로 신의 행위는 물론 설대적 자유라고 생각되어야 하지만, "이런 절대적 자유는 동시에 절대적 필연성이기도 하다. 신에게는 그의 본성의 필연성으로부터 유래하지 않은 어떤 법과 어떤 행위도 생각할 수 없기 때문이다."(PhB 448, 64 = Sämtliche Werke I/3, 1858, 395).

을 어떻게 실현할 것인가 하는 물음에서 - 이 물음은 그를 셸링과 결속시키는 계기가 되기도 했는데 - 출발하였다. 이런 물음이 계기가 되어 헤겔은 신학적 관심과 정치적 관심 사이의 관계에 대해 묻게 되었다. 이런 물음은 1800년 이후 형성된 헤겔의 성숙한 체계를 이해하기 위해 대단히 중요하다. 그 체계의 사상적 토대는 초기 연구서들을 통해 준비되었다. 그러므로 초기 연구서들은 단지 헤겔의 초기 사상을 위해서만 의미를 가지는 것이 아니다.[65)]

청년시절 연구서들에 종교적 주제와 정치적 주제가 대단히 밀접하게 연관되어 있음에서 알 수 있듯이, 헤겔은 사회의 문제도 궁극적으로는 종교적 문제라고 생각했다. 이런 사실은 이미 초기 연구서들 중 "민족종교와 기독교"의 관계를 다룬 첫 번째 연구서에서도 발견된다. "위대한 도덕적 관념을 생성시키고 육성시키는 민족종교는 자유와 손잡고 나란히 걷는다."(27) 민족종교의 과제는 도덕의 효력을 증진시키는 것이다.(N 48) 따라서 국가는 종교에 관심을 가져야 한다. "객관적 종교를 주관적으로 만드는 것", 즉 종교가 사람들의 생각과 마음에 자리 잡도록 하는 것

---

65) 소위 헤겔의 청년시절 연구서들은 "헤겔의 청년시절 연구서들"이란 제목으로 - 발행자인 헤르만 놀(Hermann Nohl)에 의해 선정된 제목 - 1907년에 처음으로 출판되었다 (앞으로는 N이란 약자와 쪽수를 통해 인용됨). 그 연구서들 중에서도 가장 중요한 것들은 다음과 같다. "민족종교와 기독교"(1793), "기독교의 확실성"(1795/96, 1800년에 수정됨), "기독교의 정신과 운명"(1798). 그 연구서들의 내용을 위해서는 참조, G. Rohrmoster, *Subjektivität und Verdinglichung. Theologie und Gesellschaft im Denken des jungen Hegel*, 1961.

은 국가가 해야 할 중요한 사업이다(49). 그와 반대로 헤겔에 따르면 근대세계의 특징은 기독교적 교훈과 사람들의 사회적 삶 사이의 균열이다.(N 26) 헤겔은 기독교가 본래 개인적인 종교라는 사실에서 그 이유를 발견했다. 그렇게 때문에 기독교에는 "삶과 교훈 사이의 괴리"(N 26)가 발생하게 되었고, 이로 인해 사람들은 종교를 신뢰하지 않게 되었다는 것이다. 후에 헤겔은 근대 종교의 특징인 일요일과 평일의 구분에 관해서도 같은 관점에서 말한다. 기독교는 본질적으로 개인적인 종교이기 때문에 공적인 종교로서 적합하다고 말하기 어렵다는 평가는 루소를 통해, 특히 『사회계약론』(1762)에서 시민종교(religion civile)의 필요성에 관한 논의에서 제기되었다.[66] 그렇지만 루소와 마찬가지로 헤겔도 근대적 상황에서 발생한 종교와 사회 사이의 괴리가 종교개혁과 반종교개혁에 따른 종교전쟁이 끝난 후 17세기에 시작된 국가와 사회의 세속화 때문이라는 설명에는 동의하지 않았다. 대신 그들은 공적 영역으로부터의 단절은 기독교의 고유한 속성 때문이라고 보았다. 청년 헤겔은 기독교와 정반대의 특징을 그리스에서 발견했다.(N 23, 26f.) 그리스의 종교적 신념들은 인간의 일상생활과 공적 업무는 물론 축제와 기쁨에서 인간 편에 설 수 있었으며, "친절하게 어디에나 동반할 수" 있었다고 보았기 때문이다.(N 26)

---

66) J. J Rousseau, *Contrat Social*, 1762, IV, 8. 헤겔과 루소의 관계에 관해서는 참조, H. F. Fulda, "Rousseausche Probleme in Hegels Entwicklung", in: Fulda und H. -P. Horstmann(hg.), *Rousseau, die Revolution und der junge Hegel*, 1991, 41-73.

이와 같이 청년 헤겔은 종교를 부분적으로는 칸트의 종교관에 의지하여 인간의 공동체적 삶에서 도덕성 함양을 위한 수단으로 보았다. 그렇지만 1796년 이후, 즉 헤겔이 휠덜린의 소개로 가정교사 자리를 얻어 베른에서 프랑크푸르트로 이주한 후, 헤겔은 칸트와 피히테를 통해 주장되었던 기독교의 도덕적 해석을 비판하였다. 그는 진정한 종교, 즉 예수의 사랑의 복음은 도덕과 대립된다고 보았다.

휠덜린은 이 시기에 이미 피히테의 자아철학에 비판적인 입장을 취하고 있었다. 대상의식을 자기의식으로부터 도출하는 피히테에 대해 그는 인간은 오직 대상과의 관계에서만 주체일 수 있으며, 따라서 절대적 자아 개념은 불합리하다고 반박했다. 오히려 주체와 대상은 자기의식 내에서도 이미 상호 대립적이다. 따라서 휠덜린은 주체와 대상을 포괄하는 실체(Wirklichkeit)가 무엇인가 물었다. 휠덜린은 주체와 대상을 포괄하는 이런 통일성을 "존재"와 "생명"이라 불렀다. 휠덜린은 생명과 반성 사이의 대립으로 인해 상실된 이런 근원적 통일성은 사랑을 통해 회복된다고 생각했는데, 그의 이런 견해는 플라톤주의자 프란츠 헴스터하우스(Franz Hemsterhuis)의 영향에 의해서였다.[67]

휠덜린의 이런 사상적 영향과 관점에서 헤겔은 1798년에 다시

---

67) 헤겔과 휠덜린의 관계에 관해서는 참조, D. Henrich, *Hegel Im Kontext*, 1971, 9-40. 휠덜린의 사상에 관해서는 D. Henrich, *Der Grund im Bewußtsein. Untersuchungen zu Hölderlns Denken*(1794-1795), 1992.

한 번 역사적 예수에 관심을 가지게 되었다. 이제 그는 유대교의 율법주의에 대한 예수의 비판을 초기 연구서들과는 다른 관점에서 해석했다. 초기 연구서들에서 헤겔은 도덕성과 합법성을 구분하는 칸트의 관점에서 역사적 예수를 해석했었다. 예수는 칸트처럼 도덕규범의 자율적 도덕성을 선포함으로써 유대교의 형식적인 율법주의를 비판했다는 것이다. 헤겔에 의하면 유대교의 율법주의는 외적인 복종에 사로잡혀 있었다는 것이다.(N 153) 유대교와 달리 예수는 "종교와 덕을 도덕성으로 고양시키고, 도덕의 본질인 자유를 회복시키고자"(154) 했다는 것이다. 그러나 1798년에 발표된 『기독교 정신과 그의 운명』에서 헤겔은 칸트의 도덕철학을 근대적 자기분열의 전형적 표현이라고 생각했다. 보다 정확하게 말해 칸트의 도덕철학은 바로 이런 자기분열, 즉 유대교의 율법주의를 지배했던 당위성과 존재의 대립을 특징으로 한다는 것이다. 이제 헤겔은 칸트의 도덕철학의 특징이 형식주의적 복종에 있는 것이 아니라 당위성과 존재의 대립성이라는 내적 구조 자체에 있다고 보았다. 이제 헤겔은 종교의 진정한 의미를 더 이상 도덕성이 아니라 분열된 것의 통일에서 찾았다. "주관적인 것과 객관적인 것의 … 이런 통일의 필요성은, 즉 인간의 정신이 추구하는 이런 최고의 필요성은 종교성이다."(N 332)

이런 사상은 1798년에 처음으로 주장된 것이 아니었다. 이미 1793년의 『민족종교와 기독교』에서 사람들은 "그리스도가 세상과 하나님의 화해자라는 믿음"(N 68)이 기독교의 핵심이라는 사실을 읽을 수 있었다. 민족적 삶의 총체성에 관심을 가지고 있던 헤겔은 당시에 이미 화해 사상을 중요하게 생각했다. 그러나 1793년의 헤겔은 아직 화해를 '무엇인가를 만족시켜 줌'이란 의미로 이해하고 있었다. "다른 사람의 공로 때문에 사람들의 부채가 탕감된다."(N 69) 그에게 있어서 화해는 아직 분리된 것을 연합시키는 사랑의 표현이 아니었으며, 따라서 아직 도덕적 종교해석에서 벗어나지 못하고 있었다. 그렇지만 화해에 대한 그의 견해가 5년 후에는 달라졌다. 이제 예수는 더 이상 도덕의 수호자가 아니었다. 그는 "사람들에게 유대교의 실정성(實定性; Positivität)에 대한 대안을 제시했다."(N 276)[68] 예수는 "율법에 제시되어 있는 하나의 개념 아래 사람들을 예속시키는 것"(N 274f.)을 거부했다. 사랑은 심판하지 않는다.(ebd.)

헤겔에 의하면 유대교의 율법은 단지 역사적으로 우연히 탄생된 것이 아니라 철학적으로 보다 보편적인 사태의 표현이다. 그런 점에서 그는 법을 자연법의 명령과 동일시하는 전통적 기독교의 관점을 따랐다. 헤겔은 이성의 도덕법에서와 마찬가지로 유대교 율법의 역사적 형태도 구별을 통해 나누는 오성의 표현이라

---

[68] * 여기서 "실정성"은 실정(實定), 즉 '사실로 정함'인데, 보다 정확하게 말하면 '제도적으로 고착됨'과 같은 의미로 이해하면 좋을 것이다. 이것은 헤겔의 다음과 같은 표현에서 분명해진다. "실정적인 신앙은 종교적인 교리체계인데, 이런 교리체계는 거부할 수 없는 권위에 의해 명령되기 때문에 우리에 대하여 진리를 가진다고 말한다. 실정적 신앙이라는 개념에는 우리가 진리로 여기는 것과는 상관없이 진리로 간주되어야 하는, 그리고 어떤 사람에게도 진리로 인정되지 않았음에도 계속 진리로 존재해 왔던 종교적인 교리체계나 진리체계가 포함된다."(*Die Positivität der christlichen Religion*, 233)

고 보았다. 이와 달리 그에게 있어 사랑의 계명은 그런 구별을 넘어서 생명의 통일성을 새로이 제시하는 것이었다. "사랑에는 이런 전체가 포괄되지만 개별적인 것들의 합계처럼 그렇게 포함되지는 않는다. 사랑에는 생명 자체가 나타난다. … 사랑에도 여전히 분리된 것이 있다. 그러나 더 이상 분리된 것으로서가 아니라 결속된 것으로서 있다. 살아있는 자는 살아있는 자를 느낀다."(N 379) "사랑 안에서 사람들은 다른 사람들에게서 자기 자신을 다시 발견한다. … 사랑의 기쁨은 모든 다른 생명과 섞이며, 다른 생명을 인정한다."(N 322)[69] 사랑은 오성의 분리를 무화시키는 극복이 아니라 그런 분리를 인정하는 극복, 즉 생명의 통일성이다. 그런 사랑은 사변적 개념에 관한 헤겔의 후기사상의 단초가 되었다. 사랑과 마찬가지로 사변적 개념은 분리된 것의 통일이다. 이런 통일에서는 개념의 모든 규정들은 타자 속에서 자기 자신으로 존재하는 방식으로 다른 규정들과 관계한다.[70] 그렇지만 『기독교의 정신과 그의 운명』에는 아직 개념철학이 대립을 지양하는 완성된 체계로서 제시되지는 않았다. 사랑은 여전히 오성의 법칙성을 수용하여 지양하지 않고 법칙성과 오성을 여전히 사랑과 대립되는 것으로서 배제한다. 따라서 여기서 예수의 사랑은

---

69) 사랑에 대한 철학적 해석에 관해서는 『민족종교와 기독교』에 언급된 다음의 내용을(N 18) 참조하라. 사랑은 "이성과 동일한 어떤 점을 가진다. 사랑은 다른 사람에게서 자기 자신을 발견한다. 아니 오히려 자기 자신을 잊어버리며, 마치 다른 사람 속에 살며, 느끼며, 활동하는 것처럼 자신의 존재를 포기한다. 마찬가지로 보편적 법칙들의 원리인 이성은 모든 이성적 존재에서 자기 자신을 다시 인식한다. 지성적 세계의 시민으로서 말이다."

70) 참조. G. Rohrmoser, a.a.O. 59f.

합법적으로 존재하는 객관적인 것의 힘에 부딪힐 때 무기력한 주관적 통찰로서 나타난다. 그렇기 때문에 예수는 현실에 부딪혀 좌절할 수밖에 없었다. 그리고 이런 좌절은 단지 이념적으로만, 즉 종교적 신앙의 이념세계에서만 극복되었다. 말하자면 그런 좌절은 예수의 부활과 승천에 대한 초대교회의 신앙에서만 극복되었다. "그러므로 예수의 실존은 세상으로부터의 분리였으며, 세상으로부터 하늘로의 도피였으며, 허무한 삶을 이념성에서 회복하는 것이었다."(N 329) 1798년의 헤겔에 의하면 신앙과 현실 사이의 이런 대립은 기독교인들에게도 영향을 끼친다. 그러므로 헤겔은 여전히 기독교와 민족종교의 대립은 기독교의 본질에 근거한다는 생각을 가지고 있었다.

더 나아가 헤겔의 사랑 개념은 사랑의 단순한 주관성을 극복하였으며, 객관적 세계를 사랑에서 표현되는 생명의 통일성과 관련하여 생각하였다. 헤겔은 우선 이런 사랑 개념을 종교 개념의 확장을 통해 전개했다. 종교 개념의 확장은 1800년 체계의 핵심 주제였는데, 아마도 이것은 슐라이어마허의 『종교에 관하여』(Über die Religion)의 영향이었을 것이다. 여기서는 2년 전과 달리 종교와 현실의 삶이 더 이상 대립적이지 않다.(참조, N 332ff.) 이제 삶의 통일성은 종교에서 최고로 표현된다.

체계단편에서 비로소 종교는 처음으로 "고양"(Erhebung)이란 개념을 통해 정의된다.[71] "종교는 유한한 삶으로부터 영원한 삶으로의 고양이다."(N 347) 인간이 "자기 자신은 유한한 존재자이기 때문에 영원한 생명을 초월적인 총체적 정신으로 전제하고, … 생명을 추구하며, 가장 내밀하게 그 생명과 하나가 된다면, 그는 하나님을 경외하는 사람이다."(N 347) 여기서 헤겔은 1년 전에 출판된 슐라이어마허의 『종교에 관하여』와 마찬가지로 영원한 것을 유한한 것 너머에서가 아니라 삶의 총체성에서 발견하고자 했다. 이제 헤겔은 유한하고 개별적인 모든 것과 다르지만 모든 것을 포괄하는 이런 총체적 삶을 "정신"이라 부른다. 정신은 법의 추상적인 보편성과 달리 개별적인 것을 배제하지 않고 모든 개별자를 포괄하는 구체적으로 보편적인 것, 즉 총체적 삶이다. 다시 말해 "정신은 다양한 것과 결합하여 다양한 것을 살게 하는 생명의 법이다."(N 347) 종교는 유한한 것을 포괄하는 이런 영원한 삶의 총체성으로 인간을 고양시킨다. 이때 1800년의 체계에서는 아직 이런 영원한 총체성을 파악하는 것이 종교에 국한되어 있다. 그것은 아직 철학의 대상이 아니다. 철학적 반성은 단지 "모든 유한한 것에서 유한성을 지적해야 한다."(N 348)

그렇지만 『피히테와 셸링의 철학체계의 차이』(1801)에서 헤겔은 "직관"을 통해 영원한 것을 파악할 수 있는 능력이 철학에 있다

---

71) 이런 "고양" 개념은 이미 피히테와 셸링에게서 절대자 사상으로의 고양이란 의미에서 나타나지만, 슐라이어마허의 『종교에 관하여』(1799) 167쪽에서도 발견된다.

고 말했다.[72] 이런 직관 개념은 피히테와 셸링이 사용한 "지성적 직관"과 슐라이어마허가 『종교에 관하여』에서 사용한 개념을 연상시킨다. 물론 이때 헤겔이 사용한 직관은 구체적 대상에 관계하는 직관, 즉 대상의 다양한 측면들을 종합하는 직관이라는 점에서 슐라이어마허의 용법에 더 가깝다. 그렇지만 슐라이어마허와 달리 헤겔은 이미 종교가 철학보다 하위에 속한다고 생각하고 있었다. 종교적 직관은 단지 주관적인 직관에 불과하다는 것이다. 종교에는 객관적 진리가 없다.[73] 이와 달리 철학적 직관은 모든 대립을 지양해 가지기 때문에 보편타당할 수 있다.[74] 이런 대립의 지양은 대립을 통해 모든 유한한 것의 한계를 지적하는 반성과 철학적 직관의 협력을 통해 일어난다.[75] "이성적인 것", 즉 사변적으로 파악된 차이의 통일은 "그의 규정된 내용에서 볼 때 대립되는 것들의 모순으로부터 추론되어야 하는데, 이때 모순되는 것들의 종합이 바로 이성적인 것이다. 다만 이런 이율배반적인 것을 충족시키고 지속시키는 직관은 필요하다."[76] 헤겔이 후에 "개념"이라 칭한 철학적 직관은 반성의 도움으로 그의 필연

---

72) G. W. F. Hegel, *Differenz des Fichte'schen und Schelling'schen Systems der Philoso-phie*(1801) PhB 62 a, 30ff. 여기서는 직관(Anschauung)이란 개념과 사변(Spekula-tion)이란 개념이 동일한 의미로 사용된다.

73) G. W. F. Hegel, a.a.O. 91.

74) G. W. F. Hegel, a.a.O. 32.

75) 참조, H. Nohl(hg.), *Hegels theologische Jugendschriften*, 348.

76) G. W. F. Hegel, *Differenzschrift*, 32.

성이 입증될 수 있기 때문에, 그리고 그 필연성은 반성을 통해 반정립된 것의 통일로서 제시될 수 있기 때문에 종교적 직관과 다르다.

여기서 주목할 것은 그런 직관의 대상은 이제 더 이상 생명의 총체성이 아니라 (셸링과 마찬가지로) 절대자라는 점이다. 물론 헤겔은 여전히 철학의 과제를 "총체성의 회복"이라고 정의할 수 있었다. 그러나 이제부터 그는 "제약들의 총체성"과 그런 총체성을 통해 나타나는 절대자와 구분하였다.[77]

헤겔은 셸링으로부터 절대자 개념을 수용하였지만 절대자의 직관이 반성적 직관이라고 생각했다는 점에서, 즉 모순들을 종합하는 통일이 "직관"을 통해 파악되고 표현된다고 주장한 점에서 셸링과 다르다. 헤겔에 의하면 셸링은 즉시 최고의 직관으로 비약하는데, 그 직관의 내용은 반성을 통한 차이의 통일성에서 확보된 것이 아니기 때문에 공허하다. 물론 셸링에게도 절대자는 최고의 대립, 즉 주체와 대상의 대립 및 이념적인 것과 실제적인 것의 대립을 통해 매개된 구체적인 부정이다. 그러나 이런 대립은 스스로 이미 최고의 추상 단계에 도달하며, 따라서 절대자의 통일성은 절대자와의 관계에서 "무차별성"(Indifferenz)이다. 따라서 헤겔이 몇 년 후 그의 『정신현상학』(1807) 서문에서 풍자적으로 말했듯이 무차별적으로 통일된 셸링의 절대자는 "모든 암소

77) G. W. F. Hegel, a.a.O. 16 und 12f.

가 검게 보이는 밤이다."[78]

3. 슐라이어마허와 관념론

슐라이어마허(Friedrich Daniel Ernst Schleiermacher; 1768-1834)는 독
일관념론의 역사에서 독특한 인물이다. 그는 관념론 철학의 발전
에 기여한 유일한 신학자였다. 무엇보다 그는 베를린 병원의 30
대 병원목사이자 슐레겔(Friedrich Schlegel)을 중심으로 모인 베를
린 낭만주의 회원으로서 처음으로 출판한 『종교에 관하여』을 통
해 셸링과 특히 헤겔의 주목을 받았다. 그리고 그는 1798년 이후
셸링의 동일철학으로부터 큰 감명을 받았다. 셸링의 동일철학은
슐라이어마허의 "변증법"은 물론 그의 생전에는 발표되지 않았
던 철학적 윤리학을 위해서도 대단히 중요한 역할을 했다.[79]

그렇지만 피히테나 셸링의 사상보다 슐라이어마허에게 훨씬
더 중요한 것은 직접적인 실재성 의식(Realitätsbewußtsein)에 관한

---

78) G. W. F. Hegel, *Phänomenologie des Geistes*, J. Hoffmeister(hg.), PhB 114, 19.

79) 셸링의 사상과 슐라이어마허의 관계에 관한 평가는 논란의 여지가 있다. 필자는 여기서
헤름스(E. Herms)의 판단을 따르며(ders., *Herkunft, Entfaltung und erste Gestalt des
Systems der Wissenschaftslehre bei Schleiermacher*, 1974, 256ff.), 쉬스킨트(H. Süs-
kind)의 입장에는 동의하지 않는다(ders., *Der Einfluß Schellings auf die Entwickung
von Schleiermachers System*. 1909, 55). 쉬스킨트는 헤름스와 달리 90년대의 슐라이어
마허는 피히테의 영향을 받았고 셸링과의 교류는 1804년에 처음으로 시작되었다고 믿
었다. 헤름스의 견해를 참조하지 않고 알브레흐트(Chr. Albrecht)도 쉬스킨트의 견해를
따른다(ders. *Schleiermachers Theorie der Frömmigkeit*, 1994, 62ff.).

야코비(Friedrich Henrich Jacobi)의 주장이었다. 야코비에 따르면 실재성 의식에는 대상의식과 자기의식이 결합되어 있으며, 유한자에 대한 의식과 무한자에 대한 의식이 결합되어 있다.[80] 야코비의 이런 견해는 슐라이어마허의 『종교에 관하여』는 물론 그가 1819년에 야코비에게 증정하고자 했던 『교의학』(1821)을 포함한 이후의 사상적 발전에도 결정적으로 중요한 역할을 했다.[81] 야코비의 실재성 의식을 수용함으로써 슐라이어마허는 칸트의 인식비판과 셸링의 체계사상을 수정했다.

3-1. 『종교에 관하여』에[82] 나타난 종교개념의 철학적 요소들

슐라이어마허는 이 책에서 종교는 본질적으로 인간 존재에 속한다는 사실을 주장하고자 했다. 따라서 그는 종교에 관해 논의할 때 진심으로 "인간의 모든 면이 육성되고 발휘되는 것이 중요하다고 생각하는 사람들"의 관심을 존중했다.[83] 그러므로 이 책에서 논의되는 내용은 전체적으로 교육되어야 할 총체적 인간성

---

80) 1793년 이후 슐라이어마허와 야코비의 친교에 관해서는 참조, E. Herms, a.a.O. 121ff. und 136ff. 야코비에 대한 비판에 관해서는 139ff. 슐라이어마허는 유한자와 무한자의 관계에 관한 스피노자의 주장에 동조하면서 야코비의 인격신론(Theismus)을 비판했다 (142ff.). 참조, Herms 144ff.

81) 참조, M. Redeker, "Die Einleitung" zu F. Schleiermacher, *Der christliche Glaube*, 7. Aufl. Berlin 1960, Band 1, XXVI.

82) 이 책의 내용을 이해하기 위해서는 참조, P. Seifert, *Die Theologie des jungen Schleiermacher*, 1960.

83) F. Schleiermacher, *Über die Religion*, 1799, 26. 앞으로의 인용은 원본의 쪽수에 따른다.

을 이념으로 하여 전개된다. 이런 이념이 슐라이어마허의 교육사상 방향을 규정하였으며,[84] 종교의 인간론적 위상에 대한 물음을 야기한다.

슐라이어마허에 의하면 종교는 인식과 행위 이외에도 "감정에 있는 하나의 특별하고 고유한 영역"(37)이다. 종교는 이성의 자연적 신 인식과 같이 형이상학적 근거해명을 필요로 하지 않으며, 칸트와 피히테에게서처럼 도덕의 장식품도 아니다. 슐라이어마허의 이런 주장은 그의 글을 읽는 많은 사람들로 하여금 해방감을 느끼게 했다. 그러나 그 주장은 또한 슐라이어마허의 새로운 종교개념 정의에 철학적 영향이 제한적이었던 가장 중요한 이유이기도 하다.

형이상학으로부터 종교의 독립성을 주장했음에도 불구하고 종교의 대상과 인간론적 기초에 관한 슐라이어마허의 정의는 한편에서는 스피노자의 영향을 받았으며, 다른 한편에서는 실재성 의식에 관한 야코비의 주장에 영향을 받았다. 실재성 의식에서는 인간도 이미 영원한 존재자와 관계를 맺고자 하는 "종교성"(religiöse Anlage)을 가지고 있다는 것이다.(144) 종교의 대상은 원래 초자연적이고 초월적인 어떤 존재자가 아니라 "우주", 즉 모든 유한자의 총체성이다. 유한자 안에 무한자가 현존하는 한

---

84) 참조, M Riemer, *Bildung und Christentum. Der Bildungsgedanke Schleiermachers*, 1989.

에서 말이다.(38f.)[85] 무한자는 유한자 저편에 있지 않고 유한자 내에 현존한다. "모든 유한자는 오직 무한자로부터 절단되어 나왔음이 분명한 그의 경계들의 규정을 통해서만 존재한다."(53) 종교는 이런 실상을 의식하는 것이다. 종교는 모든 "개체와 유한자 안에서 무한자를 보아야 한다."(51) 종교는 "모든 개체를 전체의 일부로 받아들여야 하며, 모든 유한자를 무한자의 현상이라고 생각해야 한다."(56) 이 명제에서 알 수 있듯이 '우주', '전체', '무한자'란 표현들은 모두 동일한 사태를 지시한다. 뿐만 아니라 전체는 부분들의 의미를 위해 본질적이다. 부분들은 전체를 통해 정의된다. 부분들은 전체로부터 잘라져 나왔기 때문이다.(53) 따라서 모든 유한자는 무한자와 전체의 "표현"이다. 그리고 유한자는 이제 그런 표현으로서 "이런 경계 내에서" 무한하다.(53)[86]

"합리적이고 실용적인 사람들"의 상식에서 볼 때 모든 유한자가 무한자와 전체를 통해 규정되어 있다는 생각은 납득하기 어

---

85) 슐라이어마허의 우주는 단순히 자연계와 동일한 것이 아니다. 스피노자는 피히테를 통해 특히 셸링을 통해 변형되었다. 슐라이어마허는 우주를 여러 단계로 구분하였다. 즉 "거대한 질량"(81f.)의 외적 자연(78)으로부터 자연계에서 작용하는 법칙(82f.)을 넘어 생명에 이르기까지(85), 인간의 존재와 내적 생명(87f.) 그리고 인간을 넘어서는 인간의 역사화에 이르기까지(99f.). "인간의 영역 밖에서 인간의 영역을 초월하는 어떤 것으로부터의 그런 징벌 이후 모든 종교는 … 추구한다."(105)

86) 개체사상을 위해 중요한 이런 관점은 라이프니츠의 모나드 사상에게까지 소급된다. 모나드 사상에 의하면 모든 모나드는 우주 전체 또는 우주질서에 관한 신적 지식을 반영하고 있다. 셸링은 1797년에 이미 그의 『자연철학 사상』(*Ideen zu einer Philosophie der Natur*)에서 라이프니츠의 모나드 사상에 의거하여 모든 이념 또는 모나드는 "그 자체로 절대적인 개체들"이라고 말했다(*Ausgewählte Werke*, Schriften von 1794-1798, 1795, 388. 344쪽과 361f.의 라이프니츠에 관한 언급도 참조하라). 그렇지만 슐라이어마허는 라이프니츠처럼 창문 없는 모나드 사상을 주장하지는 않았다. 오히려 그는 개인의 개체성은 경험을 통한 교육을 필요로 한다고 생각했다.

렵다. 그들은 단지 유한한 일들과 관계들에만 관심을 가지기 때문이다. 그런 사람들의 영향 때문에 사람들은 이미 어린 시절에 종교성을 상실한다.(145) 따라서 우리가 개별자와 유한자 안에서 무한자를 직관하기 위해 우리에 대한 우주의 "행위"가 필요하다. "모든 직관은 직관된 것이 직관하는 자에게 영향을 줌으로써 시작된다. 직관된 것의 근원적이고 독자적인 행위가 그의 본성에 적합하게 직관하는 자에 의해 수용되고 종합되고 이해된다."(55) 이때 모든 직관은 감정(Gefühl)과 결합되어 일어난다. 직관하는 자에 의해 경험된 영향은 우리의 "내적 의식에서도 변화를 야기함이 분명하기 때문이다."(66) 슐라이어마허가 주장하듯이 종교의 본질을 이루는 우주적 직관과 감정은 우주가 우리에게 끼치는 영향력이기도 하다. 우주가 우리에게 무한자의 현존을 깨닫게 해주기 때문이다. 슐라이어마허에 의하면 종교적 신개념도 우주의 이런 행위와 연관되어 있다. 우주의 행위와 연관된 신개념은 종교일반의 본질을 위해서는 근본적이지 않지만, 우주의 행위를 오직 "자유로운 본질의 형태에서만 생각할 수 있는" 사람들은 그런 신 개념을 가진다.(129) 어떤 사람이 그의 우주관에서 "우주를 신으로 생각하느냐 아니냐 하는 것은 그의 상상력의 경향에 달려있다."(128f.) 즉, 그의 우주관은 이런 상상력에서 행위의 근거를 자유의 행위라고 생각하느냐 아니면 철저한 인과율을 통

한 이성적 생각이라고 생각하느냐에 달려있다.[87]

슐라이어마허가 사용하는 직관(Anschauung)과 감정(Gefühl)은 칸트, 피히테와 셸링과 다르지 않지만, 이들 개개인의 용법과는 크게 다르다. 칸트와 마찬가지로 슐라이어마허도 직관은 주관에 대한 대상의 작용에 의해 일어난다고 생각한다.[88] 그러나 슐라이어마허에게 있어서 종교적 직관의 대상은 무한한 신적 존재자이다. 이런 점에서 그의 직관 개념은 셸링의 무한자 또는 절대자를 지향하는 "지성적 직관"과 유사하다. 그러나 셸링의 지성적 직관은 슐라이어마허와 달리 유한자 의식을 통해 매개된 직관이 아니며, 무한자를 유한자 안에서 유한자의 존재근거로 파악하는 그런 직관이 아니다. 직관과 감정의 관계에 관한 슐라이어마허의 설명은 다시 피히테의 1794년 『지식학』을 상기시킨다.[89] 그러나 피히테에게 있어서 대상과 관련된 직관과 감정의 관계는 슐라이어마허와 다르다. 무엇보다 피히테에게 있어서 감정에서 느껴지는 비아(Nichtich)는 자아의 근원적 작용을 방해하는 것으로 경험

---

87) 그밖에도 슐라이어마허의 신개념은 우주가 인간에게 작용하는 순간의 기능에 한정되어 있다. "종교는 세상에서 일어나는 모든 일들이 신의 행위라고 생각한다. 종교는 세상에서 일어나는 그런 일들과 무한한 전체의 관계를 표현한다. 그러나 세계 이전에 세계를 초월해 있는 신의 존재에 관해 철학적 사유는 형이상학에서는 중요하고 필요할지 모르지만 종교에서는 그것도 단지 공허한 신화에 불과할 것이다..."(57f).

88) 이런 설명은 당연히 칸트뿐만 아니라 초기의 슐라이어마허가 사변적 인식론에 대한 불신과 관련하여 지지했던 경험론에도 해당된다. 참조, E. Herms a.a.O. 91. 『종교에 관하여』에 나타나는 직관 개념에 관해서는 그 책의 181쪽 참조하라.

89) J. G. Fichte, *Grundlage der gesamten Wissenschaftslehre*, 1794, PhB 346, 230ff. und 37. 자아의 지성적 직관과 다른 피히테의 새로운 지식학 체계(1797/1798)에 관해서 참조, PhB 239, 71.

되는데, 비아의 이런 장해는 직관을 통해 직관을 야기하는 대상이 무엇인지 드러나게 해준다. 이와 함께 피히테는 물자체에 대한 칸트의 주장은 경험적인 실재성 의식을 설명하기 위해 불필요한 전제임을 입증하고자 했다. 그러나 슐라이어마허는 우리에 대한 대상의 작용이 실제로 우리에게 직관과 감정을 야기한다고 생각했다. 그럼에도 불구하고 슐라이어마허에게도 야코비의 - 그리고 흄의 - 매개되지 않은 직접적 실재성 의식은 본질적으로 "감정"이다.[90] 그러나 『종교에 관하여』에 의하면 직관에 상응하는 감정은 이런 근본 감정이 대상의 작용에서 출발하여 "내면의 식"에서 일어나는 자극을 통해 수정된 것으로 이해된다.(a.a.O. 66) 그렇지만 슐라이어마허의 후기사상에서는 야코비가 생각하는 "직접적 자의식"으로서의 감정 개념이 종교론의 중심이 되었다. 그리고 이때 그런 직접적 자의식은 몇 가지 측면에서, 즉 의존감정의 근원은 신이라는 교의학적 주장들에서 피히테를 연상시킬 수 있었다.[91] 전반적으로 볼 때 의존감정이 직접적인 자기의식이라는 I권4장의 교의학적 주장들은 특히 감정이 자아활동을 방해하는 것을 확보해 준다는 피히테의 설명을 연상시킨다. 그러나 자기의식과 감각적 대상의식의 연관성에 관한 I권 5장의 주장들은 슐라이어마허 사상의 경험론적 성향과 일치한다.

---

90) 참조, E. Herms a.a.O 124 und 157.

91) F. Schleiermacher, *Der christliche Glaube*(1821), 2. Auslg. 1830, 4, 4.

종교의식에 관한 슐라이어마허의 1799년의 강연은 의식에 관한 철학적 사유의 도움을 받았다. 그럼에도 불구하고 종교 자체는 지식과 달라야 함은 물론이고 행위와도 전혀 달라야 한다. 이들과의 결합 가능성은 오직 종교의 독립성은 전적으로 개인적인 종교적 직관과 감정의 내용과 관련해서만 확보된다는 전제에서만 가능하다. 그러나 슐라이어마허의 이런 주장은 결과적으로 철학적 비판을 필요로 하는 문제들을 야기한다.

3-2. 슐라이어마허의 『종교에 관하여』에 대한 셸링과 헤겔의 반응

셸링은 학적인 연구방법론에 관한 1802년의 강의들에서 슐라이어마허의 이름을 명시적으로 거론하지는 않았지만 아주 분명하게 그가 "종교의 본질을 새롭게 선포했으며", "도덕과 철학으로부터 종교의 독립성"을 주장했다고 말했다. 그렇지만 셸링에 의하면 그렇게 주장하는 사람은 역으로 "종교는 철학을 줄 수 없거나 철학의 자리를 대신할 수 없음을" 인정해야 한다. 종교의 자기 자신과의 조화를 주장하는 것은 이미 "단순히 주관적인 천재성과는 아주 다른 과제"라는 것이다.[92] 셸링에 의하면 철학은 지성적 직관을 통해 이상적인 것과 현실적인 것의 통합하는 절대자를 파악하고, 그렇게 함으로써 모든 학문의 근거인 근원지

---

92) F. W. J. Schelling, *Ausgewählte Werke* 2 (Schriften von 1801-1804), 1973, 512f.

식(Urwissen)을 파악해야 한다.[93] "기독교의 역사적 구성"도 이런 근원적 지식에 근거해야 한다.[94]

헤겔도 『종교에 관하여』의 종교이해에 대해 주관주의라는 비판을 제기했다. 그러나 비록 헤겔이 그 책의 주관주의를 비판하기는 했지만, 그의 비판은 셸링의 1802년 강의들보다 더 긍정적으로 그 책을 평가하였다. 그리고 헤겔은 그의 비판에서 셸링보다 더 철저한 논리적 근거를 제시하기도 했다. 따라서 헤겔은 이미 1801년에 쓴 「피히테와 셸링의 철학체계 차이」에 관한 자신의 논문에 대한 "회상"에서 슐라이어마허의 『종교에 관하여』는 비록 "사변적 요구를 직접 다루지는 않지만" 칸트와 피히테와 달리 이성과 자연을 조화시키는 "철학의 필요성"을 부각시킨다고 주장했다.(PhB 62 a, 6) 헤겔은 여기서 "우주"가 『종교에 관하여』의 종교개념에서 가지는 핵심적 역할에 주목했을 것이며, 그 개념에서 표현된 그리고 스피노자의 영향을 받은 슐라이어마허의 견해에 주목했을 것이다. 당시에는 헤겔도 셸링의 견해와 완전히 일치하

---

93) F. W. J. Schelling a.a.O. 489; 450f.

94) F. W. J. Schelling a.a.O. 520-529, 특히 526. 슐라이어마허는 셸링의 저서에 대해 대체로 비판적이지만 기독교에 대한 그의 이런 견해는 "대단히 탁월하다고" 표현했다. 슐라이어마허에 의하면 기독교와 역사의 관계에 관한 셸링의 주장은 물론 『종교에 관하여』를 통해 동기부여가 되었지만 중요한 것은 셸링이 "타인의 사상을 그대로 받아들이지 않고 그 사상을 전체적인 측면에서 검토하여 새로운 사상으로 발전시켰다는 사실이다. 이렇게 새로 탄생된 사상에 동기를 부여한 이전의 사상은 단지 우연히 시간적으로 앞섰을 뿐이다."(*Jenaische Literaturzeitung* 1804 Bd. I, 137ff., zit. nach *Schleiermacher's Leben. In Breiefen etc*. hg. W. Dolthey IV, 1863, 579-593). 만일 우리가 학적 방법론에 관한 셸링의 8번째와 9번째 강의에 나타나는 주장들을 절대자의 계시와 역사의 관계에 관한 그의 초월론적 관념론 체계(1800)에 나타나는 주장들과 비교한다면, 기독교 신학이 셸링의 역사관에서 크게 심화되었음을 발견할 수 있다.

는 슐라이어마허의 이런 견해를 지지했었다.

종교와 철학의 관계에 관해 헤겔은 바로 1년 전까지도 여전히 종교가 추구하는 영원한 삶을 철학과 달리 종교의 영역에만 속하는 것으로 생각했었다.[95] 철학은 종교에서는 이미 극복되었다고 생각되는 대립들의 영역에서 행해지는 반성작용이기 때문이다. 헤겔의 이런 견해는 실제로 슐라이어마허가 『종교에 관하여』에서 종교와 지식을 구분하는 것과 유사하다. 이와 반대로 「차이논문」(Differenzschrift)에서 헤겔은 철학에는 반성의 기능 이외에도 "직관"의 기능이 있음을 인정했다. 헤겔에 의하면 반성이 절대자와 관계하듯이 직관은 "대립들의 종합"으로서 "초월론적 직관"이다.(a.a.O. 31)[96] 이와 같이 철학적 지식을 직관과 반성의 통일이라고 생각하는 헤겔에게 슐라이어마허의 종교관은, 즉 종교가 모든 유한자에서 무한자를 직관하고 그런 직관들은 무한히 다양하다고 생각하는 슐라이어마허의 종교관은 그 내용에 있어서 우연적이고 주관적으로 보였음에 틀림없다.

그러므로 헤겔은 1802/03년의 『신앙과 지식』에서도 슐라이어마허의 직관개념을 다루었다. 헤겔은 이 책에서 『종교에 관하여』를 역사적으로 볼 때 바로 야코비의 철학에 속하는 것으로 분류

---

95) Im Systemfragment vom September 1800, 참조, H. Nohl(hg.), *Hegels theologische Jugendschriften*, 1907, 345ff., 특히 347f.

96) G. W. F. Hegel, *Differenz etc.*, PhB 62 a, 30f. und 17. 여기서 헤겔은 "절대적 직관"과 함께 반성의 종합하는 기능에 관해 말한다. 말하자면 반성은 "자기 자신과 모든 존재와 유한한 것을 절대자와 연관시킴으로써 그것들을 무화한다." 반성은 "절대적 부정"이며 (ebd.), 직관은 대립들의 통일이다.

하였으며, 부록에서 야코비의 철학을 다루었다. 야코비와 마찬가지로 슐라이어마허도 "개별자와 특수자가 개념보다 중요하다고 생각한다." 그러나 헤겔에 의하면 이때 슐라이어마허는 야코비처럼 절대자는 오직 신앙이나 감정에서만 파악될 수 있는 "절대적 초월자"(absolutes Jenseits)가 아니라 "우주로서 인정되는" 자연 자체에서 파악될 수 있다고 생각했다.(PhB 62 b, 89)[97] 이런 스피노자적인 방향전환을 통해 야코비의 주관주의적 "원리"는 슐라이어마허에게서 "최고로 강화되었다는 것이다." 그의 우주관에서는 주체와 "도달할 수 없는 절대적 대상 사이의 차단막이 위에서부터 아래로 찢어져 제거되었지만, 다른 한편에서는 주체적이고 고유하게 머무는 어떤 것에 대한 최고의 직관"이 명백하게 설명됨으로써 말이다.(ebd.) 슐라이어마허에게도 직관은 여전히 "단적으로 주관적이고 특수한 어떤 것"이다. 직관은 직관된 것을 "객관적으로 확증할 수 없을" 것이기 때문이다.(ebd.) 이것이 무엇을 의미하는지는 직관과 반성의 불가분적 연관성에 관해 자세하게 논구하는 「차이논문」에서 드러난다. 직관은 반성에 의해 드러난 대립들이 지양될 수 있고, 따라서 "반성에 의해 필연적인 것으로 입증됨으로써" 객관적 타당성을 가진다. "이성적인 것은 그의 규정된 내용에 따라, 즉 규정된 대립들의 모순으로부터 연역되어야 한다. 이성적인 것은 대립들의 종합이기 때문이다. 오직 이런 이

_____

97) 헤겔은 슐라이어마허의 이런 주장들이 야코비의 입장과 관련된다고 생각한다.(*Glauben und Wissen*, PhB 62 B, 87)

율배반적인 것을 충족시키고 보존하는 직관만이 필연적인 것이다."(PhB 62 a, 32) 이에 반해 『종교에 관하여』의 신앙적 직관은 주관적으로 우연적인 것에 머문다. 슐라이어마허를 변호하는 입장에서 할 수 있는 말이 있다면 신앙적 직관에 보편타당한 진리를 요구하는 것은 전혀 슐라이어마허의 의도가 아니라는 것이다.[98] 오히려 슐라이어마허에게 중요한 것은 신앙적 직관의 개별성과 다원성이었다.[99] 그러나 이와 달리 기독교에 관한 5번째 담론은 기독교와 다른 종교들의 관계에 있어서 다른 종교들은 무한자와 유한자의 중재관계를 충분히 설명하지 못한다는 관점에서 기독교가 다른 종교들에 대하여 "논쟁적" 관계에 있음을 제시한다.[100] 그렇지만 슐라이어마허는 기독교가 보편적 진리라는 사실을 당시 헤겔이 필요하다고 생각했던 것처럼 직관과 반성의 상호작용을 통해서 설명하지 않았다. 오히려 그는 기독교는 "종교 자체를 재료로 사용하여 종교를 가공하기 때문에 … 보다 높은 단계의 종교적 생산능력이라는"[101] 주장을 통해 그런 보편적 진리의 근거를 제시한다. 헤겔은 후에 슐라이어마허의 이런 논증을

---

98) 헤겔은 그런 다원주의적 주장에 대해 다음과 같이 신랄하게 비판한다. "다원주의자들에게는 그들이 가진 견해들의 특별성과 고유성은 중요하지 않고 심지어 경멸의 대상이다. 그렇기 때문에 그들은 그 견해들의 객관성을 인정받고자 하지 않으며 일반적인 원자론에서 모두 서로서로 조용히 머물 수 있다. 교회와 국가의 계몽적 분리는 그들이 그렇게 조용히 머물기에 대단히 적합하다. …"(*Glauben und Wissen* a.a.O. 90)

99) F. Schleiermacher, *Über den Religion* (1799) 294ff.

100) F. Schleiermacher a.a.O. 293f.

101) G. W. F. Hegel, *Begriff der Religion*, hg. G. Lasson, *PhB* 59, 97-110, vgl. 55f.

그의 「종교철학 강의들」에서 수정된 형태로 수용한 것처럼 보인다.

『종교에 관하여』 2판(1806)이 출판된 이후 슐라이어마허가 그의 종교이해에 있어서 직관보다 감정(Gefühl)을 더 강조하여 직관은 감정에 따르는 마음의 작용이라고 주장했을 때, 헤겔은 슐라이어마허의 주관주의에 대한 그의 비판이 정당함을 느낄 수 있었다. 야코비와의 관련성은 이를 통해 더욱 두드러지게 드러났다. 그렇지만 종교를 감정과 동일시하는 슐라이어마허에 대해 헤겔이 그의 「종교철학 강의들」에서 행한 비판은 슐라이어마허가 사용하는 감정 개념은 그 내용이 전적으로 표상에 의존하여 매 경우마다 달라지는 우연적인 감정이 아니라 칸트의 초월론적 통각에 해당하는 자아의식의 구조라는 사실을 간과하였다. 그러나 슐라이어마허의 자아의식 구조는 칸트의 초월론적 통각과도 다르다. 슐라이어마허의 자아의식은 후기 피히테의 경우와 마찬가지로 자아의식을 초월하는 근거를 통해 구성되며, 자아의식은 이 근거를 단지 대상세계의 경험을 통해서만 의식할 수 있기 때문이다.[102] 이런 오해에도 불구하고 헤겔의 종교철학은 많은 중요한 점들에서 슐라이어마허의 『종교에 관하여』에 나타나는 종교이해와 기독교이해와 일치한다.

우선 헤겔은 슐라이어마허와 마찬가지로 종교의 구체적 실재성을 자연종교에서가 아니라 실정종교들에서 발견했다. 슐라이

---

102) F. Schleiermacher, *Der christliche Glaube*(1821) 2. Ausg. 1830, 4장, 5장.

어마허는 루소와 흄과 마찬가지로 자연종교는 단일신론 종교들(monotheistische Religionen)이 가진 공통점들로부터 생성되었다고 보았다.[103] 그리고 헤겔이 구체적인 종교들의 역사를 설명하기 전에 논의하는 일반적인 "종교 개념들"이 바로 이런 자연종교에 관한 것이다.[104] 종교사를 다룰 때 헤겔은 슐라이어마허와 마찬가지로 모든 실정종교들은 종교적 직관을 다른 모든 요소들보다 중요하게 생각한다는 점에서 자연종교와 다르다고 보았다.[105] 슐라이어마허의 『종교에 관하여』에 의하면 기독교의 핵심적 이념은 신적인 본성과 인간의 본성이 그리스도에게서 통일되었다는 중보사상이다.[106] 그리스도를 통한 "구원"이 교리의 핵심이라고 생각하였고 또 그렇게 함으로서 다시 주관적 경험을 강조한 슐라이어마허 자신보다 헤겔은 셸링의 이런 견해를 더 지지했다.[107] 마지막으로 슐라이어마허와 헤겔이 일치하는 점은

---

103) F. Schleiermacher, *Über die Religion*, 1799, 243 und 272ff. bes. 277. 참조, D. Hume, *The Natural History of Religion*, 1757; Hegel, *Begriff der Religion*, PhB 59, 45 und 54.

104) G. W. F. Hegel, *Begriff der Religion*.

105) G. W. F. Hegel, *Vorlesungen über die Philosophie der Religion 2: Die bestimmte Religion*, hg. G. Lasson PhB 60 und 61; R. Leuze, *Die außerchristlichen Religionen bei Hegel*, 1975ö Schleiermacher, Über die Religion, 1799, 259f.

106) F. Schleiermacher, *Über die Religion*,1799, 295. 성육신 사상과 그리스도의 신인(神人) 개념의 연관성에 관해서는 302쪽. 셸링도 1802년에 행한 학문연구 방법론에 관한 8번째 강의에서 성육신 사상의 의미와 그리스도 안에서의 신성과 인성의 통일을 강조했다. "무한자가 유한자에게 온 것은 유한자를 신격화하기 위해서가 아니라 유한자를 그의 고유한 인격에서 하나님에게 바치고 또 그렇게 함으로써 화해시키기 위한 것"이라는 단서와 함께 말이다. (F. W. J. Schelling, *Ausgewählte Werke* 2: Schriften von 1801-1804, 1973, 526).

107) 그렇지만 헤겔은 "유한자가 영원한 존재자에게 받아들여짐, 즉 신성과 인성의 통일"에

헤겔이 기독교를 "계시종교"로 이해했다는 점이다. 그들은 모두
종교의 본질이 신앙의식의 내용이라고 보았기 때문이다.[108] 이것
은 슐라이어마허가 기독교를 현실적 한계도 불구하고 유한자를
무한자와 중재하는 그의 본질을 관철시킴으로써 모든 다른 종교
들과 논쟁적으로 관계하는"종교들 중의 종교"라고 이해한 것과
일치한다.[109] 그렇지만 슐라이어마허 자신은 후에『종교에 관하
여』에서 강조된 기독교와 역사의 관계와 함께 이런 관점을 포기
하고 대신 그리스도를 통한 구원을 인간성 창조의 완성이라고
해석한다.[110]

3-3. 셸링과 헤겔과의 관계에서 본 슐라이어마허의 철학체계[111]

『종교에 관하여』에 의하면 철학은 인간을 "세상과의 상호작용

대해 화해란 개념을 더 선호했다(*Die absolute Religion*, PhB 63, 34, vgl. 38). 이내 화
해 개념은 이전 각주 106의 셸링 인용에서와는 다른 의미로 사용되었다. 참조, Schleier-
macher, *Der christliche Glaube*, 1821, 11장, 91장 이하.

108) G. W. F. Hegel, *Die absolute Religion*, PhB 63, 1ff, 15. "이런 종교에서 종교는 그 자체
가 객관적이다"(Vorlesung von 1827). 그런 종교는 계시종교이다(a.a.O. 19, Vorlesung
von 1827). 또한 그런 종교는 하나님에 의해 "계시된" 종교이다(ebd.). 절대종교란 개념
에는 객관성과 계시라는 이 두 요소가 모두 포함된다.

109) F. Schleiermacher, Über die Religion, 1799, 310.

110) F. Schleiermacher, *Der christliche Glaube* (1821) 2. Ausg. 1830, 89장.

111) 슐라이어마허 철학체계의 이런 발전을 위해서는 참조, E. Herms, *Herkunft, Entfaltung
und erste Gestalt des systems der Wissenschaften bei Schleiermacher*, 1974. 슐라이어
마허 철학체계의 다양한 부분들에 관해서는 참조, W. Dilthey, *Leben Schleiermachers
II: Schleiermachers System als Philosophie und Theologie*, aus dem Nachlaß hg. von
M. Redeker, 1966.

의 개념으로 고양시킨다."(171) 철학을 종교와 마찬가지로 도덕과 물리학 사이에 위치시키는 이런 정의는 자아를 모든 것의 중심으로 보는 초월론적 철학에 대립되지만, 자아의식과 세속의식이 언제나 결합되어 나타나는 직접적인 현실의식이란 점에서는 철저하게 인간론에 지향되어 있다. 슐라이어마허의 이런 철학적 성향은 후에 형이상학적 인식론으로 심화되었다.[112] 그리고 이때 학적 연구에 관한 셸링의 첫 번째 강의가 중요한 역할을 했을 것이다. 지식의 개념에서 이상적인 것과 현실적인 것은 "동일"하다는 셸링의 주장은 슐라이어마허의 사상과 비교적 유사하다. 그리고 슐라이어마허는 셸링의 강의들에 관한 그의 1804년 논평에서 그의(셸링의) 철학적 "특징들"에 관한 첫 번째 강의 내용들을 아주 간략하게 다루었다. 그렇지만 그는 많은 사람들이 "그 특징들을 다른 어떤 곳에서보다도 여기서 더 분명하게 통찰하며, 그 특징들의 본질에 관해 더 올바른 견해를 가진다는" 사실을 알았다.[113]

자신의 철학적 윤리학 마지막 판에 대한 슐라이어마허의 '일반적 서론'에서 우리는 그의 견해가 셸링과 유사하다는 사실을 분명히 알 수 있다.[114] 이 서론은 모든 학문의 위상을 결정하는 기준이 되는 최고지식을 근원적으로 설명한다.(1절) 이때 지식과 존

---

112) 참조, E. Herms a.a.O. 193-234, 특히 231ff.

113) W. Dilthey(Hg.), *Aus Schleiermachers Leben. Im Briefen etc. IV*, 1863, 579.

114) F. Schleiermacher, *Grundriß der philosophischen Ethik*, hg. A. Twesten, 1841, 3-37.

재는 상호관계 속에서만 존립한다.(23절) 셸링과 달리 슐라이어마허에게 있어서 최고 지식은 "자기 자신과 동일한 최고 존재의 가장 단순한 표현"(29절)으로서 "직접적으로가 아니라 … 단지 모든 다른 지식의 내적 근거이자 근원으로서만"(33절) 우리에게 의식된다. 슐라이어마허는 이상적인 것과 현실적인 것의 구별이 없는 절대적인 무차별점(Indifferenzpunkt)을 직접 직관하는 셸링의 "지성적 직관"을 - 셸링에 의하면 철학의 원리 - 넘어선다. 셸링과 달리 슐라이어마허에 의하면 "물질적 존재와 정신적 존재"의 대립,(46절) 즉 자연과 이성의 대립(47절)과 마찬가지로 지식의 영역에서는 이념과 현실의 근본적 대립이 있다. 그리고 지식의 목표는 "자연과 이성의 온전한 융합(Durchdringung)과 통일이다."(48절) 마찬가지로 학문도 이에 상응하여 "오직 두 종류의 학문, 즉 자연학과 이성의 학이 있을 뿐이다."(55절) 물리학의 과제는 자연이 이성으로 되도록 하는 것이며,(59절) 윤리학의 과제는 이성을 통해 자연을 극복하는 것이다.(60절) 윤리학은 단순한 당위성이 아니라 "자연에 작용하는 이성의 행위"를 대상으로 하며,(95절) 따라서 역사철학과 밀접하게 결합되어 있다.(65절; 참조, 60절)

그러나 이런 학문론에서 이론철학의 자리는 어디인가? 이론철학은 "현실적 지혜"를 이념으로 하는 윤리학적 지식과 물리학적 지식의 구체적인 상호적 "융합"을 목표로 하지 않고 단지 "변증법"의 형태를 취한다. 슐라이어마허에 의하면 변증법은 "최고 지식의 순수한 형식으로, 윤리학과 물리학도 정도의 차이가 있기는 하지만 이런 형식을 취한다."(61절) 슐라이어마허의 이런 "변증법"
이 다른 관념론 체계들에서는 절대자의 학문에 해당하는 것이
었다. 슐라이어마허에 의하면 절대자는 모든 유한한 존재의 근
거로서 이론적 학문의 대상이 아니라,[115] 그 절대자가 실정종교
들에서 어떻게 구체적 형태를 취했는지에 관한 종교적 통찰의 대
상이다.

변증법이란 개념은 셸링에게서도 나타난다. 1802년의 학문연
구 방법론에 관한 6번째 강의에서 셸링은 변증법이 철학에 의해
"강의를 통해 훈련될 수 있으며, 철학의 기술적 측면이라고" 말
했다.[116] 변증법은 "반성에 대한 사변의 관계"(ebd.)에 의존하는
데, 이것은 헤겔이 「차이논문」에서 철학적 방법에 관해 기술한 것
을 상기시킨다. 셸링에 의하면 아직 그런 기술론이 존재하지 않
는다는 것이다. "철학이 절대자와 관계하는 유한성의 형식들을
제시하는 것이라면, 철학은 학적 회의론이어야 할 것이다."[117]

셸링의 이런 주장은 슐라이어마허가 1811년 이후 『변증법』이
란 제목으로 베를린에서 행한, 그러나 (서론을 제외하고는) 완성되어

---

115) 모든 유한한 지식이 "분리와 추상"의 영역에 머물지만 "무차별적 지점은 실제적 학문
    의 대상이 될 수 있는지"에 관해서는 1804년의 셸링 논평에서 슐라이어마허가 제기한
    비판적 물음을 참조하라(a.a.O. 584). 셸링과 달리(Ausgewählte Werke 2, 517) 슐라이
    어마허에게 신학은 "무차별적 지점을 객관적으로 제시하는 학문, 즉 절대적인 신적 존
    재를 다루는 직접적 학문"이 아니라 "실천적 학문", 즉 "교회행정"과 관련된 학문이며
    (Kurze Darstellung des theologischen Studiums, 1811, 2. Aufl. 1830, 1-5절), 교의학
    의 경우에는 특정한 형태의 공동체, 즉 신앙공동체를 목표로 하는 윤리학의 응용학문이
    다.(Der christliche Glaube, 1821, 2. Aufl. 1830, 2절, 2f.)
116) F. W. J. Schelling, Ausgewählte Werke 2 (Schriften von 1801-1804), 1973, 501.
117) F. W. J. Schelling a.a.O 503.

출판되지 못한 강의들과 내용이 비슷하다.[118) 그렇지만 슐라이어마허가 플라톤의 변증법적 방법론을 상기하면서 제시한 변증법 체계는 그 강의들이 아니라 셸링에 의해 기획된 내용들을 체계화한 것이다. 물론 슐라이어마허는 "철저한 회의주의"의 관점을 취하지 않았으며, 존재자를 둘러싼 다툼의 기술과 그 다툼을 극복하는 "기술론"을 제시하고자 했지만 말이다.[119)

　슐라이어마허는 변증법의 "기술론"에 앞서 먼저 인식의 조건과 한계를 분석하였다. 인식의 조건은 셸링이 주장하듯이 주체와 객체의 차이, 이념과 실재의 차이이며,[120) 이런 차이가 인식에서 지양되기 이전에 그에 선행하는 근거이다. 왜냐하면 사유와 존재, 이념과 실재는 사유에서 일치하기 때문이다. 뿐만 아니라 그런 일치를 위한 조건은 사유하는 자들의 일치이며, 따라서 인식은 모든 논쟁의 끝을 의미하기도 한다.[121) 동시에 인식은 대상의 측

---

118) *Friedrich Schleiermachers Dialektik*, hg. R. Odebrecht, 1942.

119) a.a.O. 11, 19ff., 37ff. 슐라이어마허가 "지식 자체를 부정하는 절대적 회의론"(a.a.O. 111)을 거부한다는 사실은 지식의 의미들에 초점을 맞추어 탐구한 한 연구에서 잘 알수 있다. 참조, F. Wagner, *Schleiermachers Dialektik. Eine kritische Interpretation*, 1974, 25.

120) F. Schleiermacher, *Dialektik*, hg. Odebrecht 174ff. 모든 다툼의 조건인 사유하는 자와 사유된 것의 차이도 이상적인 것과 현실적인 것, 주체와 객체의 대립과 관계가 있다 (19ff., 135ff.). W. 바그너는(a.a.O. 33ff.) 슐라이어마허가 "사유와 다른 대상적 존재를 즉자적인 존재로 전제하는 것"(34)에 대해 정당성을 제시하지 못한 것을 유감으로 생각한다. 그러나 이런 정당성 입증은 바그너가 슐라이어마허를 칸트의 의식이론과 관련하여 설명할 때 강조했듯이(65ff.) 판단하는 사유작용에 근거해야 할 것이다. 물론 슐라이어마허에게 있어서 "사유"라는 표현은 빈번하게 아주 모호한 의미로 사용된다.

121) F. Schleiermacher, *Dialektik*, hg. Odebrecht 129, 참조, 155; F. Wagner a.a.O. 58ff.

면에서 볼 때 포괄적이어야 하며,[122] 따라서 인식은 가장 일반적이고 포괄적인 대립의 지양, 즉 이념과 실재의 대립의 지양이다.[123]

이념과 실제의 대립은 주체의 측면에서는 우선 감성과 오성의 차이이며, 오성 내에서는 판단과 개념의 차이이며,[124] 개념의 측면에서는 특수와 보편의 차이이다.[125]

인식에서 의식의 대립들을 극복하는 최고의 전제조건은 이런 대립들 저편에 전제된, 따라서 대립들에 공통되는 "초월적" 근거이다. 이런 통일근거는 모든 인식추구의 토대이며, 따라서 모든 대립의 저편에 있다.[126] 모든 인식은 "절대자와 최고의 존재자에 관한 종교적 통찰에 기초한다. 우리는 절대자에 관한 그런 인식을 모든 개별자들의 근원인 근거로서 의식하고 있다."[127] 그러나 셸링과 달리 슐라이어마허는 우리가 모든 인식의 이런 초월적 근거를 사유에서 정확하게 규정할 수 있다고 생각하지 않는

---

122) F. Schleiermacher a.a.O. 162f. "모든 인식의 완전히 종합될 때까지 ... 완전한 인식은 있을 수 없다(162). 참조, a.a.O. 62f.

123) F. Schleiermacher a.a.O. 177.

124) F. Schleiermacher a.a.O. 138ff. 그렇지만 슐라이어마허는 이성과 오성을 구분하지 않았으며, 오성을 의도하는 곳에서 대부분 "이성"에 관해 말했다. 그는 "사유"란 개념도 오성에 한정시킬 수 있었다(Wagner 68ff.).

125) F. Schleiermacher a.a.O. 190ff., 208ff. 바그너는 개념과 판단에 관한 논의로의 이행을 "매개되지 않는 것"이라고 말했다(a.a.O. 92). 그것은 지성적 측면에서 이념과 실재의 대립에 상응하여 감성적 지각의 측면에서 최고의 대립인 시간과 공간에 관한 "부록"과의 관계에서 정당함이 입증될 수도 있다.

126) F. Schleiermacher a.a.O. 312 und 115.

127) F. Schleiermacher a.a.O. 91. 인식의 근원과 목표의 동일성에 관해서는 171쪽도 참조하라.

다. 우리의 사유는 언제나 앞에서 언급된 상호 대립들을 초월할 수 없음이 분명하기 때문이다. 그 근원이 최고의 개념과 일치하는 존재, 즉 모든 현상들에서 작용하는 힘이라고 생각된다면, 그런 생각은 한편에서는 힘과 현상의 상관성 때문에 그 근원을 절대자라고 생각할 수 없는 범신론에 이르거나,[128] 다른 한편에서는 언제나 물질의 표상 또는 세계이념에서 벗어나지 못하는 창조신 사상에 도달한다.[129] 판단에서 사유규정들이 결합되듯이 유한한 존재와 절대자가 존재에서 일치한다는 관점도 절대자를 파악하지 못하며 단지 운명과 예견이라는 대립적 표상들에 이를 뿐이다.[130] 범신론이나 창조신 사상과 같은 모든 관용적 표현들은 "대립의 영역에 머물러 있었기 때문에" 불충분하다.[131] 이것은 우리가 칸트처럼 인식이 아니라 의지로부터 그 통일의 근거에 도달하고자 한다 할지라도 마찬가지이다.[132]

모든 인식의 "초월적 근거"가 어떤 사유 형식에서도 적절하게 표현될 수 없다 할지라도, 인간의 자아의식, 즉 의식의 모든 기능

---

128) F. Schleiermacher a.a.O. 245.

129) F. Schleiermacher a.a.O. 246ff., 267, 300ff..

130) F. Schleiermacher a.a.O. 253ff. 초월적 근거에 관한 불충분한 "4가지 관용적 표현들"에 관해서는 265ff.를 참조하라.

131) F. Schleiermacher a.a.O. 270.

132) F. Schleiermacher a.a.O. 275ff. 의지와 존재의 일치의 근거는 사유와 존재의 일치의 근거와 동일하다(281). 칸트가 일방적으로 실천이성, 즉 의지의 영역에 근거하여 신의 존재를 주장한다는 비판은 바그너(a.a.O 132)에 의해 거부된다. 칸트에게서 실천이성에 근거한 신 존재의 요청은 신 개념이 이론이성에게는 적어도 하나의 "완전한 이념"임을 전제하기 때문이다(KrV. B 669)

들과 대립들 너머에 있는 감정의 직접적 자기확신에는 초월적 근거에 상응하는 것이 있다.[133] 그렇지만 그런 감정에서 우리는 자신이 "유한하고 규정된 존재"라고 느낀다. 그러므로 그런 감정은 우리 안에 있는 "초월적 근거의 표상"으로서 의존감정이며, 따라서 종교적으로 규정된다.[134] 그러나 이제 종교적 의식은 초월적 근거를 언제나 대상적으로 규정된 의식을 통해서만 표상한다. 뿐만 아니라 "매개된 자아의식과의 혼합"은 결과적으로 종교적 의식에서 "초월적 근거의 끊임없는 의인화"를 야기한다.[135] 따라서 초월적 근거에 접근하는 사유 형식들은 감정을 보충하는 상징적 가치를 지닌다.[136]

슐라이어마허가 비록 사유를 통한 초월적 근거의 규정가능성에 대해 부정적으로 생각하기는 했지만 그럼에도 불구하고 이런 초월적 근거를 알 수 있다고 주장했다.[137] 그의 이런 주장에서 중요한 것은 초월론적 반성의 결과와 절대자에 대한 물음의 형식이다. 그가 주장하는 초월론적 반성과 절대자에 대한 물음

---

133) F. Schleiermacher a.a.O. 268ff. 특히 289. 슐라이어마허는 이런 의미의 종교적 감정을 대상과 관련된 인상과 구분하며 자아의 반성적 자기의식과도 구분한다.(289f.). 참조, *Christliche Glaube*, 1821, 3 und 4.

134) F. Schleiermacher a.a.O. 289. 참조, *Der christliche Glaube*, 1821, 4, 3. 그러나 여기서는 의존감정으로서의 감정이 초월적 근거와의 관계로부터가 아니라 절대적 자유의 부정을 통해 규정된다.

135) F. Schleiermacher a.a.O. 296f.

136) F. Schleiermacher a.a.O. 297ff. 특히 300.

137) 각주 127 참조. 베르너는 이와 관련된 문제점을 정확하게 지적하였다(F. Werner a.a.O. 123ff.).

은 감각자료들을 오성개념들과 판단을 통해 가공하는 "사유"와
는 전적으로 다르다. 따라서 슐라이어마허가 주장하는 "사유의
한계"[138]는 무엇보다 단지 오성의 한계인데, 칸트도 이미 오성은
절대자를 목표로 하는 이성과 다르다고 주장했다. 비록 슐라이
어마허가 초월적 근거는 오성의 한계를 넘어선다고 주장하기는
했지만 모든 사유는 그의 조건들과 대립들과 무관할 수 없다고
생각했다.

　여기서 슐라이어마허와 헤겔의 차이가 분명해진다. 헤겔에 의
하면 이성의 본질은 반성을 통해 대립들을 통합하는 것, 즉 "동
일성과 비동일성의 동일성"(Identität der Identität und Nichtidentität)을
확립하는 것이기 때문이다.[139] 헤겔은 1807년의 『정신현상학』
서문에서 이성의 작용을 독단적이지 않은, 그러나 방법적인 회
의라고 기술했다. 이성의 작용은 "의식현상 전체에 지향된 회의
주의"이다.[140] 헤겔의 이런 표현을 이해하기 위해서는 셸링이 철
학적 사유의 예술론의 과제를 위한 학문적 방법론에 관한 6번째
강의에서 한 말과 슐라이어마허의 변증법을 비교할 필요가 있다.
셸링에 의하면 철학적 사유의 예술론은 "유한성의 형식들을 절대
자와의 관계에서 제시하는 것으로 학문적 회의주의와 다르지 않

---

138) F. Schleiermacher a.a.O. 228ff. 참조, F. Werner a.a.O. 68ff.

139) "동일성과 비동일성의 동일성"이란 형식은 먼저 헤겔의 1800년 체계에서 생명의 특징
　　인 "결합과 비결합의 결합"으로서 나타난다(N 348). 「차이논문」에서는 그런 표현형식
　　이 절대자를 가리키는 표현으로 등장한다(PhB 62 a, 77).

140) G. W. F. Hegel, *Phänomenologie des Geistes*, PhB 114, 68.

다."(s.O. Anm. 116) 그러나 슐라이어마허의『변증법』2부는 오성의 일방적 사유를 그의 대립들에서 확인하고 그 대립들의 결합 또는 상호융합을 요구하는데 머무는 예술론을 제시한다. 헤겔의『정신현상학』은 예술론이 아니라 의식이 그의 진리의지와 의지의 사실적 내용 사이에서 발생하는 모순들을 언제나 새로이 반성함으로써 자기이해에 이르는 의식의 학이다. 이때 의식은 슐라이어마허와 달리 매 단계마다 이전의 모순을 지양하고 그가 진리라고 생각한 것에 관해 새로운 형태의 자기이해에 도달한다. 셸링과 달리 슐라이어마허와 헤겔은 모두 절대자의 "지성적 직관"에서 시작하지 않고, 진리라고 의식된 것과의 관계에서 의식의 기능과 내용을 반성하는데 주력한다. 그러나 슐라이어마허가 의식의 기능과 내용의 유한성을 다른 것을 통한 제한성에서 발견했는데 반해, 헤겔은 그런 유한성을 유한성 자신에게 고유한 모순성에서 발견했는데, 이것은 모순을 보존하면서 지양하는 "직관"을 통해 이런 유한성을 극복하기 위해서였다.

3장 헤겔의 체계사상

이 장의 목표는 헤겔의 철학체계 전체를 제시하는 것이 아니다. 헤겔의 근본사상과 변증법적 방법을 대표적인 예들을 통해 설명하며, 신학자들에 의해 그에게 가해진 비판과 함께 그의 사상의 신학적 중요성을 논의하는 것으로 충분할 것이다. 이때 헤겔의 저술들 중 가장 먼저 1807년의『정신현상학』이 다루어질 것이며, 다음에는 1812년(2판은 1833년)의 형이상학적『논리의 학』이 다루어지고, 마지막으로 헤겔 사상의 신학적 연관성을 위해 가장 중요한 자연철학과 정신철학이 다루어질 것이다. 헤겔 사상의 신학적 관련성을 위해 가장 중요한 것은 종교철학과 역사철학이다. 이에 반해 헤겔의『법철학 기초』(1821년)는 단지 부차적으로만 다루어질 것이다.

『철학 백과전서』(Enczclopädie der philosophischen Wissenschaften im Grundrisse, 1817년; 2판은 1830년)에서 헤겔이 제시하는 그의 철학체계 전체는 여기서 자세히 다루어질 수 없다. 백과전서의 1부에서는 논리의 학이 간략한 형식으로 제시되고, 2부와 3부에서는 자연철학과 정신철학이 소개된다. 그리고 3부에서 주관적 정신을 다루는 장은『정신현상학』의 보다 축약된 구도와 단지 부분적으로만 일치하는 인간론, 의식론과 심리학이 자세히 다루어진다. 객관적 정신에 관한 장에서는 법철학이 간략하게 소개되며, "절대정신"이란 제목을 가지는 마지막 장에서는 예술, 종교와 철학이 간략하게 다루어진다. 이 장에서 자세히 다루어진 내용들은 한편에서는『정신현상학』의 마지막 장과 비교될 수 있으며, 다른 한편에서는 이 주제에 관한 강의들, 특히 종교철학 강의와 비교될 수 있다.『백과전서』에서 알 수 있듯이 논리의 학은 헤겔의 전체 기획에서 근본적이기는 하지만 결코 철학체계 전체와 일치하지는 않는다. 자연철학과 정신철학도 논리의 학의 단순한 적용이라 볼 수는 없을 것이다. 논리의 학과 법철학의 관계는 헤겔의 철학을 해석할 때 가장 논란이 될 수 있는 문제이다. 이 주제는 후에 헤겔의 『논리의 학』을 다룰 때 다시 논의될 것이다.

그밖에도 『논리의 학』을 다루는 장에서는 논리학적 체계를 논하기 전에 종교철학과 역사철학이 다루어질 것이다. 『정신현상학』에서와 마찬가지로 이 단원들에서도 자연조건들, 특히 감각적 경험 내용들을 지양하여 초월하는 정신의 본성이 감지될 수 있기 때문이다. 논리학에서 다루어진 내용들을 비판적으로 검토한 후 마지막 장에서는 신학에서 헤겔의 철학이 어떻게 수용되었는지 다루어지고, 헤겔의 사상이 갖는 가치가 신학적 관점에서 평가될 것이다.

1. 토대와 첫 번째 체계화 작업

앞 장에서 우리는 이미 칸트의 철학, 특히 그의 실천철학에서 시작하여 예나 시기의 저술들에 이르는 헤겔의 사유의 길을 추적해 보았다. 1800년의 체계에서 헤겔은 1년 전의 슐라이어마허와 마찬가지로 종교의 목적은 인간을 "유한한 삶으로부터 영원한 삶으로" 고양시키는 것,(Nohl 347) 말하자면 다양한 것과 결합되어 있지만 동일하지는 않은 "전체의 정신", 즉 "동일성과 비동일성의 동일성으로서의 완전한 정신"으로 고양시키는 것이라고 주장했다.[1] 이런 명제와 함께 헤겔의 사상은 대립의 관점으로부터 인간이 종교에서 고양되는 "전체"로 이행한다. 1800년에도 여전히 종교에서만 도달될 수 있다고 생각된 "영원한 삶"[2]이 1801년에는 셸링과 슐라이어마허를 동시에 상기시키는 절대자에 대한 철학적 직관 사상으로 발전한다. 이런 철학적 직관은 "제한들의 총체성"과 달리 이런 총체성을 그의 전체성에서 "사변적으로" 파악한다. 이와 함께 이전에는 오직 종교에서만 가능하다고 생각되었던 삶 전체가 철학의 대상이 된다. 철학적 직관의 객관성은 슐

---

1) H. Nohl, *Hegels Jugendschriften*, 348. 참조, *Differenzschriften*(1801), PhB 62a, 77.

2) 마찬가지로 『차이논문』에 의하면(a.a.O. 14) "제한들의 총체성"(12f.)이 삶의 고유한 통일성에서 지양된다. "필연적인 불화(Entzweiung)는 영원히 대립적으로 형성되는 삶의 요소이기 때문이다."(14)

라이어마허의 종교적 직관과 달리 유한자의 영역에서 반성을 통해 드러난 대립들의 지양으로서 입증된다는 사실, 즉 그런 대립들이 직관을 통해 긴장된 통일성으로서 파악된다는 사실에 있다.[3]

헤겔에 의하면 직관은 "대립들의 종합"으로서 "사변적 사유"이기도 하다.[4] 사변에서 "모든 대립들이 지양되어 있는 한" 사변은 "직관"이다. 따라서 철학적 지식은 직관과 반성을 모두 포괄한다. 1802/03년 이후 헤겔은 그렇게 규정된 철학적 지식을 "개념"이라 불렀다.[5] 대립된 것은, 따라서 제한된 것은 그것이 반성을 통해 제한된 것으로 인식된다는 바로 그런 사실 때문에 "무한자와 관계를 맺는다." 따라서 절대자 자체는 "객관적 총체성, 총체적 지식, 인식들의 유기적 체계"가 된다.[6] 헤겔은 셸링과 달리 "마치 피스톨에서 총알이 발사되듯이 절대적 지식에서 직접 시작하는 고무된 기분에서" 주체와 객체, 이상적인 것과 현실적인 것의 대립에 제약된 유한자로부터 단번에 절대자로 도약하지 않는

3) G. W. F. Hegel a.a.O 32.

4) G. W. F. Hegel a.a.O 21f., 31f.

5) G. W. F. Hegel, *Glauben und Wissen*, PhB 62 b, 6ff., bes. 9f. 여기서 "개념"은 참으로 무한한 것을 가리킨다. 그러나 이때는 이미 "이념"이란 표현도 단지 "절대적 이념성과 공허함"이 아닌 실현된 개념을 의미하는 것처럼 보인다. "개념"이란 개념을 위해서는 참조, *Schellings System des transzendentalen Idealismus* (1800) PhB 448, 176. 여기서는 이미 객관과 개념의 통일성이 개념의 개념으로서 나타난다. 이와 달리 헤겔의 「차이논문」에서는 개념과 이념이 여전히 구분된다. 참조, a.a.O. 26, 30, 33.

6) W. F. Hegel, *Differenzschrift*, 21, 19.

다.[7] 오히려 헤겔에 의하면 모든 유한자 자체에서 정립된, 따라서 그의 "유한성"을 통해 이미 함께 정립된 절대자는 이런 유한자를 통해 규정된다. 그렇게 정립된 절대자는 유한자에게서 유한자의 대립들을 종합하는 통일성으로서 나타난다. 절대자는 긴장과 모순이 지배하는 유한자의 영역이 총체성으로 고양된 것이다. 이와 같이 헤겔은 절대자를(개념을) 언제나 유한자 자체에서 해명하고자 했다. 그러나 이런 해명에서 절대자는 유한자 영역의 내적 모순성에 대한 반성과정을 통해 대립을 종합하는 통일성으로서 나타난다. 다시 말해 개념은 언제나 그의 "타자존재"로부터 개념이 된다. "오직 이렇게 복구된 동일성 또는 타자존재 안에서 자기 자신으로 돌아오는 반성만이 – 최초의 통일성 자체 또는 직접적인 통일성 자체가 아니라 – 진리이다."[8] 그러나 철학적 사유의 길은 언제나 유한자를 넘어 무한자 또는 절대자로 초월하는 형식을 가진다. 이제 철학적 사유의 이런 길이 『정신현상학』에서 어떻게 제시되는지 살펴보자.

『정신현상학』은 프로이센이 예나와 아우어슈테트의 전투에서 나폴레옹에 패한 후 헤겔이 뉘른베르크로 떠나기 전에, 그리고 그가 하이델베르크에서 잠시 가르친 후(1816/17) 1817년 피히테의 후임으로 베를린대학에 교수로 부임하기 전에 예나에서 쓴 책

---

7) W. F. Hegel, *Phänomenologie des Geistes*, PhB 114, 26.
8) W. F. Hegel a.a.O. 20.

이다.

그 책의 원제목은 "의식의 경험의 학"이었다. 사실 그 책은 의식 자체의 내면에서 일어나는 경험을 대상으로 한다. 이런 경험의 본질은 의식이 그때마다 진리로 파악했다고 생각하는 것과 의식의 실제적 내용은 언제나 일치하지 않다는 사실에 있다. 그러나 의식은 그의 진리요구에 관해서는 자기의식으로서 자신과 동일해야 한다. 그러므로 의식은 지향된 진리와 의식의 사실적 내용의 통일성을 의식 자신에 대한 반성에서 파악하고자 해야 한다. 의식은 이런 반성을 통해 새로운 단계의 자기이해에 도달한다. 그렇지만 이런 새로운 단계에서는 의식의 지향된 진리와 그의 사실적 내용 사이에서 이전에 형성되었던 대립이 새로운 형태로 다시 등장한다. 그리고 의식은 이런 경험과정을 통해 마지막에는 철학적으로 형성된 의식 또는 헤겔이 말하는 "절대적 지식"에 도달한다. "절대적 지식"이란 개념은 종종 오해를 불러일으키기도 한다. 그 개념은 아무것도 배울 필요가 없음을 말하는 것이 아니라 자기에게로 완전히 복귀하여 진리를 지향하는 의식과 지향된 의식내용이 일치하는 철학적 의식형태를 가리킬 뿐이다.[9]

정신현상학은 "자연적 의식"이 진리라고 생각하는 것에서 시작

---

9) 철학에서 "절대지식"이란 표현은 이미 셸링에게서 발견된다. 참조, F. W. J. Schelling, *Ideen zu einer Philosophie der Natur*(1797), Ausgew. Werke I (Schriften von 1794-1798), 1975, 385f.

한다. 자연적 의식이란 감각적 경험의 대상세계에 지향된 일상의식을 말한다. 이런 의식은 즉자적으로 존재하는 대상들에서 참된 실재성을 파악한다. 자연적 의식은 "자기 자신에 대한 대립에서 대상들을 알고, 대상들에 대한 대립에서 자기 자신을 안다."[10] 자연적 의식은 대상들에 대한 "감각적 확신"에 근거한다. 헤겔에 의하면 이런 의식형태는 감각인상을 모든 경험의 토대라고 생각하는 경험론에 속한다. 헤겔은 자기 자신에 대한 "의식의 경험"을 기술할 때 경험론적 입장에서 출발했다. 헤겔은 추상적 사유규정들의 철학에서도 사유와 감각경험의 불가분적 관계를 간과하지 않고 오히려 감각적 경험과 경험주의 철학의 의미에 주목했다. 그러나 그는 거기에 머물지 않았다. 헤겔에 의하면 "자연적 의식"은 자기 자신과 모순되며 따라서 자신과 그의 진리에 관해 생각을 바꾸어야 한다. 의식은 언제나 진리를 요구하지만 진리는 그의 개념에서 볼 때 의식과 의식내용의 일치를 의미하기 때문이다. 따라서 의식은 – 의식이 그의 내용(또는 대상)에 대해 진리를 요구하는 한 – 그런 과정에서 자기가 자기 자신과 일치하는지 자문해야 한다. 의식의 실제적 내용은 의식 자신이 "사실 자체(An-sich) 또는 진리라고 선언한 것"에서 평가되어야 한다.(71) 그렇게 함으로써 의식은 자기 자신을 넘어서게 되며, 자신과 의식내용의 진리에 관한 자기의 의견을 넘어서게 된다. 이때 진리에

---

10) G. W. F. Hegel, *Phänomenologie des Geistes*, *PhB* 114, 25.

대한 요구는 유한한 의식에 절대자의 현존으로서 나타나는데, 절대자의 이런 현존은 유한한 의식으로 하여금 의식내용의 유한성을 극복하도록 만든다. 의식의 진리에 대한 물음에 주도되어 진리내용을 반성할 때마다 의식의 진리에 관한 일련의 잠정적 규정들이 주어진다. 다시 말해 그런 반성을 통해 의식이 진리라고 생각하는 것과 그의 실제적 내용 사이의 모순을 모순적인 요소들의 종합을 통해 지양하려는 일련의 시도들이 일어난다. 의식의 진리를 표현하는 그런 종합은 모두 의식의 자기모순을 제거함으로써 진리에 관한 의식의 의견(Meinung)으로서 다시 나타난다. 이때 진리에 관해 의식이 가지는 의견은 비록 새로운 단계의 의견이기는 하지만 언제나 다시 이 의식의 실제적 내용과 모순된다.

첫 번째 단계에서 감각적 확신의 진리는 결코 감각적 확신이 생각하듯이 여기와 지금이 아니라는 사실이 드러난다. 왜냐하면 "여기"와 "지금"이라고 생각된 것(의견)은 매 순간마다 다른 여기와 지금이기 때문이다. 의식내용은 계속해서 달라진다. 이런 의식내용이 단지 "여기"와 "지금"으로서 의식되는 한, 의식의 실제적 내용은 결코 의식이 생각하듯이 절대적으로 구체적인 것이 아니라 완전히 보편적이고 추상적인 여기와 지금이다. 그러므로 의식은 실제로는 주어진 이것에 대한 보편적인 것("여기"와 "지금")의 관계, 즉 감각적으로 주어진 것에서 보편적 규정들을 파악하는 것이다. "지각"(Wahrnehmung)은 이런 복합적인 사태를 가리키는 개념이다.(89) 그러므로 사물에 대한 지각, 즉 사물의 속성과 관계에 관한 지각은 감각적 지각의 본질적인 형태이다. 그러나 이제 지각은 사물의 객관적 진리를 파악한다고 믿지만, 지각의식(Wahrnehmungsbewuütsein)을 반성해 보면 사물에 대한 그의 이해가 주관적임이 드러난다. 따라서 지각의식은 그의 진리를 사물 안에 가지고 있는 것이 아니라 칸트가 지적했듯이 생각 속에, 즉 오성 안에 가지고 있다. 사물에 대한 우리의 보편적인 지각형식들은 오성의 작용에 근거한다.

오성은 물자체가 오성에 의해 파악된 현상들 배후에 있다고 생각할 수 있으며, 오성활동을 통해 단지 주관적인 방식으로 – 그리고 현상으로서 – 파악된다고 생각할 것이다. 그러나 오성은 그의 진리를 – 오성이 생각하는 것과 달리 – "물자체"에 가지지 않는다. 오히려 우리가 우리와 구분하는 사물들에 관한 지각의식은 – 피히테가 주장하듯이 – 자기의식에 근거한다. 왜냐하면 우리가 사물들을 우리와 구분한다는 사실은 자기의식에서 확인되기 때문이다. 자기의식도 그의 진리를 자유롭고 독립적으로 자기 자신 안에 가지지 않는다. 주인과 노예의 관계에서 주인의 자유는 노예의 덕이며, 마찬가지로 노예는 주인과의 관계를 통해서만 노예이다. 단지 차이가 있다면 주인은 그의 자유가 노예를 통해 규정되어 있음에 기만당하는 동안 그 사실을 안다는 점이다. 그러므로 자기의식은 자기 자신에 관한 그의 의견과는 달리 언제나 타자와의 관계를 통해 규정된다.[11] 따라서 자기의식이 그의 대자성(für sich)에서 가지는 진정한 자유의식은 만인이 동일한 자유를 가진다는 의식이다. 역사적으로 볼 때 이런 의식은 스토아 철학에서 형성되었다. 이런 보편적 자유의식에 있어서 모든 개인들은 동등하다. 그들의 동등성은 주인과 노예의 차이에 대하여 부정적으로 규정된다.(153) 그러나 이런 보편적이고 동등한 자유는 단지 추상적인 자유이다. 그런 자유는 단지 사유영역에서만 존재하며 사회적 현실성을 가지지 못한다. 따라서 그런 자유는 불변적이고(확고하고) 자유롭다고 주장하는 스토아적 자기의식의 현실적 우연성, 의존성과 가변성을 고려하는 회의주의에 의해 부정된다.[12] 이런 회의적 비판의 영향으로 자기의식은 그의 진리, 즉 만인에게 동등하다고 생각한 그의 자유가 이제는 그의 현실적 상황과 전혀 다름을 자각하게 된다. 이런 자기의식이 바로 불행한 의식이다. 불행한 의식은 자신이 그의 진리와 차단되

---

11) 이런 사실을 설명할 때 『정신현상학』은 무엇보다 개인의 자기의식이 다른 개인과의 관계를 통해 규정되어 있다는 사실에 주목한다. 그러므로 감각적 의식의 대상인 자연계와 사물들에 대한 관계는 전적으로 자기의식에서 사라진 것처럼 보일 수 있을 것이다. 그러나 헤겔은 5장("이성의 확실성과 진리")에서 자기의식의 세계연관성을 다시 다룬다. "절대적 진리임"(175, 참조, 128)을 확신하는 자기의식의 확실성은 단지 정신에서 실현될 것을 선취한 것이다. 그렇지만 그런 확실성은 아직 실현되지 않은 확실성이다. 그리고 그런 확실성은 "관찰하는 이성"의 세계연관성과 다른 사람들에 대한 사회적 관계들에서 실현된다(255-312). 정신의 단계에서 비로소 "절대적 현실성이라는 확실성이 진리로 고양된다."(313) 위의 본문에서는 5장에서 다루어진 세계연관성이 자기의식으로부터 상호주관성을 거쳐 정신의 개념에 이르는 연계성을 보다 명백하게 드러나도록 하기 위해 특별히 다루어지지는 않는다.

12) 헤겔은 자유에 관한 이런 설명에서 자유와 자유의 실현을 위한 노력의 사회역사적 측면을 스토아 철학자들과 회의주의자들이 대립하는 고대철학의 철학적 노력과 관련시켰다. 철학자들의 이런 대립의 결과 해결책이 필요하다는 의식이 형성되었고, 이런 의식에 의해 기독교가 등장하는 역사적 조건이 형성되었다.

어 있다고 생각하기 때문에 그리고 그의 진리가 인간이 도달할
수 없는(신적인) 저편에 있다고 생각하기 때문에 불행하다.[13] 그
러나 도달할 수 없다고 생각된 저편은 추상적 저편으로서가 아
니라 구체적이고 역사적인 세계의 이성과 정신으로서 자기의식의
진리이다. 그렇지만 인간의 역사적 세계에는 사실상 개인적 관
심과 보편적 관심이 분열되어 있다. 따라서 그 세계의 진리는 오
직 종교, 예술, 철학을 통해 절대자를 인식하는 곳에만 존재한다.
그러나 이곳에서 절대자는 불행한 의식단계에서와는 달리 더 이
상 절대적 저편이 아니라 이편에 침투하여 이편에서 구체화된 진
리로 간주된다. 이런 현상은 이미 그리스의 예술종교에서 표현되
며, 계시종교인 기독교에서 비로소 본격적으로 나타난다.(521ff.)
그렇지만 계시종교의 의식도 그의 진리가 여전히 자기의식 저편
의 타자에 있다고 믿는다. "계시종교의 의식은 아직 진정한 자기
의식에 도달하지 못한다." 이 단계의 의식은 그의 의식내용이 자
기와 다르다고 표상하기 때문에 그의 형식과 내용은 여전히 분
리된다. "표상의 내용은 절대정신이다. 그리고 중요한 것은 이런
단순한 형식을 지양하는 것이다." 이렇게 단순한 형식을 지양함
으로써 의식은 이런 내용(절대정신)에서 자기와 무관한 타자를 가

---

13) 이런 "불행한 의식"과 기독교의 관계는 논란의 여지가 있다. 참조, W. Pannenberg, "Die
Bedeutung des Christentums in der Philosophie Hegels", in: ders., *Gottesgedanke und
menschliche Freiheit*, 1972, 83 Anm. 12. 그렇지만 헤겔은 기독교 자체가 절대자로부터
단절된 불행한 의식의 표현이라고 주장하지는 않았다. 오히려 성육신을 강조하는(528)
계시종교의 핵심은 대립의 화해이다541). 불행한 의식은 단지 화해가 역사적으로 출현
하기 위한 전제, 즉 정신의 "산고"이다(525, 533).

지는 것이 아니라 타자 속에서 자기 자신으로 존재함을 의식하게 된다.(549) 의식의 자기 자신과의 이런 통일은 계시종교의 철학적 해석에서 도달된다. 의식이 그의 진리라고 생각하는 것과 그의 사실적 존재 사이의 모든 대립들은 철학의 "절대지식"에서 지양된다.

그러므로 『정신현상학』은 의식이 자기 자신에 대한 반성을 통해 자기 자신의 진리를 의식하게 되는 과정을 기술한다. 모든 단계의 반성과정에서 의식이 진리로서 파악했다고 생각한 것을 그의 실제적 내용과 비교함으로써 말이다. 이런 비교를 통해 대립되는 양면을 종합함으로써 의식은 그때마다 새로운 단계의 자기경험에 도달한다. 이와 같이 의식은 감각적으로 주어진 것에 그의 진리가 있다고 생각하는 대상의식에서 시작하여 절대적 진리를 의식하는 종교적 의식과 철학적 의식에까지 단계적으로 고양된다. 이때 이렇게 의식이 고양되는 과정은 동시에 의식경험이 총체성으로 체계화되는 과정이기도 하다. 오직 이런 총체적 체계화과정의 결과로서만 그리고 의식경험 전체를 간직하고 있는 한 종교와 철학은 절대적 진리의 의식으로서 그들이 의미를 가진다.

2. 실증철학과 『논리의 학』

『정신현상학』에서 의식의 자기경험의 길로서 기술된 의식의 운동은, 즉 감각적 소여를 넘어 절대자 또는 (헤겔이 말하듯이) 참으로 보편적인 것에 이르는 운동은 헤겔의 종교철학 강의들에서 종교의 역사적 발전과정으로 기술되었다. 여기서 종교적 의식의 모든 발전 단계는 이미 절대자를 의식하는 단계이다. 이것이 바로 종교적 의식이 다른 의식과 다른 점이다. 그러나 인류 역사에서 종교적 의식은 처음에는 아직 자연적 사물들의 직관에서 벗어나지 못하고 그것들을 신이라고 믿었다. 헤겔에 의하면 이런 의식단계는 자연종교의 단계였다. 다음 단계의 종교유형들은 - 헤겔에 의하면 이런 단계들은 동시에 종교역사의 과정이기도 한데 [14] - 감각적 직관으로부터 절대정신에 이르는 『정신현상학』의 길과 마찬가지로 인간이 직접적 소여성, 즉 자연적 소여성을 넘어 단계적으로 고양되는 과정들이다. 종교의 역사에서 의식은 절대자, 즉 신적인 것을 자연과 감각적으로 주어진 모든 대상들과 구분할 줄 알게 되며, 감각적으로 주어진 대상들은 주어지지 않은 다른 어떤 것의 현상임을 알게 된다. 그리스인들과 유대인들과 로마인들에게서 보이는 "정신적 주체성의 종교들"에서 신적인 것은 자연적 소여와는 달리 인간의 주체성과 마찬가지로 자연을 초월하는 것으로 표상된다. 그러나 기독교에서 비로소 신적인 것을 그의 절대성에서 파악하는 길이 완결되었다. 기독교에서 비

---

14) 종교역사를 모든 개별종교들의 역사에서 그리고 종교들의 상호관계에서 실현되는 발전이 아니라 종교의 구조유형 단계들로서 제시하는 문제점에 관해서는 참조, R. Leuze, *Die außerchristlichen Religionen bei Hegel*, 1975, 241ff.

로소 인간의 모습으로 나타난 예수의 유한성이 무한자 또는 절
대자에 속하는 것으로 인식되었으며, 따라서 유한자와 절대자의
대립이 지양되어 신이 그의 진정한 무한성에서 계시되었기 때문
이다.

　단지 초월적으로 존재하지 않고 이편을 자신과 통합하는 절대
자가 바로 유한한 한 사람의 모습으로 계시되었다는 사실은 인
간이 자신의 고유한 유한성을 자각함으로써 이런 유한성과 모든
유한한 것을 초월하여 절대자로 고양된다는 사실과 밀접한 관계
가 있다. 이것은 자신의 유한성을 극복한 유한자와 하나가 되기
위해 절대자가 그의 초월성을 포기함으로써 진정한 무한자가 된
것과 마찬가지이다.[15] 따라서 헤겔은 기독교의 핵심적 사상을
신의 성육신과 그 결과로서 주어지는 신과 인간의 일치에서 발
견했으며, 가장 먼저 예수라는 한 인간에게서 발견했고 그 다음
에는 예수가 성취한 총체적 인간성에서 발견했다. 헤겔에게 있어
서 성육신은 화해사상의 내용이기 때문에 성육신과 화해는 기독
교의 동근원적 근본사상이다. 그와 함께 더 나아가 인간과 신성
의 결합을 본질로 하는 모든 종교예식의 의미가 성취된다. 따라
서 헤겔은 - 사실상 이미 슐라이어마허와 유사하게 - 기독교를
절대종교, 즉 그 안에서 종교일반의 본질이 완성된 종교라고 주

---

15) 종교적 고양의 이런 이중성에 관해서는 참조, *Hegels Vorlesungen über die Beweise vom
Dasein Gottes*, hg. G. Lasson PhB 64, 76ff. 우리는 이런 고양의 구체적인 형태를 예배의
식에서 볼 수 있다. 참조, *Begriff der Religion*, hg. G. Lasson Phb 59, 159ff., 227f.

장할 수 있었다. 뿐만 아니라 기독교는 예수 안에서, 즉 성육신과 화해의 성취에서 신이 완전히 계시되기 때문에 절대종교이다. 신은 여기서 더 이상 추상적 무한성에서 유한자와 대립적 위치에 있지 않다. 신은 진정한 무한자로서 자신을 계시하고 자신을 인간에게 매개함으로써 유한자와의 차이를 스스로 지양한다.[16)

헤겔에 의하면 역사철학의 목표는 인간이 그의 자연 의존성을 극복하도록 하는 것이다. 헤겔은 자연권 전통이나 루소와는 달리 인간의 자연적 상태를 자유의 상태가 아니라 예속의 상태라고 생각하였다.[17) 자유에서 인간은 정신으로서 자기 자신으로 존재하는데(bei sich selbst ist),[18) 이런 자유가 먼저 확보되어야 한다. 헤겔은 그렇게 확보된 참된 자유와 개인의 자의적 자유를 철저히 구분했다. 개인은 보편에 대한 통찰을 통해 비로소 진정한 자유를 획득한다.[19) 그런 자유는 종교에 그의 근거를 가지며,[20) 국가에서 구현되는데,[21) 헤겔에 의하면 국가 자체는 종교에 의

---

16) G. W. F. Hegel, *Vorlesungen über die Philosophie der Religion IIIÖ Die Absolute Religion*, hg. G. Lasson, PhB 63, 19ff., 32ff.

17) G. W. F. Hegel, *Vorlesungen über die Philosophie der Weltgewchichte I: Die Vernunft in der Geschichte*, hg. J. Hoffmeister PhB 171 a, 116f.

18) G. W. F. Hegel a.a.O. 54f. "네가 내 자신으로 존재한다면 나는 자유이다."

19) G. W. F. Hegel a.a.O. 144f.

20) G. W. F. Hegel a.a.O. 127f. "오직 모든 개체성의 신적인 본질이 긍정적으로 인식되고 주체성의 신적인 본질 자체가 직관되는 곳에서만 자유는 의식된다."

21) G. W. F. Hegel a.a.O. 111. 국가는 "개인이 보편적인 것을 알고, 믿고 그리고 원함으로써 그의 자유를 가지고 그 자유를 누리는 현실적 기관이다." 왜냐하면 헤겔이 생각하는 국가는 "주관적 의지와 보편의 통일체이기 때문이다." 따라서 "법, 관습, 국가만이 자유의 긍정적 실재이며 만족이다. 개개인의 자의적 의지는 자유가 아니다." 참조, 142f. und 162f.

존한다.[22] "그러므로 국가는 세계사 일반의 특별한 대상이다. 국가에서 자유가 그의 객관성을 확보하고, 국가에서 사람들은 이런 객관성을 누린다. 법은 정신의 객관성이며 참된 의지이기 때문이다. 그리고 오직 법을 따르려는 의지만이 자유이다. 의지는 자기 자신에 순종하고, 자기 자신으로 존재하며, 따라서 자유이기 때문이다."[23] 한편 이성적 존재자로서 인간의 본질규정인 자유는 모든 국가에서 동일하게 실현되지는 않는다. "최선의 국가는 최대의 자유가 통치하는 국가이다."[24] 그러나 자유의 한계를 규정하는 기준은 무엇인가? 철학적으로 볼 때 그 기준은 특수와 보편이 조화된 이성이지만, 현실의 역사에서는 종교적 진보이다. 따라서 헤겔에 의하면 세계사의 대상은 단순히 인간이 아니라 역사에서 자신을 실현하는 정신, 즉 "신적 정신"에 따라 "인간의 의식에서 자신을 전개하는" 세계정신이다. 물론 "신적 정신은 절대정신이며, 따라서 세계정신과는 다르다." 세계정신을 통해 신은 인간에게 현존하며, "모든 사람의 의식에 나타난다."[25] 세계정신은 다시 개인들을 결합하는 보편적 정신으로서 공동체, 즉 민족의 정신에서 구체적으로 나타난다. 세계정신은 그의 이런 특수성 때문에 민족정신이라 불린다. "민족정신은 특수한 형태의 보

---

22) G. W. F. Hegel a.a.O. 128.

23) G. W. F. Hegel a.a.O. 115.

24) G. W. F. Hegel a.a.O. 142.

25) G. W. F. Hegel a.a.O. 60. 신과 세계정신의 차이에 관해서는 참조, a.a.O. 262.

편적 정신이다. 보편적 정신은 그가 존재하는 한 민족이라는 특수한 형태를 가지지만, 그 자신은 이런 특수한 형태보다 상위의 정신이다."[26] 헤겔에 의하면 종교의 역사가 일련의 종교 유형들을 통해 전개되듯이, 세계사는 한 민족이 몰락한 후 다른 민족으로 교체되는 일련의 시대적 전환기들을 통해 전개된다. 그리고 이렇게 교체된 새로운 민족은 역사를 통한 정신의 길에서 새로운 원리를 구현한다.[27] 이 길의 목표는 인간의 의식에서 정신이 자신을 이해함으로써, 따라서 신의 자유와 인간의 자유가 일치하는 자유의 실현을 통해 신을 영광스럽게 하는 것이다.[28]

이런 복합적 의미에서 볼 때 헤겔이 생각하는 세계사는 자유의식의 발전과정이다. 이런 과정은 종교사에 관한 기술에서처럼 인간이 그의 존재의 자연조건들을 극복함으로써 실현된다. 그리고 이런 과정은 종교사에서 인간이 자연과 다른 절대자와의 단계적 합일을 거쳐 성육신을 통한 신과의 연합에 도달하는 과정과 밀접하게 연관된다. 개인은 신과의 유대관계를 통해 비로소 모든 다른 존재자들과의 관계에서 자유롭기 때문에, 헤겔에게 있어서

---

26) G. W. F. Hegel a.a.O., vgl. 59.

27) A.a.O. 180에 의하면 하나의 민족은 "세계사에서 두 번의 전환기를 만들 수 없다." 하나의 민족은 세계사의 새로운 원리를 구현하는 다른 민족에 의해 교체된다. 이런 의미에서 헤겔은 – 거의 예언자적으로 – "미래의 나라"라고 표현했는데(209), 이것은 당시까지의 세계사에 관한 그의 기술방식에서 보면 예외적인 것이다.

28) 신을 영화롭게 하는 것이 역사의 목표라는 점에 관해서는 참조, a.a.O. 181f. 이런 주장은 『정신현상학』 서문에서 언급된 역사의 목표와 관련하여 이해해야 한다. 그 책에 의하면 역사의 본질은 정신이 자기 자신으로 존재하는 그의 자유에 있다(53, 54ff., 61f.).

세계사와 종교사는 불가분적 관계에 있다. 세계사에 대한 헤겔의 구분도 이런 관점에서 이해될 수 있다. 헤겔의 구분에 다르면 세계사의 첫 단계에는 단지 한 사람, 즉 왕만이 자유롭고, 두 번째 단계에서는 - 그리스인들, 유대인들 그리고 로마인들에게 있어서 - 노예가 아닌 일부의 자유인들만이 자유로웠다. 마지막으로 기독교와 함께 시작된 세 번째 단계에서는 신이 한 사람에게서 인간의 모습을 취했기 때문에 모든 사람이 자유롭다. 신이 바로 이 사람에게서 모든 사람을 받아들여 그들과 하나가 되었기 때문이다.[29] 그렇지만 모든 사람의 자유는 그리스도 안에서 단지 기본적인 원리로서 주어졌을 뿐이다. 이런 원리는 만인의 자유 형태로 세상에서 구현되어져야 한다. 헤겔은 그런 구현의 단초를 종교개혁, 특히 그리스도인의 자유에 관한 루터의 이론에서 발견했다.[30] 그러나 그는 이런 자유는 민주주의에서가 아니라 근대의

---

29) G. W. F. Hegel a.a.O. 62 und 155ff. 마지막 구절에 의하면 동양 제국들에 특징적인 한 개인, 즉 왕의 자유는 고립된 개인("자유롭지 못한 개인")의 자의성에서 나타나는 "자연적 상태에 함몰된 정신"의 표현이다. 전제군주는 자유롭지 못하다. 그의 자유는 모든 사람들에게 타당한 보편적 입법에 기초한 자유가 아니라 자신의 자의적인 자유에 불과하기 때문이다. 헤겔에 의하면 그리스의 자유민들의 자유도 우연적인 자유였다. 그들의 자유는 폴리스의 법에 기초한 자유였지만 진정한 보편적 자유는 아니었다. 이와 달리 로마에서는 개인이 "보편에 예속되어"(a.a.O. 156) 있었지만, 중요한 것은 이때의 보편은 세계적이고 현세적인 보편이었기 때문에 "결과적으로 보편자에 대한 개인의 인격과 예속의 대립이 발생하였다." 그리고 이런 대립은 기독교를 통해 비로소 극복되었다. 기독교에서는 모든 개인이 진정한 보편자인 하나님과의 연합에서 자기 자신이 되었음을 발견하기 때문이다.

30) G. W. F. Hegel, *Vorlesungen über die Philosophie der Weltgeschichte IV*, PhB 171 d, 877ff. 헤겔에 의하면 루터의 자유론에서 본질적인 것은 다음과 같다. "자연적 인간은 본래적 인간이 아니기 때문에 하나님을 통해 자연적 상태를 극복해야 한다. 따라서 정신의 자유는 단지 하나님과의 화해에서만 도달된다(878)."

입헌국가에서 완전히 실현된다고 보았다.[31]

『정신현상학』에서, 그리고 종교사와 세계사에 관한 기술에서 헤겔은 의식이 감각적 직접성을 넘어 종교, 예술 그리고 철학에서 절대자와 합일하는 과정을 설명했다. 그렇지만 정신으로 고양되는 출발점으로서 직접적으로 주어진 것이 언제나 자연적으로 주어진 것과 동일하지는 않다.『정신현상학』의 감각적 확신, 종교사에서 자연종교 그리고 세계사에서 동양의 제국들의 경우가 그렇다.『정신현상학』에서 자연적으로 주어진 것은 동시에 추상적 보편성이다. 감각적 확신의 여기와 지금이 바로 그런 보편적인 것이다. 마찬가지로 다른 저서들에서도 각 주제의 추상적 보편성이 반성운동의 출발점이다. 법철학에서는(1821) 개인들 사이에 존재하는 구체적인 차이를 무시하는 개인들의 법은 "추상적인" 법이다.『논리의 학』(1812)에서 존재는 주체와 객체의 차이가 없어진 직접적이고 추상적인 형태의 절대적 하나이다. 두 경우에

---

31) 입헌국가에 대한 헤겔의 이해를 알기 위해서는 특히 1819/20년의 법철학 강의에서 "국내법"에 관한 자세한 설명이 유익하다(*Philosophie des Rechts. Die Vorlesung von 1819/20 in einer Handschrift*, hg. von D. Hennrich, 1983; vgl. *Grundlinien der Philosophie des Rechts*, 1821, PhB 124 a, 214 283). 그 강의에서 헤겔은 특히 권력분배의 원칙이 근대의 헌법이해를 위해 가지는 의미를 강조했다(230f.). 권력분배의 원칙에 기초한 헌법에서는 "영주의 권력"이 축소되어 행정권에만 제한되었다. 그러나 헤겔은 그렇게 제정된 세습적 입헌군주제를 통해 다른 정치체제에서는 도달할 수 없는 국가의 안정성이 확보된다고 생각했다. 왜냐하면 그는 입헌군주제를 통해 최고의 "우연성과 특수성"을 피할 수 있다고 생각했기 때문이다(Vorlesung 246). 역사철학 강의에서 대의민주제의 근대적 이념에 대한 헤겔의 비판은(*Die Vernunft in der Geschichte*, PhB 171 a, 144) 대중의 이성에 대한 그의 불신 때문이다. 그는 대중의 이성에 대한 그의 비판이 정당함을 다음과 같이 주장했다. "자유의 원리는 주관적 의지와 자의성이 아니라 보편적 의지의 통찰이다(144)." 유감스럽게도 알브레히트는 이런 사실을 간과했다(R. Albrecht, *Hegel und die Demokratie*, 1978).

모두 처음 시작된 것은 반성을 통해 처음과는 다른 것으로 드러 난다. '존재'라는 보편적 개념은 반성의 결과 아무런 내용이 없는 '무'임이 입증된다. 보편적 의지의 표현인 추상적 법은 특수한 의 지의 관점에서 보면 법의 단순한 가상임이 입증된다. 그런데 특 수한 의지는 다시 추상적 법을 법의 단순한 가상으로 봄으로써 자기 자신의 부당함(Unrecht)을 드러낸다. 마찬가지로 종교철학도 아직 구체적인 종교가 아닌 추상적인 종교 개념과 함께 시작한 다. 종교철학은 종교의 본질과 종교의 내용이 일치하는 절대종 교에서 끝난다. 역사철학에서도 기독교의 출현과 기독교의 역사 적 영향에 관한 기술에서 대단원에 달하는 구체적인 역사과정을 설명하기 전에 먼저 "역사에서의 이성"에 관한 일반적인 논의가 선행된다. 마찬가지로 추상적인 법에서 시작한 법철학도 마지막 에는 더 이상 추상적이지 않고 구체적인 법의 일반적 형태가 제 시된다. 그리고 그렇게 구체적인 법의 일반적 형태는 개별적인 것 과 보편적인 것이 화해된 인륜적 국가이다.

헤겔의 『논리의 학』은 절대적으로 현실적인 것을 대상으로 한 다. 절대적인 것은 이미 칸트에게서도 이성인식의 특수한 대상으 로 간주되었다. 『정신현상학』의 마지막에 도달된 절대적 "지식" 은 특수한 철학적 지식으로서 『논리의 학』의 주제이다. 따라서 헤겔의 『논리의 학』은 판단형식과 추론형식들을 탐구하는 단순

한 형식논리가 아니라 본질적으로 형이상학이다.[32] 헤겔이 그의
『논리의 학』 3권에서 다루었던 형식논리학의 주제들은 형이상학
에 동화되어 형이상학적 관점에서 해명된다.

『논리의 학』은 절대자로 의식된 것의 직접적 형태인 "존재"에
서 시작하여 결론에서는 "개념"이 진정한 절대자로 제시된다. 말
하자면 존재(Sein)는 반성과정에서 직접 그의 대립자인 무(Nichts)
로 입증되는데 반해, 개념은 모든 대립적인 것을 자기 안에 가진
다. 개념은 자기 자신(보편적 생각)과 그의 대립자(구체적인 개별자)의
통일, 즉 형식과 내용의 통일이며 본질과 현상의 통일이다. 이때
참된 개념은 사실을 단지 자기 밖에 가지지 않고 사실적으로 파
악한 개념이다. 사실을 자기 밖에 가지는 개념은 단지 주관적 표
상일 뿐, 사실에 부합하는 개념이 아니다. 헤겔은 객관적으로 실
현된 개념을 "이념"(Idee)이라 부른다.[33]

---

32) 헤겔은 그의 예나 강의들에서는 아직 논리의 학과 형이상학을 구분하여 다루었다. 그리
고 형이상학의 대상은 여전히 특수형이상학의 주제들(영혼, 세계, 신)이었다. 참조. G.
W. F. Hegel, *Jenenser Logik, Metaphysik und Naturphilosophie*, G. Lasson (hg.) PhB
58; D. Hennrich und K. Düsing (hg.), *Hegel in Jena. Die Entwicklung des Systems und
die Zusammenarbeit mit Schelling*, 1980. 1812년의 대논리학 이후에 헤겔은 논리의 학
을 "신을 자연과 유한한 정신 이전의 영원한 본질에서 드러내는 것"(WdL I, 44)이라고
주장함으로써 논리의 학과 일반형이상학을 결합시켰으며, 특수형이상학의 다른 주제
들은 실증철학 분야들에서 다루었다. 참조. F. Fulda, "Spekulative Logik als 'eigentliche
Metaphysik'. Zu Hegels Verwandlung des neuzeitlichen Metaphysikverständnis", in:
D. Pⵝtyold und A. Vanderjagt (Hg.), *Hegels Transformation der Metaphysik*, 1991,
9-27. 풀다와 달리 부르크하르트는 논리의 학에서 실증철학으로의 이행에 관한 논의에
서 헤겔의 체계는 절대정신에서 비로소 완성되는데 반해 절대적 이념은 논리의 학 결론
부분에도 "여전히 논리적"으로 남아 있으며 그 이념은 논리적인 영역을 "스스로 극복할
때" 비로소 완성된다는 점을 강조했다. (B. Burkhardt, *Hegels "Wissenschaft der Logik"
im Spannungsfeld der Kritik*, 1993, 497ff.)

33) G. W. F. Hegel, *Wissenschaft der Logik II* (1816) PhB 57, 407ff., 228ff.

개념 또는 이념은 헤겔의 『논리의 학』에서 – 다른 저술들에서와 마찬가지로– 마지막 단계에서 다루어진다. 『논리의 학』 각 단계의 과제는 이전 단계에서 등장한 대립들을 종합하여 그 대립들 자체에 이미 암묵적으로 주어져 있는 통일을 명시적으로 드러내는 것이다. 존재가 그의 보편성에 있어서 무로 입증된다면, "존재"와 "무"의 종합은 "생성"(Werden)으로 규정된다. 생성은 존재에서 무로 또는 무에서 존재로 넘어감이라고 생각될 수 있기 때문이다. 그러나 존재와 무의 이런 통일은 하나의 규정이 다른 규정으로의 이동일 뿐이다. 존재와 무의 통일은 존재와 무가 결합된 "현존재"(Dasein)에서 비로소 안정성을 획득한다. 현존하는 어떤 것은 다른 것이 "아니기" 때문이다. 그러나 종합의 모든 단계에서는 다시 새로운 모순들이 반성에 주어진다. 현존재의 단계에서는 현존재의 유한성과 그 유한성에 대립되는 무한자 사이에 모순이 발생하는데, 유한성과 무한자의 이런 대립은 다시 대자존재란 개념에서 지양된다. 이와 같은 과정은 계속된다. 그리고 각 단계의 모순들은 더 높은 단계의 종합을 요구한다. 이런 과정의 마지막 단계는 이전에 등장한 대립들과 종합들을 자기 자신의 "계기들"로서 지양하여 간직하는 실현된 개념이다. 그러므로 이전의 단계들은 (『정신현상학』에서는) 의식의 일시적 형식들이 되며, (『논리의 학』에서는) 사유의 일시적 형식들이 된다. 이 형식들에는 "즉자적 상태의" 개념이 이미 포함되어 있지만 아직 개념 자체로서 파악되지는 않는다. 『논리의 학』에서는 매 단계마다 절대적인 것에 도달하는 것이 중요하지만, 헤겔에 의하면 그런 절대자는 개념과 함께 비로소 완전히 절대자로서 파악된다. 다시 말해『논리의 학』의 사유과정에서 각 단계는 개념을 목표로서 선취해 가지지만 이런 목표는 언제나 좌절된다. 그리고 개념 자체도 사실에 대해 피상적으로 머물러서는 안 되는 개념으로서 단지 선취된 개념이다. 그리고 이렇게 선취된 개념은 실현된 개념, 즉 주체와 객체의 통일로서 정립된 이념을 통해 비로소 사실 자체와 일치하게 된다. 그렇지만 이념도 여전히 현실화를 필요로 하는 논리적 형식이다. 이런 현실화는『논리의 학』결론에서 제시되듯이 이념으로부터 자연으로의 이행, 즉 이념 자체에 근거한 것으로서 제시되는 이행이다. 그런 이행을 통해서만 이념은 현실성의 규정근거로서 진지하게 받아들여지기 때문이다.[34]

헤겔의 사상에서 가장 어려우면서도 가장 논란의 여지가 있는 점은 절대자의 충전적 형태인 개념이 절대자를 파악해 가는 길의 매 단계마다 "즉자적으로" 이미 거기에 현존한다는 주장이 아니라 절대자의 잠정적인 형태들이 출현하여 지속되다 지양되는 과정이 반성하는 철학자의 행위가 아니라 개념 자체의 행위로서 이해될 수 있다는 주장이다.『철학 백과전서』에 따르면 논리학은 존재에서 직접 시작한다. "그러나 사변적 이념에서 볼 때는 절대적 부정성으로서 또는 개념의 운동으로서 판단하고 자기를 자기

---

34) G. W. F. Hegel a.a.O. 505f.

자신의 부정으로 정립하는 것은 이념의 자기규정이다."[35] 절대
적 이념의 판단(Urteilen, 근원적 나눔)은 그 이념이 대립적 계기들로
나누어져 나타남이다. 이전에 주장된 것이 반복적으로 부정되어
대립적 규정들로 분리되고 이런 대립들이 다시 통일되는 『논리의
학』의 전체 사유운동은 『논리의 학』 마지막에서는 절대적 개념의
행위로서 제시되거나 아니면 오히려 이념 자체의 행위로서 제시
된다. 이념은 자기이해로 가는 길에서 개념의 대립인 존재를("개념
자신의 부정으로서") 전제하고 바로 그런 전제를 통해 "절대적 부정
성"의 운동을 야기하기 때문이다.

　헤겔의 이런 주장을 이해하기 위해서는 그가 생각하는 참된 개
념은 단지 주관적인 어떤 것이 아니라 사실 자체와 일치하는 이
념이라는 사실을 기억해야 한다.[36] 그렇다면 사실을 이해하는
길은 외적이고 주관적인 부가물이 아니라 개념 또는 이념 자체의
행위로서 간주되어야 한다. 그렇지만 이때 전제되는 것은 개념과
사실 사이의 모든 차이가 사라진다는 사실이다. 물론 인간의 인
식에서도 그런지는 의문의 여지가 있다. 언제 인식행위와 인식대
상 사이에 어떤 차이도 남아있지 않아 인식행위 자체의 과정이
인식대상의 자기전개 과정과 일치하게 되는 방식으로 인식이 성

---

35) G. W. F. Hegel, *Enczclopädie der philosophischen Wissenschaften im Grundrisse*,
　　1817, 3. Aufl. 1830, 238.

36) 절대적 이성을 절대적인 것으로 사유하기 위해서는 "사유하는 주체를 배제해야 한다."는
　　셸링의 주장을 참조하라(위 9장).

취된 적이 있는가? 헤겔에 의하면 그것은 절대적 이념의 단계에서도 그렇지 않다. 왜냐하면『논리의 학』의 절대이념은 자연철학과 정신철학에서 실현되어야 하기 때문이다. 이렇게 실현될 때 비로소 그리고 그런 실현의 결과로부터 되돌아보면서 절대이념은 - 헤겔이 생각하는 의미에서도 - 개념과 실재성이 일치하는 실제적인 절대이념이다.『논리의 학』은 단지 절대이념의 존재를 요구할 뿐이다. 그러나『논리의 학』에서 요구된 절대이념은 그 자체로는 단순히 논리적인 것으로 실제적인 절대이념의 추상적 선취일 뿐이다.[37]

그러므로 헤겔의 논리전개 방식에는 이미 개념의 자기운동에 대한 비판이 내재되어 있다. 말하자면『논리의 학』의 논리전개는 생산적 구상력과 결합된 반성과정임이 입증된다. 이때 반성은 비록 사실을 전제로 한 반성이기는 하지만 사실 자체에서 드러나는 계기들을 드러내 보여준다. 따라서 단순히 피상적인 반성, 즉 사실 자체와 무관한 반성은 중요하지 않다. 반성은 어떤 특정한 주제를 중심으로 행해진다.『논리의 학』의 규정들에서 중요한 것은 절대자의 명칭들이 철학사 자체에서 형성된 명칭들이라는 사실에 주목한다면, 이런 규정들은 철학적 논쟁 과정에서 헤겔의

---

37) 정신현상학 서론에서(*PhB* 114, 23) 헤겔 자신이 절대자의 주체성에 관한 주장은 그 자체로는 단지 선취에 불과하다고 말한다. 그러나 논리의 학 결론에 의하면 절대이념은 "단지 신적인 개념의 학으로서 여전히 논리적"이다(*PhB* 57, 505). 그러므로 자연으로의 이행은 단순히 논리적인 것의 일면성에 대한 반성을 통해 매개된다. 비록 이념도 "이념이 스스로 자유로이 떠난다(ebd.)"는 의미에서 이런 이행의 규정근거라고 생각될 수 있기는 하지만 말이다.

『논리의 학』의 반성과정에서 전개되는 것과는 다른 방식으로 반성되고 전개되었음도 또한 분명해진다. 철학적 사유의 역사가 『논리의 학』에서 제시된 규정들의 사유내용에 대해 완전히 피상적으로 머물러 있었다는 사실을 말하고자 하지 않는다면, 결과적으로 헤겔의 『논리의 학』에서 전개된 반성 과정은 원칙적으로 단지 사실 자체에 대한 더 많은 반성 가능성들, 즉 거기서 규정된 내용들, 그 규정들에 내재된 변증법 그리고 대립들이 지양된 상태에 대한 더 많은 반성 가능성들 중 하나에 불과하다. 철학자의 반성에 따르면 공식적으로 표현된 모든 입장은 보다 자세하게 관찰해 보면 그 입장이 직접 나타나는 또는 자체로 주어지는 상태와는 다른 어떤 것이다. 대립된 계기들은 헤겔의 「차이논문」에서 말하는 사변적 직관을 통해 그의 잠재된 통일성에서 파악되고, 그렇게 하여 대상에 대한 새로운 직관으로 연결되며, 이런 새로운 직관에서 반성이 다시 시작된다. 이때 중요한 것은 이런 일련의 과정은 전적으로 반성하는 철학자의 행위이지 헤겔이 주장하듯이 절대적 개념 자체의 - 또는 신적 이념의 - 직접적인 행위가 아니라는 사실이다. 모든 단계의 반성들이 단지 절대적 진리의 선취(Vorgriff)라면, 즉 이런 반성 단계들에서 사실의 참된 개념이 단지 "즉자적으로" 예견된다면, 이것은 개념 자체에 대한 헤겔의 견해에도 마찬가지로 해당된다. 개념은 - 비록 그 개념이 아무리 사실의 개념이라 할지라도 - 단지 진리에 대한 선취, 즉 개념 자체와 대상의 통일성에 대한 선취이다. 헤겔은 이런 사실을 개념과 관련하여 분명히 그렇게 말했다. 그러나 그것은 이념의 논리적 형식에 대해서도 마찬가지로 타당하다.

그렇지만 우리의 이해는 사실의 진리에 대해 전적으로 피상적일 수 없다. 우리의 이해가 사실에 대해 피상적이라면 전혀 아무것도 인식될 수 없을 것이며, 개념은 더 이상 사실 자체의 개념이 아닐 것이다. 따라서 신에 관한 우리의 인식이 신의 정신(성령)을 통해 우리 안에서 일어나듯이, 우리의 인식도 우리 안에서 일어나는 진리 자체의 작용이라고 이해되어야 한다. 그렇다고 해서 그런 인식과정이 인간의 행위이기를 포기하고 전적으로 신적 이념의 작용이 되는 것은 아니다. 만일 그렇다면 우리 인식에서 인간적 요소는 무색하게 될 것이고, 헤겔의 『논리의 학』의 사유과정에서 반성하는 철학자의 행위도 그렇게 될 것이다. 그리고 그와 함께 역으로 우리의 인식에서 실제로는 인간적이고 유한한 것이 무분별하게 절대적 진리 자체의 행위라고 사칭될 것이다.

우리가 이런 사실을 기독론적 양성론의 언어로 표현하고자 한다면 여기서 문제가 되는 것은 소위 단일 신체적 성급한 결론이다. 그리고 헤겔은 실제로 예수의 길도 마찬가지로 단일 신체적으로 곡해했음이 드러났다. 무엇보다도 헤겔은 예수의 죽음을 하나님 자신의 죽음으로 이해했다. 이런 점에서 보면 관념론 일반에 대하여 제기되는 그리고 특히 헤겔에 대해서도 제기된 범신

론 혐의는 상당히 타당하다.[38]

3. 헤겔의 철학에 대한 기독교 신학의 반응들

헤겔은 『정신현상학』(1807) 이후 기독교를 절대종교로 높이 평가하고,[39] 고대 교회의 삼위일체론과 기독론을 교회의 본질이라고 생각했다. 그렇지만 그럴수록 그는 근대의 신학이 계몽주의의 이성비판에 부딪혀 감정의 주관성으로 후퇴했으며, "독단적 교리들을 가지고 모든 장애를 제거했으며", 교리의 내용을 "최소한도로 축소했다"고 비판했다.[40] 그렇게 "기독교의 기본원리들이 교의학에서 사라졌기" 때문에, 헤겔은 다음과 같이 주장할 수 있었다. "지금 본질적으로 정통적인 것은 무엇보다 철학이다. 물론 철학만이 그렇다고 할 수는 없지만 말이다. 언제나 타당했던 명제들, 즉 기독교의 근본 진리들이 철학에 의해 확보되고 보존되기 때문이다."[41]

---

38) 참조, Pannenberg, "Die Bedeutung des Christentums in der Philosophie Hegels", in: *Gottesgedanke und menschliche Freiheit*, 1972, 78-113, bes. 95ff. 이 문제는 다음 단원에서 다시 다루어질 것이다.

39) G. W. F. Hegel, *Phänomenologie des Geistes*, PhB 114, 528.

40) G. W. F. Hegel, *Vorlesungen über die Geschichte der Philosophie IÖ Szstem und Geschichtem der Philosophie*, hg. J. Hoffmeister PhB 166, 198f. (Vorlesung von 1827). 신학이 감정으로 후퇴했다는 비판에 관해서는 참조, G. Lasson(hg.), *Begriff der religion*, PhB 59, 21; ders., *Die absolute Religion*, PhB 63, 226f.)vgl. Werke 16, 346f.).

41) G. W. F. Hegel a.a.O *PhB* 63, 26f. (*Werke* 16, 207).

헤겔의 이런 주장에 대해 신학자들이 모두 일치된 반응을 보이며 헤겔의 철학으로 전향한 것은 결코 아니었다.[42] 대다수의 신학자들은 경건주의의 감정신학을 고수하거나 칸트를 따라 종교의 도덕적 근거를 제시하였다. 철학에 기초하여 고대 교회의 교리를 철저하게 연구하고 변증하는 것이 신학의 과제라고 생각하는 신학자들은 소수에 불과했다. 그런 사람들 중 하나가 다웁(Karl Daub, 1765-1836)이었다. 당시 하이델베르크대학 부총장이었던 그는 1816년에 헤겔을 교수로 초빙하였으며, 이후에는 지금까지의 셸링에 대한 지지를 철회하고 헤겔의 견해를 옹호했다. 1818년에 헤겔이 베를린으로 옮겨간 후에는 그곳에서 다웁의 제자인 마르하이네케(Philipp Konrad Marheineke, 1780~1846)가 헤겔과 친교를 맺게 되었다. 마르하이네케는 『학문으로서의 기독교 교의학 원론』(1827)을 통해 신학적 헤겔주의자들의 지도자가 되었으며, 1831년 헤겔 사후에는 할레의 철학자 로젠크란츠(Johann Karl Friedrich Rosenkranz)와 법학자 괴셸(Karl Friedrich Göschel(1784~1861)과 함께 헤겔의 기독교 해석에 대한 외부의 비판과 소위 헤겔 좌파의 공격으로부터 헤겔의 입장을 변호했다. 마르하이네케는 헤겔의 신관을 헤겔 좌파의 범신론적 입장과 달리 하나님과 세계의 관계에서 보수적으로 해석했다.[43] 그렇지만 그의 해석은 헤겔

---

42) 헤겔은 종교가 계몽주의의 이성비판에 직면하여 감정으로 도피하는 대신 개념으로 도피할 것을 제안하였다(a.a.O. *PhB* 63, 224).

43) 마르하이네케의 교의학과 헤겔의 관계는 바그너에 의해 아주 비판적으로 조명되었다

좌파보다 헤겔의 입장에 더 가까웠다.

독일 관념론은 초창기부터 범신론이란 비판을 받았다. 그런 비판의 발단은 스피노자의 이론에 대한 야코비(Friedrich Heinrich Jakob)의 편지(1785)였다. 이 편지에 의하면 레싱은 1780년에 있었던 야코비와의 대화에서 자신은 스피노자주의를 지지한다고 말했다. 야코비의 스피노자 비판은 스피노자주의를 근절하려는 그의 의도와는 달리 그 후 10년 동안 멘델스존(Moses Mendelssohn)과 헤르더(Johann Gottfried Herder) 이후에 범신론 개념과 결합되어 일어난 '스피노자 르네상스'를 야기하였다.[44] 야코비 자신은 스피노자의 범신론은 본질적으로 무신론이라고 생각했다. 그는 자신의 견해가 피히테의 범신론 논쟁을 통해 정당화되었다고 생각했다. 그는 피히테의 자아철학을 관념론으로 나타난 스피노자주의라고 보았기 때문이다. 야코비의 주된 비판 대상은 셸링의 자연철학이었다. 1807년에 셸링이 행한 '조형예술과 자연의 관계에 관하여'라는 축사가 발단이 되어 쓴 그의 『신적인 일들에 관하

(F. Wagner, "Der Gedanke der Persönlichkeit Gottes bei Philipp Marheinekel. Re-pristination eines vorkritischen Theismus", in: *Neue Zeitschrift f. syst. Theologie und Religionsphilosophie* 10, 1968, 44-88.). 마르하이네케의 보수적인 해석은 그가 헤겔의 (사변적인, 역자) 견해를 표상사유 방식에 따라 전통적인 신관과 결합했기 때문이다. 따라서 표상을 비판할 만한 이유는 줄어들었지만 하나님과 세계의 관계에 관한 설명은 그만큼 논리성이 떨어졌다. 그밖에도 마르하이네케는 인간과 하나님의 관계에 관해 하나님과 인간의 동일형상에 관한 교리와 관련하여 하나님과 피조물의 관계에 관한 헤겔의 견해를 플라톤의 이데아론과 결합시켰다. 참조, Ph. Marheineke, *Die Grundlehren der christlichen Dogmatik als Wissenschaft*, 1827, 248ff. (범신론과의 차이에 관해서는 176, 231, 235, 245를 참조하라).

44) 『철학사전』 7권(Historisches Wörtebuch der Philosophie 7, 1989, 59-63)에 기고한 W. 슈뢰더의 범신론 항목을 참조하라.

여』(1811)는 셸링의 자연철학에 대한 비판이었다. 거기서 그는 셸링이 절대자를 자연과 동일시한다는 사실을 입증하고자 했으며, 이런 동일시에는 무신론과 허무주의가 내포되어 있다는 사실을 입증하고자 했다. 인간은 단지 무가 아니면 하나님을 선택할 수 있는 가능성을 가질 뿐이라는 것이다.[45] 이때 인격적인 하나님에 대한 신앙과 함께 동시에 인간의 자유도 결정된다는 것이다. 자연주의에서는 하나님의 자유도 인간의 자유도 용인될 수 없다는 것이다. 셸링은 1812년에 "신적인 일들에 관한 야코비의 저술을 기념하면서 그리고 자신이 의도적으로 기만하고 거짓말하는 무신론자라는 야코비의 고발을 기념하면서" 야코비의 글에 대답했다.[46] 셸링은 거기서 자신이 자연이 전부이며 자연 이외에는 아무것도 없다고 주장한다는 야코비의 비방을 논리적으로 반박할 수 있었다. 자연주의가 아니면 유신론이라는 야코비의 주장에 대해 셸링은 1809년에 쓴 자유에 관한 글에서 하나님 안에 자연의 존재를 인정하는 것은 하나님의 인격성을 인정하기 위한 전제조건이라고 반론을 제기했다. 왜냐하면 인격성은 그와 다른 어떤 것과의 관계를 전제하기 때문이라는 것이다.[47] 셸링은 자신이 무신론자라는 비난에 대해서는 맞서 싸웠지만, 그의 자연철학

---

45) 야코비의 글은 셸링의 대답과 함께 바이셰델(W. Weischedel) 발행한 『신적인 일들에 관한 논쟁. 야코비와 셸링이 대결』(1967)에 수록되어 있다. 본문에 인용되어 있는 야코비의 진술들은 그 책 129쪽과 269쪽에 있다.

46) 셸링의 대답은 바이셰델이 발행한 책 357-473쪽에 있다.

47) F. W. J. Schelling a.a.O. 406f., 411f.

이 스피노자주의에 가깝다는 사실은 부정하지 않았다.[48]

셸링이 신학자들 사이에서 범신론자로 평가된 것은 1809년 자유에 관한 글이 발표되기까지는 전적으로 정당한 것이었다. 그는 1813년의 『우주시대』(Die Weltalter)와 함께 비로소 스피노자주의와 최종적으로 결별하였다. 셸링의 범신론에 대해서는 특히 쥐스킨트(Friedrich Gottlieb Süskind)가 비판적이었는데, 이것은 칸트의 관점을 따르는 튀빙겐의 초자연주의를 옹호하기 위해서였다.[49] 그렇지만 그 후 그는 헤겔의 관념론 철학에 대해서도 마찬가지로 비판적이었다. 그의 이런 비판에 대해 헤겔은 『철학 백과전서』 2판(1827)에서 특히 톨룩(Friedrich August Gotttreu Tholuck)의 『동양적 신비주의에서 수집한 꽃다발』(1825)을 참조하여 자신의 입장을 변호했다.[50] 헤겔은 "모든 것, 즉 경험적인 것은 모두 … 존재하고, 실체성을 가지며, 현실적 사물들의 이런 존재가 신이라

---

48) F. W. J. Schelling a.a.O. 346f. 그렇지만 스피노자주의는 단지 셸링 철학의 일면이고, 다른 한 면은 선험철학이었다.

49) F. G. Süskind, *Prüfung der Schellingschen Lehre von Gott, Weltschöpfung, Freiheit, moralischen Guten und Bösen*, 1812. K. G. Bretschneider, *Systematische Entwicklung aller in der Dogmatik vorkommenden Begriffe*(1804) 3. *Aufl.*, 1825, 57f. 브렛슈나이더 자신은 셸링이 "자연과 하나님을 동일시하고 신성을 총체적 우주(절대자) 안에 용해시키는 자연주의적 범신론자"라고 주장했다. 그러나 셸링은 야코비와의 논쟁에서 이런 견해를 거부했다.

50) G. W. F. Hegel, *Encyclopädie der philosophischen Wissenschaften im Grundrisse*(1817), hg. J. Hoffmeister PhB 33, 10f., auch 484 Anm. 톨룩은 이미 1823년에 관념론의 범신론이 하나님의 인격성은 물론 인간의 인격성을 부정할 뿐만 아니라 죄에 대한 인간의 책임도 부정한다고 비판했다. 참조, F. A. G. Tholuck, *Guido und Julius. Die Lehre von der Sünde und vom Versöhner etc.*, 260ff.; Pannenberg, "Die Bedeutung des Christentums in der Philosophie Hegels", in: ders., *Gottesgedanke und menschliche Freiheit*, 1972. 95ff.

는"[51] 범신론적 표상을 비철학적이고 경솔한 생각이라고 일축했다. 스피노자도 그렇게 생각하지는 않았다. 그의 견해에 따르면 오히려 "악은 유한자와 세계 일반과 마찬가지로 … 전적인 무이다." 신만이 유일무이한 실체로서 참으로 존재하기 때문이다.[52] 당연히 헤겔은 하나님이 실체가 아니라 주체와 정신이라고 생각하는 자신의 철학을 "범신론"이라고 주장하는 것은 터무니없는 비방이라고 생각할 수 있었다. 헤겔의 이런 관점에서 보면 유한자의 세계는 절대적 주체의 "타자"이며, 역으로 신에게로의 고양은 유한자의 부정을 통해 매개된다. 신은 세계의 제1 원인자가 아니다. 그렇다면 신은 유한자이기 때문이다. 오히려 "유한자의 무(Nichtsein)가 절대자의 존재이다."[53]

이런 변호에도 불구하고 헤겔은 "범신론에 관한 세간의 평판"[54]에서 벗어나지 못했다. 부활신학의 입장에서 헤겔의 철학을 비판한 신학자들 중 가장 비판적인 밀러(Julius Müller)에 따르면 헤겔은 적어도 "논리적 범신론자"였다. 헤겔에 따르면 세계는 절대적 자유의 행위를 통해서가 아니라 논리적 필연성에 따라 신적 존재로부터 생성되었기 때문이다.[55] 절대자의 존재에 근거한

---

51) G. W. F. Hegel a.a.O. 479($ 573).

52) G. W. F. Hegel a.a.O. 12.

53) G. W. F. Hegel, *Wissenschaft der Logik II*, PhB 57, 62.

54) G. W. F. Hegel, *Encyclopädie etc.*, PhB 33, 11.

55) J. Müller, *Die christliche Lehre von der Sünde* (1838) 3. Aufl. 1849, II, 241. 참조, 각주 50.

논리적 필연성에 따라 세계가 생성되었다는 주장은 사실 기독교적 관점에서 볼 때 헤겔의 논증이 가지는 취약점이다. 왜냐하면 헤겔의 이런 논증은 - 1813년 이후 셸링이 취한 입장과 달리 - 창조사상에 함축된 세계 기원의 우연성과 모든 유한한 사실성을 설명할 수 없기 때문이다. 그럼에도 불구하고 이런 사실에 대해 "범신론"이라고 말하는 것은 적절하지 못하다. 헤겔은 언제나 유한한 사물들의 존재는 절대자의 존재와 다름을 주장했기 때문이다. 뿐만 아니라 뮐러도 범신론에 대한 비판을 야코비 이후 범신론의 결과라고 주장된 비판들, 즉 범신론에는 - 논리적 범신론에도 마찬가지로 - 하나님의 자유는 물론 인간의 자유가 들어설 여지가 없으며 따라서 죄의 실재성도 인정될 수 없다는 비판들과 관련시켜 생각했다. 그런데 그런 결과론은 객관적 근거가 없는 주장이다.[56] 그렇지만 그런 결과론은 셸링과 헤겔에게 전가된 범신론의 비인격적인 신 개념에 대립되는 개념이 무엇인지 분명히 알 수 있게 해준다. 즉, 그런 대립 개념은 초월적인 인격적 하나님에 관한 표상인데, 하나님의 동일형상인 인간의 인격의 자유는 바로 이런 인격적 하나님에 상응하는 자유이다. 그리고 인간의 책임적 행위로서 죄의 가능성도 바로 인간의 인격의 자유가 인격적 하나님에게 상응하는 자유라는 사실에 있다. 따라서 헤겔이 단지 세계 저편에 있는 하나님에 관한 표상의 일면성을 비판

---

56) 죄에 대한 헤겔의 견해에 관해서는 참조, J. Ringleben, *Hegels Theorie der Sünde. Die subjektivitäts-logishce Konstruktion eines theologischen Begriffs*, 1977.

하고 진정한 무한자는 단지 유한자의 대립자일 뿐만 아니라 이런 대립을 포괄하면서 유한자에게 현존해야 한다고 생각한 것은 이미 밀러보다 덜 비판적인 사람에게도 범신론이란 의심을 사기에 충분했다.[57]

헤겔이 초기 셸링과 마찬가지로 범신론자였다는 신학적 판단은 헤겔 사후 소위 헤겔 좌파가 헤겔의 주장을 범신론적인 관점에서 해석했을 때 사실로 입증될 수 있었다. 이런 범신론적인 견해를 가장 먼저 공개적으로 주장한 사람들은 포이어바흐(Ludwig Feuerbach)[58]와 슈트라우스(David Friedrich Strauß)였다. 슈트라우스는 『예수의 생애』(1836) 결론 부분에서 하나님과 인간은 "본질적으로 하나"이며, 언제나 이미 존재하는 하나님과 인간의 이런 통일성이 인간 예수에 의해 의식되었다고 주장했는데,[59] 바로 이런 주장에서 그의 범신론적 입장이 우선은 은연중에 드러났다. 그런데 그의 『교의학』(1840)에 의하면 절대자에 대한 우리의 개념은 절대자 자체이며, 절대자의 "현실적 존재는 자연인데 사유하는 주체로서의 자아도 바로 자연의 일부"이다.[60] 슈트라우스는

---

57) W. Lütgert, *Die Religion des deutschen Idealismus und ihr Ende III*, 1925, 93. 20세기 신학에서 영향력 있는 뤼트게르트의 헤겔 비판에 내해서는 위의 각주 50번에 소개된 판넨베르크의 책 95쪽과 106쪽을 보라.

58) L. Feuerbach, *Gedanken über Tod und Unsterblichkeit aus den Papieren eines Denkers etc.* (1830, hg. anonym), p. Cornehl, *Die Zukunft der Versöhnung. Eschatologie und Emanzipation in der Aufklärung, bei Hegel und in der Hegelschen Schule*, 1971, 221ff., bes. 227ff. und den dort 217 Anm. 2 genannten Aufsatz.

59) D. F. Strauß, *Das Leben Jesu kritisch bearbeitet II*, 1836, 730, 734f.

60) D. F. Strauß, *Die christliche Glaubenslehre in ihrer geschichtlichen Entwicklung und*

삼위일체론을 사변철학의 관점에서 해석하면서 전통적인 신론이 여기서 "다소 결정적인 범신론으로 바뀌었다"고 주장했다.[61] 그의 이런 주장을 접한 사람은 누구나 슈트라우스 자신이 이런 견해를 가지고 있었으며, 이런 견해가 헤겔 철학의 올바른 해석이라고 생각했음을 알 수 있었을 것이다.[62] 이때 슈트라우스에게 결정적인 것은 셸링과 헤겔의 견해에 의하면 "성자 예수는 초월적인 정신적 존재자가 아니라 단지 세계이거나 유한한 의식 자체일 수 있다"는 것이었다. 슈트라우스의 이런 해석은 헤겔에 의해 확립된 구분, 즉 하나님의 내적인 삼위일체와 세계창조와 화해에서 나타난 하나님의 계시 사이의 구분을 무색케 함으로써 헤겔의 입장을 크게 왜곡시켰다.[63]

헤겔 좌파에 의한 범신론적 헤겔 해석은 관념론 철학에 대한 지속적인 편견과 헤겔에 대한 편견을 고착시킴으로써 신학에서 헤겔 철학의 영향을 가장 심각하게 손상시켰다. 그렇지 않다면 헤겔의 기독교 해석이 가지는 약점들은 결코 슐라이어마허 신학의 약점들보다 크지 않았다. 슐라이어마허는 헤겔과 마찬가지로 하나님의 인격성을 이해하는데 어려움을 느끼고 있었지만, 삼위

---

im Kampfe mit der modernen Wissenschaft dargestellt I, 1840, 399f.

61) F. Strauß a.a.O. 496.

62) F. Strauß a.a.O. 512. 참조, F. W. Graf, *Kritik und Pseudo-Spekulation. David Friedrich Strauß als Dogmatiker im Kontext der positionellen Theologie seiner Zeit*, 1982, 533ff.

63) F. Strauß a.a.O. 490. 각주 50번에 있는 저자(판넨베르크)의 주석을 참조하라.

일체론의 도움을 통한 이해를 거부하였으며, 창조자로서의 하나님에 대해서도 헤겔보다 적절하게 설명하지 못했다. 그럼에도 불구하고 슐라이어마허가 신학의 역사에서 현대 개신교의 아버지로 기록되는데 반해, 헤겔은 신학의 역사에서 주목을 받지 못했다. 이것은 헤겔주의가 범신론이란 의심을 받았기 때문이기도 하지만, 슐라이어마허의 사상이 헤겔의 사상과 달리 경건주의의 주관주의와 결합되었기 때문이기도 하다.

그럼에도 불구하고 헤겔의 영향이 개신교 신학에서 사라지지 않은 것은 무엇보다 헤겔이 자신의 철학을 통해 고대 교회의 교의학 특히 삼위일체론을 재조명했다는 사실 때문이다.[64] 슐라이어마허와 부활신학의 계승자들도 이런 상황의 무게를 피할 수 없었다. 따라서 19세기 중반에는 슐라이어마허 학파에서 시작하여 삼위일체론과 교의학에서 삼위일체론의 위상에 관해 격렬한 논쟁이 일어나게 되었다.[65] 셸링과 마찬가지로 성서의 영감을 초자연적으로 이해하지 않는 헤겔의 계시 개념도 이런 논쟁과의 밀접한 연관관계에서 논의되었다. 왜냐하면 슐라이어마허와 헤겔의 이론과 관련하여 이루어진 삼위일체 논쟁에서 중요

---

64) 헤겔좌파에서 유래한 비더만(A. E. Biedermann)의 교의학은 신을 절대정신으로 이해한 헤겔의 견해를 견지함에도 불구하고 고대교회의 교의학과 특히 삼위일체론의 핵심을 포기했다. A. E. Biedermann, *Christliche Dogmatik* (1869) 2. Aufl. Bd. II, 1885, 453-457.

65) 이런 논쟁의 역사는 - 도르너(I. A. Dorner)의 삼위일체론의 전역사로서 - 악스트-피스칼라(Chr. Axt-Piscalar)에 의해 제시되었다. Chr. Axt-Piscalar, *Der Grund des Glaubens. Eine theologiegeschichtliche Untersuchung zum Verhältnis von Glauben und Trinität in der Theologie Isaak August Dorners*, 1990, 94-141.

한 것은 "내재적인" 본질삼위일체(Wesenstrinität)와 구속사적인 계시삼위일체(heilsökonomischer Offenbarungstrinität)의 공속성인데, 이런 공속성은 그 자체가 하나님의 자기계시 사상에 근거한 공속성이기 때문이다. 이런 논쟁은 그리고 이런 논쟁에서 성취된 슐라이어마허와 헤겔의 이론을 종합하고자 하는 노력은 도르너(Isaak August Dorner)의 저서에서 최고조에 달했고 잠정적인 결론에 이르렀다.[66]

19세기 말에는 헤겔을 통해 재조명된 고대 교회의 삼위일체론과 기독론이 다시 잊혀지게 되었는데,[67] 이것은 철학에서 신칸트학파의 등장 때문이었으며, 고대 교회의 교의학이 헬레니즘 형이상학의 과도한 영향을 받아 왜곡되었다고 생각하는 – 이런 생각은 칸트를 따르는 리츨(Albrecht Ritschl)의 영향이었는데 – 신학적 경향 때문이기도 했다. 이때 두드러진 현상은 아니었지만 잠정적으로 중요한 것은 헤겔과 그의 사상에 의해 영향을 받은 신학적 경향과의 단절이었다. 이와 달리 바르트(K. Barth)는 리츨학파에 속해 있었지만 문화프로테스탄티즘과 리츨학파를 거부하고 특히 1차 세계대전 이후 계시신학을 재조명했으며, 많은 점에서 19세기의 사변신학, 특히 도르너와 대단히 가까웠던 삼위일체론이

---

66) 도르너 이외에도 그리고 트베스텐(A. D. Ch. Twesten)과 니츠(C. I. Nitzsch) 이후에 특히 리브너(Th. Liebner), 로테(R. Rothe) 그리고 마르텐센(H. L. Martensen)이 있다.

67) 삼위일체론과 기독론이 재조명되게 된 두 번째 동인은 후기 셸링의 계시철학에서 시작되었으며, 호프만(Johann Christian Konrad von Hofmann)과 토마시우스(Gottfried Thomasius)를 통해 19세기의 에어랑겐 신학에서 수용되었다.

기독교 신론을 위해 가지는 근본적 의미를 재조명했다.[68] 이와
함께 바르트는 삼위일체론이 기독교 신학을 위해 가지는 의미를
새로이 활발하게 논의하게 되는 단초를 제공해 주었다. 20세기
후반에 전개된 이런 논의에서 중요한 주제는 언제나 - 특히 J. 융
엘과 이 책의 저자(판넨베르크)에게 있어서 - 헤겔 철학과 신학의
관계였다. 특히 헤겔에게서 배울 수 있는 것은 삼위일체론은 단
지 일반적인 신론의 부수적 주제가 아니라 기독교적 하나님 이해
와 밀접한 관계가 있다는 사실이다.[69] 그러나 이때 삼위일체에
관한 지난 10년간의 논의는 삼위일체론을 계시신학에 근거하여
엄격하게 해명할 것을 요구하는 트베스텐과 니츠에 의해 촉발되

---

68) 마르하이네케와 도르너에 대한 긍정적 평가에 관해서는 참조, K. Barth, *Die protes-
tantische Theologie im 19. Jahrhundert. Ihre Vorgeschichte und ihre Geschichte*, 2
Aufl. 1952, 442-449 und 524-534. 도르너는 J. 뮐러(Julius müller)와 함께 19세기의
대표적인 신학자였다. 바르트는『교회교의학 구상』(1927) 서문에서 도르너가 "결정
적인 점들에서 신학적으로 편안한 느낌을 주는"(VI) 사람들 중 하나라고 말했다. 참조,
Pannenberg, *Die Subjektivität Gottes und die Trinitätslehre. Ein Beitrag zur Beyiehung
zwischen Karl Barth und der Philosophie Hegels* (KuD 23, 1977, 25-40); *Grundfra-
gen systematischer theologie* 2, 1980, 96-111, bes. 99f.

69) 이때 융엘은 예수 그리스도 안에서 하나님의 죽음을 통해 현대 문화세계의 신 부재를
묘사한 헤겔의 사상을 자세히 다루었다. (E. Jüngel, *Gott als Geheimnis der Welt. ZUr
Begründung der Theologie des Gekreuzigten im Streit zwischen Theismus und Athe-
ismus*, 1977, 55-137, bes. 83-132). 다른 방식이신 하지만 미국의 신학, 특히 알타이저
(Thomas J.J. Altizer)는 하나님의 죽음에 관한 헤겔의 언급에 근거하여 하나님의 죽음
을 주장했다. 참조, S. Daecke, *Der Mythos vom Tode Gottes. Ein kritischer Überblick*
1969, *bei Th. J. J Altizer besonders*: *The Gospel of Christian Atheism*, 1969, 62ff. 이 책
의 저자(판넨베르크)는 하나님의 죽음에 관한 헤겔의 명제와 니체에게서 그 명제의 발
전에 의거한 현대 문화세계의 이런 해석에 동조하지 않았다. 왜냐하면 예수 그리스도의
죽음이 하나님의 죽음으로서 이해될 수 있다는 명제는 신학적으로 문제의 소지가 있기
때문이다. 정통적인 기독론에 의하면 그리스도의 죽음은 비록 하나님이면서 동시에 인
간인 예수 그리스도의 인격의 중심인 신적 로고스의 죽음이라 할 수는 있지만, 이런 죽음
은 단지 인간성의 죽음이지 로고스의 영원한 신성의 죽음은 아니며 성부 하나님의 신성
자체의 죽음은 전혀 아니다.

었다. 그들의 이런 요구는 칼 바르트에 의해 - 비록 이들을 알지는 못했지만 - 계승되었다. 그들은 하나님을 절대정신이나 계시의 주체로 생각하지 않았으며, 삼위일체는 하나님의 계시행위의 내적 의미들이 예수 그리스도에게서 구현된 것이라고 보았다.[70]

4. 헤겔 철학의 지속적인 의미와 한계

독일 철학과 그의 국제적 확산의 역사에서 칸트 이외의 어떤 철학자도 수많은 논쟁과 다양한 유행에도 불구하고 그의 사상의 무게가 헤겔처럼 지속적인 사람은 없었다. 더구나 칸트를 통해 형성된 철학적 의식을 철저하게 넘어서야 한다고 요구하면서도 말이다. 헤겔의 체계 전체에 동조할 수 있는 사람들이 거의 없는데 비하면 그의 사상의 지속적 무게에 대해 동의하는 사람들은 현저하게 많다. 그 이유에 대해서는 앞으로 언급될 것이다. 이 체계가 불가역적으로 완전하다는 주장은 그 체계가 전개될 때 드러나는 최고 수준의 사상과 함께 후대의 사람들에게 언제나 매력적인 점과 거부감을 주는 점을 동시에 가지고 있었다. 헤겔의 학문체계는 그것이 처음 등장할 때 요구했던 것과 마찬가지로 현실적으로 불가능하다. 그럼에도 불구하고 그의 학문체계는 후

---

70) 참조, Pannenberg, *Systematische Theologie I*, 1988, 283-364.

대의 모든 사상을 평가하는 기준을 제시해 주었으며, 철학뿐만 아니라 신학을 위해서도 새로운 사유의 길을 열어주었다.

칸트에서 시작된 새로운 철학의 길에서 모든 경험을 유한한 주체의 의식에 제한시키는 것을 실질적으로 극복한 사람은 헤겔뿐이었다. 물론 셸링도 - 이미 후기 피히테가 그랬듯이 - 자기의식의 이중성은 그의 통일성의 근거로서 자기의식이 아닌 어떤 초월적 근거를 전제한다고 주장했을 뿐만 아니라 우리의 세계의식에서도 주체와 객체 사이의 모든 차이는 나와 세계가 일치할 수 있기 위해 우리 자신과 세계(주체와 객체)를 모두 초월하는 근거를 전제한다고 주장했다. 셸링은 이런 초월적 근거를 절대자라 했다. 그렇지만 셸링의 이런 사상에서 확실치 않은 것은 그의 자연철학적 이론들이 이런 주장과 어느 정도나 조화될 수 있었느냐 하는 것이며, 특히 그의 자연철학적 이론들에 우리 의식의 초월론적 조건들과 사유의 결합이 어느 정도나 표현되어 있느냐 하는 것이다. 이와 반대로 헤겔의 논증을 공감할 수 있는 모든 사람들의 입장에서 볼 때, 헤겔이 이미 1802/03년의 『신앙과 지식』에서 제시한 칸트 비판은 우리가 인식할 수 있는 것은 물자체가 아니라 현상들뿐이라는 칸트의 주관주의 또는 현상주의의 완전한 극복이었다. 이미 『신앙과 지식』에서 헤겔은 다음과 같이 칸트를 비판했다. "현상들만 인식하고 어떤 것도 그것 자체로 인식하지 못하는 오성은 그 자체가 현상이고 그것 자체의 즉자적인 어떤 것도 아니다."[71] 그리고 『정신현상학』은 칸트의 철학에 내재하는 "모순"을 정확하게 지적한다. 왜냐하면 칸트의 철학은 "단지 유한성에 관해서만, 더구나 진리로서의 유한성을" 알 수 있다고 주장하며, "진리로서의 유한성에 대한 이런 지식을 최고의 지식이라고" 주장하기 때문이다.[72] 헤겔이 지적한 모순의 핵심은 이렇다. 즉, 칸트는 오성에 의한 인식주체와 사물들 사이의 구분을 절대적이라고 생각하며, 또한 물자체와 현상 사이의 구분도 절대적이라고 생각하지만, 이런 구분들은 단지 오성 자신에 의한 구분이며 따라서 칸트가 생각하듯이 단지 오성에 나타나는 현상에 불과하다고 생각되어야 하는데, 이것은 결국 오성 자신의 표상에 대해서도 그렇다는 점이다. 이와 함께 실재와 현상의 모든 대립은 사라진다. 모든 것이 현상이고 그 현상이 드러나는 주체도 그렇다면, 현상에 대한 주체의 표상은 자기모순이다. 왜냐하면 주체의 표상은 단순한 현상이 아닌 '실재하는 것(Reales)'이 있음을 전제하기 때문이다. 헤겔은 단지 주관적으로만 타당한 것은 아니라고 인정되는 어떤 입장도 진리를 주장하지 않는 입장은 없다고 단언했다. 이것은 『정신현상학』의 반성과정을 주도하는 근본사상이다. 이런 반성과정에서 드러나듯이 모든 진리요구들은 단지 잠정적인 타당성을 가지며 진리에 대한 단순한 예상에

---

71) G. W. F. Hegel, *Glauben und Wissen*, PhB 62 b, 23.

72) G. W. F. Hegel, *Phänomenologie des Geistes* PhB 114, 400.

불과하다. 그럼에도 불구하고 헤겔은 지향된 진리는 철학적 개념에서 결정적으로 도달될 수 있다고 생각했다. 그렇지만 헤겔도 인정했듯이 그 개념은 여전히 단순한 예상이다. 우리가 현재 우리의 의식에서 그리고 우리의 사상적 주장들에서 진리를 신적인 것으로 그리고 절대적인 것으로 인식하고 있으며 이를 통해 우리가 가진 모든 개념의 유한성을 인정하게 되는 것으로 충분하지 않은가?

그렇지만 인간의 사상적 성취들이 가지는 불가피한 유한성을 반성할 때에도 주목해야 할 것은 계몽주의의 오성비판을 통해 우리의 인식에서 신을 제거하면 유한한 주체로서의 인간이 과장되어 마치 그의 유한성이 절대적인 것처럼 생각하게 된다는 헤겔의 통찰이다. 우리가 겸손을 가장하여 자신의 유한성 때문에 유한한 내용들만 의식할 수 있다고 주장하지만, 사실은 그렇게 주장함으로써 유한성 자체와 특히 인간 자신과 고유한 자아의 유한성을 절대시하고 실제로 그런 유한성을 신의 자리에 놓는다. 바로 이런 입장에서 헤겔은 근대의 세속적 문화세계의 불신앙(Gottlosigkeit), 즉 철학이 계몽주의와 함께 그리고 결정적으로 칸트의 인식비판과 함께 취한 방향전환을 비판했다. 헤겔의 이런 비판은 결정적으로 중요하지만, 그 의미는 오늘까지도 간과되고 있다. 근대문화의 근본이념, 즉 개인적 자유의 이념에 대한 헤겔의 비판은 - 이런 이념이 다른 해석에서는 헤겔 사상의 중심이지만 - 세속적 문화계의 불신앙에 대한 비판과 밀접한 관계가 있다. 유한한 주체를 절대시하는 것은 자유를 실현하기는커녕 오히려 진정한 자유를 파괴한다. 진정한 자유는 신 인식에 근거한다. 즉, 진정한 자유의 본질은 인간의 유한성을 절대시하는 대신 신과의 연대성을 의식함에 있다. 자유가 신과의 연대성에 기인한다는 기독교적 이해는 근대의 자유의식의 핵심적 진리를 내포하며, 근대사에서 자유사상과 자유의 실재가 붕괴된 것에 대한 필연적인 비판의 근거이기도 하다. 이런 자유사상의 붕괴는 계몽주의에서 시작되었으며, 현재까지도 계몽주의의 민주주의적 자유열정과 함께 계속되고 있다. 그러나 자유사상이 붕괴되면 필연적으로 자유사상에 근거한 헌법들과 정치적 상황도 붕괴된다.

헤겔이 신 개념을 명확하게 설명하기 위해 사용한 "진무한"(眞無限; wahrhaft Unendlichkeit)이란 개념은 '하나님과 자유'라는 주제와 밀접하게 결합되어 있다. 하나님의 무한성은 닛사의 그레고리우스 이후 기독교 신론의 근본개념이다. 그렇지만 헤겔 이전에는 무한이 단지 유한과 대립되는 것으로만 생각되었다. 비록 인간이 자신의 유한성을 초월하는 신비한 체험에서 하나님의 무한성에 참여한다고 생각하기는 했지만 말이다. 이와 달리 헤겔은 무한성과 유한성과의 차이는 물론 이런 대립의 극복을 포함한다고 주장했다.[73] 이런 의미에서 성육신은 하나님이 자신을 그의 이런

---

73) 무한성과 유한성의 이런 관계는 신에 관한 모든 다른 견해들의 기준이 되기도 하는데, 이에 관해서는 참조, T. Koch, *Differenz und Versöhnung. Eine Interpretation der Theologie G. W. F. Hegels nach seiner "Wissenschaft der Logik"*, 1967. 이 책에 대한 모든 비판은, 특히 토이니센(M. Theunissen)의 비판은 "진무한"이란 개념이 – 이 개념은 헤겔

"진무한성"에서 계시한 사건으로 이해될 수 있었다. 성육신이 절대자 자신에 의해 인간이 절대자와 공동체를 형성한 사건으로서 인간 자유의 토대인 한, 헤겔의 "진무한" 개념은 그의 자유사상, 즉 자유가 전적으로 신약성서의 의미에서 하나님과 그의 성육신에 기초한다고 생각하는 자유사상과도 밀접하게 결합되어 있다. "아들이 너희를 자유롭게 하면 너희가 참으로 자유로우리라."(요 8:36)

진무한이란 개념이 유한자와 단순히 대립될 수 없는 것은 단순히 유한자와 대립되는 무한자는 여전히 유한하기 때문이다. 유한자라는 개념은 형식논리에서 볼 때 타자와 대립된 것을 의미하기 때문이다. 타자와 단순한 대립관계에 있을 뿐만 아니라 타자와의 이런 대립관계를 자기 자신의 계기로 가지는 것만이 진정으로 무한하다. 헤겔의 이런 사상에 따르면 성육신은 하나님의 절대성을 계시하는 사건이다. 하나님은 그의 아들이 창조된 인간의 현실에 성육신한 바로 그 사건에서 본질적인 자기 자신이기 때문이다. 신 개념에 관한 철학적 해명이든 기독교 신학이든 헤겔의 이런 사상을 쉽게 납득할 수 없다.

질적인 무한자의 본성에 관한 이런 통찰보다 더 문제가 되는 것은 헤겔이 자신의 철학을 스피노자의 철학과 차별화하기 위해

에게서 이미 존재논리의 과정에서 정착되었는데 - 절대자에 대한 이후의 모든 규정들의 기준이라는 핵심 주장을 무력화시키지는 못했다. (참조, M. Theinissen, *Hegels Lehre vom absoluten Geist als theologisch-politischer Traktat*, 1973, 39-42). 이렇게 볼 때 헤겔이 다른 저작들에서 이런 사상을 빈번하게 사용한다는 점도 설명된다.

사용한 그의 또 다른 명제이다. 그 명제에 따르면 절대자는 실체가 아니라 주체이다. 스피노자는 유한한 사물들의 자립성을 인정하지 않았다. 존재의 완전한 독립성을 의미하는 단 하나의 실체만이 있을 뿐이기 때문이다. 그리고 이런 실체는 무한하며 신과 동일하다. 이와 달리 헤겔에 따르면 절대자는 초기 피히테에게서처럼 자신을 자신의 타자로서 정립함으로써 자신을 표현하는 주체이다. 이것은 자아의 사실행위로부터 자기의식의 구성을 설명하는 초기 피히테의 사상과 같다. 피히테에 의하면 자아는 자기 자신을 자기에 대하여 반정립하며, 이렇게 반정립된 자기와 자신이 동일함을 의식한다. 헤겔은 이런 사유의 틀에 따라 기독교의 삼위일체를 설명했다. 성부는 아들에게서 자기 자신을 자신의 타자로서 낳으며, 그렇게 낳은 성자와 자신이 동일함을 안다. 이런 해석은 진무한은 자기 자신의 타자이면서 이런 타자에게서 자기와 동일하다는 사상에 기초한다. 헤겔은 절대자는 자신을 외화하고 이런 외화에서 자기 자신으로 존재하는 주체라는 사상에서 그의 진무한 사상이 요구하는 것이 구체적인 내용에서 충족되었다고 보았다. 그러나 주체가 자기 자신을 정립하고 자신의 타자에서 자기 자신과 동일하다는 사상은 진무한 사상과 달리 철학적으로도 신학적으로도 문제가 있다. 그 사상은 철학적으로 볼 때 성립할 수 없다. 왜냐하면 - 피히테가 이미 후기사상에서 지식론의 토대를 정립하기 위해 통찰해야 했듯이 - 정립하는 자아와 정립된 자아는 결코 우리의 자기의식에서 우리가 우리 자신과 동일함을 알듯이 그렇게 동일할 수 없기 때문이다. 만일 자아가 자기보다 앞서는 자신의 근거를 통해 자신이 정립된 것으로 이해해야 한다면, 이 신적인 근원은 엄밀한 의미에서 또 다른 하나의 자아 또는 주체라고 생각될 수 있다. 헤겔은 후에 자신의 처음 입장을 지양한 피히테와 달리 1794년의 피히테처럼 여전히 절대자의 주체성을 자아를 정립하는 주체라고 생각했다. 따라서 그는 절대적 주체의 자기동일성이 자신에 의해 산출된 자신의 타자를 통해 매개된다고 보았다. 이때 절대적 주체는 단지 그에 의해 산출된 그의 내적 대립물을 통해 규정될 뿐만 아니라 유한한 사물들의 세계를 산출하고 그 세계에서 자기 자신에 대해 절대적 타자성이 되며, 자연이 정신으로 발전한 단계에서, 즉 인간에게서 자기 자신을 파악한다.

절대자를 자신의 타자에게서 자신을 정립하는 주체로서 파악하는 – 물론 이때 주체는 단지 절대적 주체가 자기관계를 정립하기 위해 통과하는 과정이긴 하지만 – 철학적 불충분함은 이런 절대자 개념이 기독교 신학의 본질적 관심들과 충돌하게 된 모든 문제점들에 대해 책임이 있다. 신학적으로 볼 때 절대자가 자신을 외화함으로써 자신을 정립한다는 이런 견해는 무엇보다 그로 인해 삼위일체의 순수한 의미, 즉 성자와 성령이 성부로부터 유래했음에도 불구하고 세 위격들은 동등하며, 성자와 성령이 성부와의 관계에서 위격적인 독자성을 가진다는 의미가 왜곡되기 때문에 문제이다. 그렇지만 헤겔은 삼위일체론을 (자기의식이란 의미의) 정신개념으로부터 도출함으로써 아우구스티누스에까지 소급되는 서구 기독교의 오랜 신학적 전통에 서 있었다. 인간 영혼에 통일성과 차이성이 결합되어 있다는 사실을 통해 삼위일체를 설명하는 아우구스티누스의 이론은 안셀무스(Anselmus von Canterbury) 이후 자기의식의 구조로부터 삼위일체론을 도출하기 위해 이용되었다. 이런 사상은 이미 레싱에 의해 다시 수용되었으며, 헤겔에 의해 다시 한 번 최고의 사상적 체계를 갖추게 되었다. 만일 이런 형식의 삼위일체론이 불충분한 것으로 판단된다면, 이런 판단은 단지 헤겔뿐 아니라 그에게서 유래한 신학적 전통 전체에게도 해당된다. 특히 주체로서의 절대자를 삼위일체 방식으로 설명하는 헤겔의 철학과 기독교 삼위일체론과의 관련성 때문에 그의 철학은 19세기 신학에서 바르트에 이르기까지 그리고 그 이후에까지도 삼위일체론에 대한 관심을 새로이 촉발시키는 계기가 되었다고 볼 수 있다. 이것은 헤겔이 기독교 신학에 기여한 가장 중요한 공로이다. 헤겔의 철학은 - 비록 당시의 대다수 신학자들에 의해 무시되기는 했지만 - 기독교의 가장 중요한 교리들, 특히 삼위일체론과 그에 근거한 성육신 이론이 다시 중요한 신학적 주제로 부각되는 계기가 되었다. 그럼에도 불구하고 헤겔의 사변적 삼위일체론은 신학적으로 비판의 여지가 있다. 신학은 삼위일체론을 주체로서의 하나님 개념으로부터 도출해서는 안 되고, 예수 그리스도를 통한 하나님의 계시에서 성부, 성자와 성령의 동근원적 전체로서 해석해야 되기 때문이다. 개념 또는 절대적 이념의 자기전개에 관한 헤겔의 주장과 그의 삼위일체론 해석의 연관성은 삼위일체론에 관한 그의 새로운 해석이 19세기 신학에 남긴 깊은 인상에도 불구하고 무조건적으로 수용되지는 않았다. 헤겔에 대한 신학의 편견들에 대해 제기될 수 있는 모든 비판에도 불구하고, 그리고 헤겔을 비판하는 유신론적 하나님 표상들을 진부한 개념의 기준에서 판단한다면 그런 표상들에는 여전히 불충분함이 상존함에도 불구하고, 헤겔의 이론이 무조건적으로 수용되지 않았던 데에는 그럴 만한 이유가 있다.

계시 개념 자체는 신학이 헤겔에게 빚지고 있는 가장 대표적인 주제이다. 헤겔에 의하면 자기계시는 정신 또는 주체로서의 하나님의 본질에 속한다. 이 주제는 헤겔의 사변적 삼위일체론과 밀접히 연관되어 있다. 자기계시는 '타자 속에서 자신을 인식함'의 조건인 자기외화와 함께 일어나기 때문이다. 외화된 것과의 통일성이 계시를 통해 다시 회복된다. 이런 의미에서 헤겔은 이미 창조를 하나님의 계시라고 생각했다. 이와 달리 기독교 신학자들은 삼위일체에 관한 슐라이어마허 학파의 논의에서 이미 하나님의 자기계시 사상을 성서적-주석적 근거들로부터 예수 그리스도의 복음과 역사와 관련시켰다. 그럼에도 불구하고 헤겔의 사상은 신학으로 하여금 삼위일체론이 계시사건의 신학적 해석이라고 생각할 수 있도록 도와주었다. 이제 신학은 예수의 교훈과 역사에서 성부와 성자가 동등한 관계로 결합된 사건에 주목하게 되었다. 따라서 20세기 신학에서 칼 바르트는 계시와 삼위일체의 관계를 새로운 관점에서 해석하였다. 그리고 바르트가 안내해 준 길에서 계속적인 논의가 이루어지기도 했다. 물론 바르트와 달리 계시 개념을 역사와 결합시키는 주장도 있기는 했지만 말이다. 많은 비판에도 불구하고 신학에는 바로 신론과 삼위일체론의 토대가 되는 논의, 즉 하나님의 계시를 자기계시로 생각하는 논의가 여전히 상존하였다. 계시에 관한 이런 개념은 계시를 성서영감 또는 기적적인 역사적 사실의 영향으로 이해하는 대안으로 셸링에 의해 처음 주장되었는데, 헤겔 이후에는 신학에서 이런 개념이 기독론적으로 아버지와 아들의 관계와 결합되었다.

이와 같이 헤겔은 여러 가지로 기독교 신학에 크게 기여했다. '진무한'으로서의 하나님 사상, 이와 연관된 새로운 관점의 삼위일체론과 성육신 신앙, 하나님의 자기계시로서의 계시 및 계시와 삼위일체론과의 관련성에 대한 이해 등이 그것이다. 관념론 철학자들 중 어느 누구도 헤겔처럼 기독교와 긍정적 관계에 있었던 사람은 없었다. 물론 후기의 셸링은 1841년 이후 신화와 계시에 관해 베를린에서 행한 강의들에서 기독교 교리에 관한 헤겔의 해석을 극복하려고 했었다. 그러나 그는 헤겔의 신론에서 보이는 논리적 토대의 철저성과 차별성에는 도달하지 못했으며, 세계 창조의 자유를 강조한 점을 예외로 한다면 헤겔의 종교철학처럼 기독교 교리형성의 신학적 정황을 정확하게 제시하지 못했다. 사람들은 기독론의 진술들을 대하면 단지 예수의 선포와 역사 사이의 관계에 관한 헤겔의 해석을 생각한다고 한다. 바로 이 점에서 헤겔은 칸트보다 더 기독교의 정신에 가까웠다. 칸트는 기독교의 핵심 교리들에 대해 헤겔보다 훨씬 더 회의적이었다. 그렇지만 신학자들 중에서 헤겔의 이론을 추종하는 사변신학자들이 많지 않았던 유일한 이유는 헤겔이 소위 범신론자라는 편견 이외에도 모든 것을 포괄하는 논리적 필연성을 요구하는 헤겔의 입장, 즉 단지 창조만이 아니라 타락과 화해도 신적 이념의 전개과정에서 필연적인 계기들이라고 생각하는 헤겔의 입장에 대한 회의적 시각 때문이었다. 비록 헤겔은 이런 논리적 필연성 자체를 자유라고 생각하고자 했지만, 사람들은 신학에서 이런 주장을 하는 것은 신적인 세계창조의 자유를 손상시키는 것이라고 보았으며, 단지 죄의 기원에 관해서 뿐만 아니라 창조된 존재의 관점에서도 인간의 자유를 모호하게 만든다고 생각했다. 2권으로 출판된 『기독교적 죄론』(1838)에서 헤겔에 대해 이렇게 비판한 사람은 특히 뮐러(Julius Müller)였다. 비록 뮐러의 비판이 많은 점에서 헤겔의 사상을 왜곡하기는 했지만, 자기 자신을 외화하고 그런 외화에서 다시 자신과의 일치에 도달하는 절대적 이념에 관한 헤겔의 견해가 결코 피조물의 결정적인 독립적 존재를 주장하는 것은 아니라는 점에서는 옳다. 신학적으로 볼 때 피조물의 존재는 단지 절대적 이념이 자기전개 과정에서 통과하는 점이 아니다. 스피노자가 오직 하나의 실체만이 있다는 이론으로 성서의 창조신앙을 설명하려 할 때 가졌던 어려움이 헤겔에게서 부분적으로 개선되기는 했지만 완전히 해소되지는 않았다. 왜냐하면 헤겔은 피조물의 독립적 존재가 결정적이고 종말론적인 하나님의 의지의 표현이라고 생각할 수 없었기 때문이다. 역사에서 일어나는 우연한 사건들을 고려하지 않은 것도 이와 무관하지 않다. 비록 헤겔이 개념은 개체에서 비로소 완전히 자기 자신에 도달한다는 점을 강조할 수 있었다 할지라도 말이다. 헤겔은 사실 철학 강의들에서 경험적 개체를 강의 자료로 사용하려고 놀라울 정도의 노력을 기울였다. 그렇지만 그는 다시 이념의 논리적 필연성에 비해 개체는 중요하지 않다고 선언할 수 있었다. 그러므로 절대적 이념의 운동에 흡수되어 사라질 수 없는 개체의 유한성과 그의 존재가 중요하다고 생각하는 사람들은, 특히 이해하는 사유 자체의 유한성도 중요하다고 생각하는 사람들은 헤겔의 견해를 비판하지 않을 수 없었다.

4장 인간론으로의 전환

1. 헤겔 이후의 철학적 특징

인간론으로의 전환에 대한 요구는 무엇보다 헤겔 좌파의 구호였다. 그렇지만 실제로 이런 전환은 더 나아가 헤겔 이후 철학의 일반적 경향이기도 했다. 결과적으로 이런 전환은 현재까지의 다양한 철학적 경향들을 결정지은 토대가 되었다. 세계와 인간 사회를 이해하기 위한 토대가 더 이상 신이나 절대자가 아니라 인간 자신이라고 생각하게 되었다. 인간론으로의 이런 전환에서 중요한 것은 더 이상 단순히 인간이 신 인식의 출발점이라는 사실만 강조된 것이 아니라 신이 인간의 상상의 산물로 축소되었다는 것이다. 심지어는 이런 경향과 정반대의 움직임조차도 ─ 이런 움직임은 이미 키에르케고르에게서 일어났다 ─ 인간론적 기준에서 그 정당성이 입증되어야 했다.

일반적인 문화의식에서 인간론으로의 이런 전환을 위한 전제들은 당연히 훨씬 더 이전까지 소급된다. I권 6장에서 지적되었듯이 17세기 유럽에서는 종교개혁 이후에 일어난 종교전쟁이 끝난 후 종교와 사회의 관계에 관한 의식에 큰 변혁이 있었다. 딜타이가 지적했듯이 이 시대는 법질서와 국가관, 도덕과 심지어 종교 자체를 이전처럼 신이 아니라 인간의 보편적 본성에 근거하여 새롭게 정립하려는 움직임이 있었다. 그러나 문화체제의 이런 근본적 변혁은 그리고 그와 함께 사회체제의 이런 근본적 변혁은 무엇보다 사회의 공동체적 삶에 근간이 되는 주제들로부터 종교에 관한 논의들을 배제하는 것을 목표로 했다. 물론 인간과 그의 이성 및 자연의 존재와 고유한 본성의 궁극적 근거를 인간과 자연의 창조자인 신에게서 찾을 수도 있었다. 그런데 철학의 과제는 인간 삶의 이런 근거를 보편타당한 형태로 확보해 주는 것이었다.

데카르트와 그 후의 철학 및 로크와 그를 지지하는 경험론자들은 인간과 사회가 사상과 삶 및 자연과의 관계를 위해 신을 전혀 필요로 하지 않는다는 의미에서 인간론으로의 전환을 주장하지는 않았다. 흄과 칸트도 그런 의미의 전환을 의도하지는 않았다. 비록 경험의식의 통일성이 전적으로 인간과 그의 자기의식에 근거한다는 칸트의 사상에서 신 개념이 중심에서 멀리 밀려나 신의 불필요성에 대한 물음이 제기될 수 있기는 했지만 말이다. 실제로 칸트의 신에 대한 믿음의 도덕적 근거해명이 타당하지 않은 것으로 입증되었을 때 그런 물음이 제기되었다. 그렇지만 자기의식을 그에 선행하는 절대적 근원에서 보다 근원적으로 해명할 필요가 있다는 피히테의 통찰은, 그리고 인간의 세계이해, 즉 주관적 자발성과 그에 선행하는 객관적 자연계의 일치 가능성을 근원적으로 해명할 필요가 있다는 셸링의 인식은 다시 한 번 모든 실재성이 ─ 주관적 실재성이든 대상적 실재성이든 ─ 절대자에 근거함을 이성적으로 해명하는 길을 열어놓았다. 그런 해명은 헤겔의 철학에서 모범적이고 체계적인 형태로 이루어졌다.

그러므로 포이어바흐의 헤겔 비판에서 야기된 인간론으로의 전환이 19세기 중반에는 더 이상 전혀 새로운 것이 아니었다. 그런 전환은 이미 인간의 본성이 사회의 토대라는 17세기의 각성을 통해서 준비되어 있었으며, 철학에서는 로크에게서 시작된 경험론 전통과 특히 칸트와 초기 피히테를 통해 준비되어 있었다. 그러나 인간론으로의 전환은 헤겔의 체계에 대한 반발에서 본격적으로 시작되었다. 로크는 물론 칸트나 피히테도 신의 자리를 빼앗아 그 자리에 인간을 앉히려 하지는 않았다. 칸트의 이론철학에 관한 한 이런 결과는 그의 사상의 주된 의도들과 신학적 동기들과 모순되는 것이었다. 그런데 이제 포이어바흐, 슈티르너, 마르크스와 니체에게서 인간을 통해 신을 대체하려는 계획이 수립되었다.

헤겔의 체계는 공적인 문화의식을 인간 대신 신에 근거하여 해명하려 시도한 마지막 철학적 시도였다. 그것도 특히 인간의 진정한 자유를 위해서 말이다. 물론 후기 셸링도 헤겔에 비해 약하기는 하지만 그런 노력을 하기는 했다. 그런 철학적 시도와 함께 헤겔은 데카르트에서 시작된 일련의 철학적 체계기획들, 즉 종파적 논쟁에 빠져 제 기능을 수행하지 못하는 종교 자체를 대리한 ─ 이때 구체적인 기독교적 전통의 종교가 개인의 필요를 위해 지속적으로 중요하다는 사실이 인정되었으면 좋겠지만 ─ 철학적 체계기획들의 마지막 기획자였다. 그렇지만 절대적 이념이란 개념에 병합되어 증발된 인간의 유한성이 이제 헤겔에게 그의 권리를 돌려달라고 청구했다. 절대적 이념이란 개념 자체는 철학자의 사변적 창작물, 즉 자기의 생각을 초인간적인 신적 진리라고 사칭하지는 않는다 할지라도 그의 추상적 개념들을 구체적 현실과 터무니없이 혼동한 것이라고 선언함으로써 말이다.

Ⅱ권 3장 마지막 부분에서 제시된 비판적 견해들에서 알 수 있듯이, 헤겔 사후 10년 후에 시작된 그의 사변적 체계에 대한 반동은 적어도 부분적으로는 정당한 것이었다. 왜냐하면 헤겔이 절대적 이념과 그 이념의 자기전개에 관해 언급할 때, 그는 반성하고 구성하는 철학자인 자기 자신의 유한성을 더 이상 주제로 삼지 않고 마치 그가 자신의 유한성을 극복하고 절대적 이념의 단계에 도달했다고 믿는 것처럼 말했기 때문이다. 그런데 이제 헤겔에 대한 그런 반동이 포이어바흐에 의해 관철되었으며, 후에는 마르크스에 의해서만이 아니라 관점과 강조점에서 차이가 있긴 하지만 막스 슈티르너와 키에르케고르 그리고 후에는 니체와 딜타이에 의해서도 그런 움직임이 있었다.

여기서 이루어진 전환이 이후의 철학적 경향들의 단초가 되었다. 딜타이는 물론 키에르케고르와 니체에 의해 촉발된 20세기의 실존주의도 이런 경향들 중 하나이다. 그렇지만 이런 전환과의 관련성이 명백하지 않는 철학들도 헤겔 이후에 나타난 인간론으로의 전환을 계기로 등장하였다. 그러므로 인간론으로의 전환은 19세기 중반 이후 칸트에 대한 새로운 관심이 등장하게 된 계기가 되기도 했다. 왜냐하면 이런 관심에서 중요한 것은 여전히 경험인식과 세계관계의 토대를 인간의 주체성에서 비판적으로 해명하는 것이었기 때문이다. 이런 관심을 통해 칸트주의자들은 실증주의자들과 차이가 있었다. 그러나 신칸트학파의 인식비판은 칸트와 달리 단지 형이상학을 거부하고 자연과학적 기초 개념들의 근거해명에 초점을 맞추고 있었다.[1] 따라서 신칸트학파에게서 인식비판의 목적이 달라졌다. 이제 인식비판은 더 이상 칸트에게서처럼 형이상학을 재정립하기 위한 준비단계가 아니라 과학의 전제들에 대한 철학적 근거해명이었기 때문이다. 그러나 과학은 그런 인식론적 근거해명을 필요로 하지 않았다. 과학은 자체의 독립적인 방법론에 근거하여 발전하였다. 따라서 비판적 반성의 의미는 사실상 단지 과학적 세계이해와 인간 주체성과의 관계를 해명하는 것이었다. 이런 해명에 있어서 과학적 세계인식이 오성기능의 자발성에 최종 근거를 가진다는 전제에는 인간과 세계에 관한 형이상학적 요구가 포함되지만, 그런 요구가 그 자체로 주제로 다루어지지는 않았다.

1차 세계대전 이후에 등장한 소위 논리실증주의 또는 비인학파의 '신실증주의'에서는 인식론적 근거해명 대신 형이상학에 의존하지 않고 도식화가 가능한 대상언어를 확보하려고 했지만,[2] 그런 시도는 좌절되었다. 왜냐하면 모든 명제들이 의미 충족적

---

1) 참조, H. Holzhey, "Neukantianismus", in: *HistWB Philos* 6, 747-754.

2) 이런 대상언어에 관한 보다 자체한 내용을 위해서는 참조, V. Kraft, *Der Wiener Kreis. Der Ursprung des Neupositivismus*, 1950, 2. Aufl. 1968.

이기 위해서는 그 명제들이 감각자료들 자체에서 검증되어야 한다는 요구가 관찰을 통해 검증될 수 없기 때문이다. 따라서 비트겐슈타인은 그의 후기사상에서 모든 형식언어는 표준이 되는 일상언어에서 해석되어야 하며, 따라서 일상언어로 환원될 수 있어야 한다고 생각하여 표준언어의 철학을 제시했다. 비트겐슈타인의 표준언어 철학은 철학적 언어사용을 경험적으로 검증 가능한 "표준적인" 언어사용의 기준에서 평가해야 한다고 주장함으로써 형이상학을 비판하는 실증주의자들의 입장을 고수했다.[3] 그러나 그의 이런 기획도 지금은 실패한 것으로 평가된다. 왜냐하면 언어와 단어사용의 신축성과 역사적 가변성을 고려할 때 "표준적인" 언어사용을 표준적인 언어사용에서 벗어난 언어형식들의 기준으로 확정하는 것은 불가능하기 때문이다.

신칸트학파의 인식론적 기획과 기초철학적 언어이론을 확립하려는 20세기의 노력 사이에는 많은 유사점들이 있다. 이들 두 기획들의 특징은, 무엇보다 논리실증주의는 물론 표준언어 철학도 다양한 인식기능들과 그들의 언어적 표현의 원천이라고 간주되는 인식주체의 심의를 더 이상 필요로 하지 않는다는 점이다. 오히려 언어는 본래부터 상호주관적 현상으로 간주된다. 그렇지만 오늘 우리가 인식론과 기초철학적 언어철학에 관심을 가지는 이유는 그들이 헤겔 이후 철학에 등장한 인간론으로의 전환을 대

---

3) 참조, T. Tugendhat, *Vorlesungen zur Einführung in die sprachanalytische Philosophie*, 1976; E. v. Savigny, *Die Philosophie der normalen Sprache*, 1969.

표한다는 점 때문이다. 인간론으로의 전환을 계기로 하여 관념론 철학에서 절대자 개념과 결합되었던 기초철학적 위상을 인간이 차지하게 되었다. 이때 철학적 인간의 본질이 인식이나 언어에 있다고 생각하느냐 아니면 막스 셸러에 의해 주창되어 특히 플레스너와 아놀드 겔렌에 의해 체계화된 철학적 인간론에서처럼 모든 학문들을 통합하는 포괄적 인간론이 언어와 인식의 이해를 위한 기초로서 요구되느냐 하는 것은 중요하지 않다. 비록 언어가 모든 인식과 의사소통의 절대적 조건이라 할지라도 언어의 이런 기능에 대한 반성적 지식은 언제나 이미 우리의 인간이해, 즉 우리가 타자와 함께 존재하는 존재자라는 인간이해에 내포되어 있다. 따라서 기초철학으로서의 언어분석은 인식론과 마찬가지로 추상적이다. 언어분석과 인식론은 모두 철학적 반성의 측면에서 볼 때 인간론적 근거를 필요로 한다. 그런 근거가 없다면 '언어'는 칸트주의자의 인식주체와 마찬가지로 사실로 전제된 것에 머문다.

마지막에 언급된 헤겔 이후의 철학적 경향들, 즉 언어분석과 인식론에 관해서는 여기서 더 이상 자세히 다루지 않을 것이다. 철학과 신학의 관계에 대한 그들의 논문이 거의 없기 때문이다. 종교철학에 대한 신칸트학파의 논문들은 오늘날 더 이상 관심의 대상이 아니며, 언어분석의 논문들은 주로 전통적인 실증주의적 형이상학 비판과 다르지 않았으며, 종교적 담화의 대상관계를 정서적 기능들로 축소시키고자 했거나,[4] 아니면 언어분석을 사용하기는 하지만, 여전히 형이상학적 전통과 신학적 전통의 유산에 의존하고 있다. 인간론이 신학을 위해 중요한 이유가 한 가지 있기는 하다. 신학이 종교적 주제를 인간학적 연구와 인간론으로부터 제외시키려는 세속주의에 맞서 하나님 관계와 종교적 삶에서 그 관계의 반영이 인간의 정체성을 위해 본질적으로 중요하다는 사실을 고수해야 하는 한에서 말이다[5] 그러나 철학적 신학의 전통에 대한 관계에서와는 달리 인간론과 인간학을 참조할 때는 하나님과 그의 계시가 신학의 직접적인 주제가 아니라 오히려 하나님에 관한 담화가 합리적으로 유의미한 것으로 남기 위한 토대를 확보하는 것이다. 그런 토대 확보가 필요했던 이유는 헤겔 이후 인간론으로의 전환에 의해 야기된 형이상학 전통과의 결별 때문이다.

철학의 근본 주제로서 인간론으로의 전환은 종종 자연주의 인간관과 결합되어 나타났다. 포이어바흐와 마르크스의 유물론은 이미 자연주의 인간관을 지향하고 있었다. 이제는 인간과 그의 고유한 속성을 자연과의 관계에서 볼 것이 실질적으로 요구되었다. 19세기 후반부터는 특히 진화론이 인간을 자연의 산물

---

4) 그런 견해들과의 대결에서 신학을 위해 무엇보다 중요한 것은 종교적 명제들의 인식적 요구이다. 참조, Vf., *Wissenschaftstheorie und Theologie*, 1973, 34ff., 331ff.; "하나님"이란 단어의 언어분석적 논의에 대해서는 참조, Vf., *Systematische Theologie I*, 1988, 73ff.

5) 참조, W. Pannenberg, *Anthropologie in theologischer Perspektive*, 1983.

로서 새롭게 이해하는 것을 가능하게 했다. 그렇지만 자연에 관한 인간의 모든 지식은 언제나 인간의 지식이다. 그리고 모든 자연주의는 자연에 관한 지식이 결국 인간의 주체성에서 일어남을 인정해야 한다. 헤겔의 절대적 이념이 인간 주체성의 산물이듯이 말이다. 그렇지 않으면 한 번 이루어진 자연탐구와 객관적 자연자체가 동일시된다. 마치 미래에도 과학이 우리에게 자연의 진실에 관해 새로운 것을 가르쳐주지 못할 것처럼 말이다. 또한 자연탐구와 객관적 자연자체가 동일시된다면 인간 삶의 열린 미래를 바라보며 현재 상태를 넘어서는, 그리고 인간의 자연기원을 넘어서는 삶의 차원이 쉽게 무시된다. 그렇기 때문에 생철학은 인간에 대한 깊은 이해를 통해 우리의 인간적 현존을 넘어서는 생의 연관들에 도달하기는 하지만, 우리를 채우는 생명감정에 의존하여 생명을 이해한다. 특히 화이트헤드에게서 완성된 과정철학(process philosophy)의 출발점이 된 베르그송의 사상이 그렇다. 물론 생철학이란 개념이 니체와 딜타이에 의해 서로 다른 의미로 사용되기는 하지만 말이다.[6] 생철학과 과정철학은 헤겔 사후 등장한 인간론으로의 전환에 기초하여 다시 한 번 형이상학을 정립하려 한 소수의 철학적 경향들 중 하나이다. 이런 경향이 베르그송과 화이트헤드에게서는 강하게 나타났지만 딜타이의 생철학과 그에게서 시작된 실존주의에서는 약했다. 화이트헤드는 다시

---

6) 생철학이란 개념의 다의성에 관해서는 참조, G. Pflug, "Lebensphilosophie", in: *HistWB Philos*. 5, 1980, 135-140.

한 번 주저 없이 형이상학이란 개념을 철학의 과제를 가리키는 개념으로 사용했다. 이때 그는 형이상학자의 학적 방법론을 "상상적 일반화"(imaginative generalization)[7]라고 표현했다. 그의 형이상학적 우주론은 인간의 자기경험의 일정한 특징들을 일반화한 것처럼 보인다. 따라서 화이트헤드의 과정철학은 관념론 이후의 철학 전체를 특징짓는 인간론적 전환을 토대로 한다.

헤겔 이후에는 인간이 근본적으로 새로운 의미에서 철학의 주제가 되었다. 그렇지만 헤겔은 이미 이런 입장을 철저히 비판한 적이 있었다. 그는 이런 입장이 당시의 경향에서 이미 시작되었음을 보았다. 헤겔의 비판에 따르면 새로운 인간론에서는 본질적으로 유한한 인간이 절대자로 간주된다는 것이다. 이것은 모순이다. 인간은 유한하며 따라서 절대자가 아니기 때문이다. 그러나 헤겔이 옳게 지적했듯이 유한자 특히 인간을 절대시하는 것은 인간이 유한하게 주어진 것을 넘어서지 않을 수 없으며 어떤 방식으로든 절대자를 생각하지 않을 수 없음을 입증하는 사실이다. 만일 인간이 절대자를 자기 자신과 (그리고 모든 유한자와) 구별하지 않는다면, 그는 자신을 (또는 어떤 다른 유한자를) 절대적이라고 생각한다. 유한자를 절대화함으로써 절대자로 고양시키는 이런 모순적인 형식은 나름대로 - 비록 의도적이지 않다 할지라도 - 종교적 주제가 인간의 삶에 속한다는 사실을 확인시켜 준다. 루

---

7) A. N. Whitehead, *Process and Reality. An Essay in Cosmology*, 1929, 6ff., 각주 8.

터도 유사한 견해를 표명한 적이 있었다. 물론 헤겔과 달리 사유의 관점에서가 아니라 신뢰의 관점에서이긴 하지만 말이다. 루터에 의하면 인간은 그가 어느 곳에 있든 절대적으로 신뢰하지 않을 수 없으며 따라서 신을 가지지 않을 수 없다. 문제는 그의 신뢰가 어떤 것에 대한 신뢰이며 어떤 신을 가지는가 하는 점이다. 문제는 그가 가지는 신이 진리로서의 신인가 아니면 우상인가 하는 점이다. 헤겔은 유한자를 절대시함으로써 절대자의 철학으로부터 멀어질 것을 예상하면서 새로운 인간론을 비판했는데, 실제로 헤겔 사후 인간이 인간을 위한 최고의 본질이라고 생각하는 인간론적 전환을 통해 이런 현상이 나타났다.

이 장의 다음 단원에서는 헤겔로부터 분리되면서 등장한 가장 중요한 입장들이 간단하게 다루어지고, 다음에는 그와 관련하여 인간의 위치를 새롭게 규정하는 기준이 된 방향들이 다루어질 것이다. 이때 20세기 철학 전체를 개관하는 것은 중요하지 않다.[8] 후설의 현상학과 같은 현대의 중요한 철학들은 전혀 고려될 수 없으며, 해석학과 같은 다른 철학들은 딜타이와 관련하여서만 언급될 것이다. 신칸트학파와 언어분석 철학은 여기서 더 이상 다루어지지 않을 것이다. 그러나 19세기의 지식학 논의도 중요하

---

8) 20세게 철학에 대한 개간을 위해서는 참조, Stegmüller, *Hauptströmungen der Gegenwärtsphilosophie. Eine kritische Einführung*, 6 Aufl. 1978 und 2, 1979; W. Schulz, *Philosophie in der veränderten Welt*, 1972.

게 다루어지지 않을 것이다.[9] 한편 인간학적 관심을 자연철학으로 확장한 베르그송의 생철학 및 사무엘 알렉산더와 화이트헤드의 과정철학에서 수용되어 발전된 생철학은 다시 한 번 자세히 언급될 필요가 있다. 과정철학은 관념론 이후에 자연철학의 주제는 물론 더 나아가 형이상학의 주제를 다시 한 번 다룸으로써 신학, 즉 북아메리카의 과정신학에도 영향을 끼친 중요한 철학들 중 하나이기 때문이다.

2. 헤겔과의 결별에서 등장한 새로운 철학적 경향들[10]

2-1. 포이어바흐와 마르크스

포이어바흐(Ludwig Feuerbach; 1804-1872)는 1823년에 하이델베르크에서 신학을 공부하기 시작했지만, 다음 해에 베를린으로 가 거기서 헤겔의 제자가 되어 철학을 공부했다. 그는 개별자들과 대립되는 하나의 보편적 이성이 신성이라고 주장하는 「보편적이고 무한한 이성적 일자」(De ratione una, universali, infinita)라는 제목

---

9) 1980년대까지의 지식학 발전에 관해서는 각주 8번에서 언급된 스테그뮐러의 책 2권이 자세히 다루고 있다.

10) 참조, K. Löwith, *Von Hegel zu Nietzsche. Der revolutionäre Bruch im Denken des 19. Jahrhunderts*, 1941.

의 논문으로 1828년에 에어랑엔 대학에서 박사학위를 받았으며, 다음 해에는 교원자격(venia legendi)을 획득했다. 그는 10년 후인 1839년에는 『헤겔철학 비판』(Kritik der hegelschen Philosophie)을 출판했다. 이 책에서 포이어바흐는 이미 재야 학자로서 세계가 절대이성의 자기전개 결과라는 헤겔의 견해를 비판했다. 헤겔은 이런 견해와 함께 단지 일련의 추상들을 거쳐 "사유된 존재"에 도달했을 뿐이라는 것이다.[11] 그 사이에 포이어바흐는 초기의 범신론적 관념론을 떠나 많은 점에서 초기 셸링의 자연철학을 연상시키는 범신론적 자연주의 입장을 취하게 되었다.[12] 그가 이렇게 입장을 선회하는 전환점이 된 책은 1830년에 익명으로 출판된 『죽음과 불멸성에 관하여』(Gedanken über Tod und Unsterblich-keit)였다.[13] 따라서 포이어바흐는 헤겔의 철학을 비판하면서 인간의 구체적이고 생생한 감각적 현존재는 철학에서도 사유의 기초로서 존중되어야 한다고 주장했다. 2년 후(1841) 『죽음과 불멸성에 관하여』에서 그는 이런 관점에 기초한 인간론을 종교적 표상들의 기초이자 근거로 제시했으며, 신 개념은 인간의 자의식이 소외된 현상이며 따라서 참된(무한한) 자아에 관한 인간의 표상을 가상의 하늘에 투사시킨 결과라고 주장했다. 그렇게 해서 신은

---

11) L. Feuerbach, *Sämtliche Werke II*, 239.

12) 참조, P. Cornehl, "Feuerbach und die Naturphilosophie. Zur Genese der Anthropologie und Religionskritik des jungen Feuerbach", in: *NZszstTh* 11, 1969, 37ff.

13) 참조, P. Cornehl, *Die Zukunft der Versöhnung. Eschatologie und Emanzipation in der Aufklärung, bei Hegel unf in der Hegelschen Schule*, 1971, 221ff. bes. 227ff.

인간과 다를 것이라는 표상이 형성되었다는 것이다. 이렇게 주장할 때 포이어바흐는 헤겔의 충실한 학생으로서 신으로의 종교적 고양은 자신의 유한성을 넘어 무한한 존재자를 생각하는 것이라는 사실을 알았다. 그러나 인간은 무한자 사상을 어디서 가지게 되는가? 포이어바흐에 의하면 인간은 비록 개체로서는 유한하지만 유적 존재로서는 무한하기 때문에 무한자를 생각하게 된다. 인간이 그의 자의식에서 자기 자신이 종적 존재임을 의식한다면, 종적 존재로서 인간의 무한성을 인간과 전혀 다른 무한한 존재자와 동일시함으로써 신에 관한 표상이 형성된다는 것이다. 포이어바흐는 이런 동일시의 원인이 무엇이라 생각했는가? 그에 의하면 개인들은 그들의 이기주의 때문에 종적 본질에 속하는 무한성을 유한한 개인들은 물론 인간 일반과 전혀 다른 존재라고 생각하여 신으로 숭배한다는 것이다. 그렇지만 그의 이런 주장은 1828년의 박사학위 논문과 비교할 때 납득하기 어렵다. 그 논문에 의하면 개인이 유적 본질에만 고유한 불멸성을 요구하는 것은 개인들의 이기심 때문이다.

그 논문도 비록 여전히 관념론적이기는 하지만 종(種)이 개인들보다 상위에 있음을 주장했었다. 이런 관념론적 경향은 『죽음과 불멸성에 관하여』 이후 달라졌다. 인간의 종적 불멸성에 관한 자연주의적 표상은 1841년의 종교비판의 토대가 되었으며, 1849년의 『종교의 본질』에서는 더 분명해졌다. 그 동안 포이어바흐는 『미래의 철학의 원칙들』에서 자연범신론을 더욱 체계화시켰다.

그러나 그의 자연범신론의 기초는 언제나 인간의 본질이 그의 육체성을 통해 규정된다는 인간론이었다.

인간의 종적 무한성에 관한 포이어바흐의 사상은 마르크스에 의해 그의 인간론 저서들에서, 특히 『국가경제와 철학에 관한 파리 선언』에서 계승되었다. 마르크스는 인간의 종적 무한성과 연계된 포이어바흐의 종교비판도 계승하였다. 그렇지만 마르크스는 인간의 종적 무한성으로부터 신에 관한 표상이 형성되는 동기가 개인들의 이기심이라는 포이어바흐의 주장에 만족하지 않았다. 대신 마르크스에 의하면 자의식의 종교적 자기소외에서 인간이 분열되는 이유는 인간 사회의 세속적 관계들에서 인간 존재가 실제로 분열되기 때문이다.[14] 말하자면 사회적 관계들에서 사람들은 사유재산을 통해 스스로 소외되는데, 이것은 인간이 노동에서 그의 본질을 외화하여 다른 사람의 재산을 생산하기 때문이다. 마르크스는 이런 소외를 극복하는 것이 역사의 과제라고 생각했다. 인류는 종적 존재로서 역사의 과정에서 자기 자신을 형성하기 때문에 역사는 계급투쟁의 역사로서 철저히 인도주의적인 주제와 목표를 가지고 있었다. 마르크스는 계급 없는 사회의 실현을 통해 인간의 세속적 분열과 소외를 극복함으로써 인간의 사회적 소외가 반영되어 나타난 종교적 소외도 사라질 것이라고 생각했다. 그렇지만 불멸성에 관한 포이어바흐의 주장

---

14) K. Marx, *Thesen über Feuerbach*(1845/46), These 4(zit. nach K. Marx, *Die Früh-schriften*, hg. S. Landshut 1968, 340).

이 개인의 불멸성이 아니라 종적 존재로서 인류의 불멸성이었듯
이, 마르크스의 사상에서도 개인의 행복은 종적 존재로서 인류의
목표를 위해 희생되었다.

2-2. 막스 슈티르너와 키에르케고르

막스 슈티르너(Max Stirner; 1806-1856)는 포이어바흐의 헤겔 비
판을 지지하였지만, 그의 주저인『유일무이한 개인과 그의 재산』
(Der Enzige und sein Eigentum)에서 인간의 종적 본질에 관한 포이어
바흐의 견해를 거부하고 인간의 무한성이 스스로를 무한히 긍정
하는 유일무이한 개인의 주체성에 있다는 헤겔의 견해를 다시 수
용했다.

키에르케고르(Sören Kierkegaard)는 헤겔의 절대적 이념의 보편성
을 거부하고 철학적 반성의 기초가 개인의 실존에 있다고 주장
했다는 점에서 막스 슈티르너와 일치했다. 그러나 이들 사이의
공통점을 그것이 전부였다. 왜냐하면 슈티르너가 포이어바흐와
함께 지지했던 무신론에 대해 키에르케고르는 개인은 그의 자기
이해의 변증법에서 언제나 이미 영원한 존재자와 관계를 맺고 있
다고 반박했다. 키에르케고르도 모든 헤겔주의자들과 마찬가지
로 인간은 자기 자신의 유한한 본질을 의식할 때 이미 그의 유한
성을 넘어서며, 이렇게 그의 유한성을 넘어설 때 무한성을 가진
다고 생각했다. 그렇지만 그는 개인의 실존 성취만으로는 무한

자를 발견할 수 없다고 생각했다. 그는 헤겔과 마찬가지로 개인이 그의 고유한 유한성을 넘어설 때 타자로서의 무한자, 즉 절대자와 관계를 맺게 된다고 생각했다. 인간은 인간으로서 무한하고 영원한 존재자와의 관계이지만, 바로 그렇기 때문에 무한자와 동일하지 않다.

여기서 키에르케고르의 사상을 빠짐없이 다루는 것은 불가능하다.[15] 그렇게 하면 부친의 경건주의 신앙과 키에르케고르의 관계에서부터 시작해야 할 것이다. 키에르케고르는 데카르트에 대한 새로운 해석을 통해 개인의 삶의 문제를 다루었다(De omnibus dubitandum est, 1843).[16] 의심은 다양한 삶의 양식들 중 하나를 선택할 수 있게 해준다는 것이다. 키에르케고르는 익명으로 출판된 여러 저서들에서 이런 다양한 삶의 양식들을 제시했으며,[17] "삶의 단계들"(1845)이란 개념을 통해 이런 삶의 양식들에는 미적 단계, 윤리적 단계, 종교적 단계 그리고 기독교 신앙의 단계라는 서열이 있음을 제시하고자 했다.[18]

키에르케고르에 의하면 개별자는 그의 자유를 실천하는 모든 양식들에서 영원한 존재자와 관계를 맺고 있다. 그는 신학에 가

---

15) 참조, W. Dietz, *Sören Kierkegaard, Existenz und Freiheit*, 1993. 디에츠는 이 책에서 키에르케고르의 핵심적 관점은 자유의 문제라고 생각했다.

16) 참조, W. Dietz a,a,O. 157-187.

17) 키에르케고르가 사용한 가명들 상호간의 관계와 키에르케고르 자신의 사상에 대한 관계에 대한 난해한 물음들에 관해서는 참조, W. Dietz a,a,O. 43ff, 53f.

18) W. Dietz a,a,O. 12ff, 205-237.

장 중요한 두 권의 책, 즉 『불안의 개념』(1844)과 특히 그의 대표
작인 『죽음에 이르는 병』(1848)에서 이런 사실을 가장 인상적으
로 제시했다. 이 책들은 기독교적 죄론의 지평에서 자유의 남용
을 다룬다. 『죽음에 이르는 병』은 인간을 정신 또는 자아라고 정
의하는데, 그의 이런 정의는 관념론적 주체성 철학의 전통에 서
있지만, 이런 전통에 새로운 방향을 제시한다. "자아는 자기 자
신에게 관계하는 관계이다." 말하자면 인간은 유한한 존재자로
서 그의 유한성이 무한자 또는 영원한 존재자와 관련되어 있음
을 아는 존재자이다. 인간은 이런 관계에서만 그의 존재를 가진
다. 동시에 인간은 자기 자신을 의식하는 존재자로서 영원한 존
재자에 대한 유한자의 이런 관계로서 자기에게 관계한다. 그러
나 그는 "무한성과 유한성의 종합"으로서 자신의 유한성이 기
초하여 실존한다. 그는 이런 유한성에 기초하여 종합을 성취한
다. 비록 인간은 본질적으로 하나님에 의해 창조되어 무한하고
영원한 존재자로부터 하나님과의 관계로서 규정되어 있지만 말
이다. 만일 인간이 자신의 유한성에 기초하여 그의 자유의 행위
에서 자기 자신과의 관계를 통해 자기 자신을 실현하고자 한다
면, 즉 무한자에 대한 그의 유한성의 관계 또는 종합을 실현하고
자 한다면, 그는 어쨌든 하나님으로부터 근원적으로 규정된 그
의 실존과 모순에 빠진다. 이런 절망적인 상황을 기술하면서 -
인간이 그런 상황을 알든 모르든 - 키에르케고르는 기독교적
죄론에 대해 가장 인상적인 해석을 제시했다. 인간이 그의 자유

에서 하나님으로부터 자기를 받음으로써 이런 상황에서 해방될 수 있는 가능성은 자기관계에서 자기를 구성하는 인간의 상황에서 볼 때 "역설적인" 것처럼 보인다. 그리고 이런 역설은 영원한 행복이 어떻게 역사의 한 기점에 근거될 수 있느냐 하는 또 다른 역설과 결부된다. 이런 역설적인 문제는 1844년의『철학적 단편들』(Philosophische Brocken)과 1846년의『최종적인 비학문적 부록』(Abschlißende unwissenschaftlichen nachschrift)에서 다루어진다. 그런 문제는 주어진 진리의『반복』(Wiedeholung; 1843) 또는『학습』(Aneignung)의 주제이기도 하다.[19]

역사성을 특징으로 하는 경험을 통해 역사적으로 진리와 관계하고 진리를 학습하는 것은[20] 이 단원에서 마지막으로 다루어질 딜타이의 핵심적 삶의 주제이기도 했다.

2-3. 딜타이와 역사적 경험의 해석학

딜타이는 더 이상 헤겔과의 직접적인 대결이나 단절을 통해 사상이 형성된 세대에 속하지 않는다. 그가 죽은 해(1911)에 출판된

---

19) 참조, J. Ringleben, *Aneignung. Die spekulative Theologie Sören Kierkegaards*, 1983, 101-195, 483ff., 472ff.

20) J. Ringleben a.a.O. 438ff. 키에르케고르는 여기서 교화와 학습의 범주들을 "종교적 경험"과 관련시켰으며, 450ff.에서는 헤겔의 경험 개념과 관련시켜 설명했다. 이때 비교되는 것은 헤겔에게서도 "인간 자신이 경험에 직접 참여해야"(Encyclopädie §7 Anm.) 한다는 점이다. 한편 경험의 역사성에 관한 딜타이의 설명을 학습의 역사적 매개라는 관점에서 참고하면 도움이 될 것이다.

논문집인 『정신적 세계』(Die geistige Welt)[21]의 서문에서 딜타이는 다음과 같이 말했다. "내가 철학에 입문했을 때 헤겔의 관념론적 일원론은 자연과학의 지배에 의해 와해되었다." 그렇지만 1833 년에 목사의 아들로 태어난 딜타이는 50년대 초 베를린대학에서 독일 역사학의 전성시대를 체험했다. 당시 독일 역사학의 핵심적 인물은 랑케(Ranke)였으며,[22] 몸젠(Mommsen)과 드로이젠(Droysen) 도 그와 함께 활동했다. 딜타이의 일생의 과제는 독일 역사주의 가 발전시켰던 "보편사적 탐구"[23]의 인간론적 근거들을 묻는 것 이었다. 랑케와 드로이젠은 헤겔의 역사철학에 의해 영향을 받아 보편사적 탐구를 시작하기는 했지만, 보편사적 탐구의 최종 근거 를 확실하게 제시하지는 못했다. 따라서 드로이젠은 그의 『역사 학 개요』에서 - 이 책은 1858년 이후 회람되다 1868년에 출판되 었다 - 역사 전체를 규정하는 요인들인 "도덕적 힘들"에 관해 여 전히 "이념들"이란 표현을 사용했는데, 이런 이념들의 실현이 역 사의 진행을 규정하고 또 역사의 진행에서 이런 이념들이 도출될 수 있다는 것이다.[24]

베를린에서 딜타이는 원래 신학을 전공했지만, 그는 당시의 신

---

21) W. Dilthey, *Gesammelte Schriften V*, 3.

22) W. Dilthey a.a.O. 8f. (1903년에 그의 70회 생일을 계기로 행한 강연).

23) W. Dilthey a.a.O. 9.

24) J. G. Droysen, *Vorlesungen über Enzyklopädie und Methodologie der Geschichte*, R. Büchne(hg.), 3. Aufl. 1958, 342ff. (42ff.)

학을 거부하고 오히려 베를린의 초기 낭만주의의 범신론적 경향과 특히 슐라이어마허의 종교론에 동조하였다.[25] 1856년에 신학시험을 치른 후 그는 전공을 철학으로 바꾸었는데, 이때 그의 스승은 헤겔 비판자인 트렌델부르크(Adolf Trendelburg)였다. 그러나 이 시기에도 딜타이는 슐라이어마허에 관심을 가지고 있었으며, 1860년에는 슐라이어마허의 해석학에 관한 탁월한 논문을 발표했다. 같은 시기에 그는 슐라이어마허의 편지들을 편집하여 1861년과 1863년에 완결판을 출판하였다.[26] 딜타이는 그 후에도 슐라이어마허에 관한 연구를 계속하였다. 슐라이어마허의 생애를 다룬 전집 1권은 1867/70년에 출판되었으며, 2권은 딜타이가 죽은 해에도 아직 완결되지 않아 1966년에 딜타이의 유고로 출판되었다.[27]

그 동안 딜타이는 1864년 베를린에서 박사학위를 받았으며, 도덕의식을 분석한 논문으로 - 이 논문은 발표되지 않은 상태로 있었는데 - 교수자격을 획득했다. 도덕적 삶의 힘이 역사에 대해 가지는 의미를 고려할 때 도덕의식을 분석한 이 주제도 역사에 대한 그의 관심과 관계가 있었다. 딜타이는 1867년에 바젤대학으로, 1869년에는 킬대학으로, 1871년에는 브레슬라우대학으로

---

25) 딜타이에 관한 헤르만(U. Hermann)의 탁월한 논문(TRE 8, 752-763)은 특히 딜타이의 사상 발전에서 종교와 기독교와의 대결이 가지는 의미에 주목한다.

26) "Schleiermachers Leben", in: *Briefen*, Bd. 3, 1861 und Bd. 4. 1863.

27) W. Dilthey, *Leben Schleiermachers, zweiter Band*: *Schleiermachers System als Philosophie und Theologie*, hg. von M. Redeker 1966.

초빙되었지만, 1972년에 로체(Lotze)의 후임으로 베를린대학으로 돌아가 거기서 죽을 때까지 머물며 역사는 물론 다른 정신과학들의 이론적 근거를 제시하려는 그의 구상을 실행할 수 있었다.

학창시절 이후 줄곧 딜타이는 슐라이어마허 연구 외에도 두 개의 연구계획을 가지고 있었다. 그 중 하나는 후에 근대 문화사와 정신사의 기초가 된 "서양 기독교 세계관의 역사"를 연구하는 것이었다.[28] 그밖에도 딜타이는 자연을 연구하고 역사의식의 조건들을 연구하려는 계획을 가지고 있었다. 역사의식의 조건들에 관한 그의 연구는 "역사적 이성의 비판"[29]이었는데, 이런 비판이 처음에는 자연과학들의 인식론적 토대를 제시하기 위한 것이었지만 - 이런 인식론적 토대가 당시에는 칸트의 업적이라고 생각되었는데 - 후에는 점차 칸트와 무관하게 경험의 역사성의 해석학으로 발전되었다. 이런 발전 과정에서 딜타이는 1883년 "사회와 역사의 연구를 위한 이론적 근거를 제시하고자 함"이란 부제를 가진 『정신과학 입문』 1권을 출판했다. 이 책을 출판하면서 그가 의도한 것은 "역사학파의 원리를 … 철학적으로 논증하는 것"이었다. 그러나 그의 이런 논증은 그 원리를 "인식능력의 경직된 선험성에서의 논증하는 것이 아니라 우리의 총체적 본질에서 출발하는 발전사적 의미에서" 논증하는 것이었다.[30] 전집 1권은

---

28) 이 연구계획들 중 첫 번째 연구계획에 대한 연구들은 딜타이총서 II-IV권에 들어있다.

29) 딜타이 자신이 1903년 그의 70회 생일에 그렇게 말했다(*Gesammelte Schriften V*, 9).

30) W. Dilthey, *Gesammelte Schriften I*, XVII und XVIII.

"정신의 개별과학들"을 개관하면서 시작하여, 계속해서 형이상학과 그의 해체역사를 포괄적으로 제시한다. 딜타이에 의하면 형이상학에 대한 이런 비판을 통해 새로운 근거를 제시할 수 있는 길이 열린다. 딜타이는 이런 새로운 근거를 2권에서 제시하려 했지만, 2권은 출판되지 않았다. 왜냐하면 "기술심리학"에서 그가 구상했듯이[31] 역사적 삶의 근거를 인식론적-심리학적으로 논증하려는 그의 의도가 역사적 경험의 해석학으로 바뀌었기 때문이다. 그러나 그는 이런 해석학을 여러 차례에 걸쳐 구상하기는 했지만[32] 결코 완성된 형태로 제시하지는 못했다.

형이상학과 그 해체의 역사는 정신과학의 근거를 제시하는 딜타이의 논증에서 상당히 많은 비중을 차지한다. 왜냐하면 딜타이는 형이상학이 "2천여 년 동안" 정신과학의 근거를 제시하는 기능을 해왔다고 생각했기 때문이다.[33] 그리고 역사의식의 생성에서 최고조에 달하는 모더니즘은 형이상학의 종말을 의미한다. "인간의 형이상학적 위치가 해체되고 현실성으로 대체되는 현상

---

31) W. Dilthey, *Ideen über eine beschreibende und zerliegende Pszchologie*, 1894 (*Gesammelte Schriften* V, 139-240). 딜타이에 의하면 기술심리학은 자연과학적인 설명심리학과 달리 "다양한 상태들의 변화에서 자아의 삶의 통일성"을 추구한다. 딜타이는 당시 자아의 이런 삶의 통일성을 "구조"라고 표현했다(a.a.O 2000). 딜타이의 이런 구상에 관해서는 참조, P. Krausser, *Kritik der endlichen Vernunft. Diltheys Revolution der allgemeinen Wissenschafts- und Handlungstheorie*, 1968. 그러나 크라우서의 이런 서술은 역사적 경험의 해석학을 위해 총서 7권에 편집된 단편들은 이런 구상을 넘어선다는 사실을 고려하지 않고 있다.

32) W. Dilthey, *Gesammelte Schriften VII*, 131-157 und 191-204, 특히 228-245.

33) W. Dilthey, *Gesammelte Schriften I*, 125. 이후에 본문의 괄호 속 쪽수는 이 총서의 쪽수이다.

은"(351) 17세기의 자연과학에서 시작되었으며, "이후로는 사회가 인간성으로부터 이해되면서"(379) 시작되었다. 그리고 이런 관찰방식은 "발전사상을 핵심으로 하는 보편사적 견해"(380)를 통해 18세기에 완성되었다. 딜타이에 의하면 인간의 역사성에 대한 자각은 형이상학의 종말, 즉 신 개념에 기초한 "논리적 세계관계"(386ff.)라는 형이상학적 이념의 종말이다. 딜타이는 형이상학의 이념인 논리적 세계관계의 원리가 라이프니츠에게서 충족이유율(Satz vom Grunde)을 통해 체계화되어(388) 헤겔의 체계에서 완성되었다고 보았다.(390) 자유와(391) 삶의 역사성에는 그런 "논리주의"의 원리가 적용되지 않는다. 단지 "개인적 경험으로서의 우리 삶의 형이상적인 것(das Meta-Physiche)만이 … 여전히 소멸되지 않고 남는다."(384)

따라서 딜타이에 의하면 헤겔과의 단절을 계기로 헤겔 체계의 "논리주의"에서 완성된 형이상학의 역사 전체로부터의 단절이 이루어졌다. 그리고 형이상학은 콩트의 주장과는 달리 단지 자연과학의 출현을 통해서가 아니라 인간의 역사성을 자각함으로써 비로소 결정적으로 종말을 고하게 되었다. 이와 같은 형이상학의 종말과 함께 모든 역사적 현상들의 유한성과 상대성에 대한 자각도 이루어졌다. "모든 역사적 현상의 유한성은 - 그것이 종교적 유한성이든 아니면 이념이나 철학적 체계이든 - 그리고 사물들의 관계에 관한 인간의 모든 견해의 상대성은 모든 것이 흐르는 과정에 있으며 아무것도 머무는 것이 없다는 역사적 세계관의 결과이다."[34] 딜타이는 이로 인해 야기될 염려가 있는 상대주의의 문제들에서 벗어나 "신념의 무정부주의"에 빠지지 않을 방안이 있다고 믿었다. 그는 현재 체험되는 총체적 삶에 대한 자각을 통해 이런 방안을 모색했다. 그는 이런 총체적 삶이야말로 "논리주의"에 입각한 형이상학적 단언들이 해체된 이후에도 남는 "형이상적인 것"이라고 생각했기 때문이다.

딜타이의 결정적 사상을 알 수 있는 후기의 단편들에 따르면 1894년의 "기술심리학"에 결정적으로 중요한 개념인 삶의 통일성은 단순히 외부로부터 관찰되는 것이 아니라 "체험"에서 체험자 자신에게 직접 현존하는 것이다.[35] "의미"와 "유의미성"이란 개념은 체험이란 개념과 불가분적 관계의 개념이다. 개인의 체험은 전체의 부분으로서, 즉 총체적 삶과의 관계를 통해 의미를 가진다.[36] 그러나 총체적 삶에 대해 개인의 체험이 가지는 가치는 삶의 과정에서 시간과 함께 달라지며, 따라서 우리가 그런 체험을 기억할 때 느끼는 의미도 변한다. 따라서 삶의 과정에서 개인적 체험의 의미는 죽기 전까지는 결코 최종적으로 결정되어 있

---

34) W. Dilthey, *Gesammelte Schriften V*, 9 (1903년 70회 생일에).

35) W. Dilthey, *Gesammelte Schriften VII*, 229. 딜타이에 의하면 삶이란 "외부 세계의 조건들 하에서 이루어지는 사람들 사이의 상호작용들의 관계"이다. 이에 관해서는 그리고 삶의 통일성으로서의 이런 관계에 관해서는 참조, 228. "헤겔의 보편적 이성 대신" "총체적 삶"이란 개념이 등장한다(151). 그리고 딜타이는 헤겔의 "객관적 정신"을 "공동체에서 구현되는 삶의 통일성들의 구조연관"과 동일시한다. "헤겔은 형이상학적으로 구성하고, 우리는 현실에 주어진 것을 분석한다."(150)

36) W. Dilthey a.a.O. 229, 참조, 232ff.

지 않다. "삶의 마지막 순간에 비로소 삶의 의미에 관한 전체적인 평가가 이루어진다. 그러므로 그런 평가는 단지 삶의 마지막 순간에 또는 현재의 삶이 끝난 후의 삶에서 이루어진다."[37] "우리는 생의 마지막 순간을 기다려야 하며, 죽음의 순간에 비로소 전체를 보고 거기서 부분들과 전체의 관계를 확인할 수 있을 것이다. 우리는 역사의 의미를 규정할 완전한 자료를 확보하기 위해 역사의 종말을 기다려야 할 것이다."[38] 한편 "과거의 의미에 대한 평가는 우리가 목적으로 설정한 미래"를 통해서도 영향을 받을 수 있다. 그런 목표설정은 총체적 삶의 아직 도래하지 않은 부분과 관계가 있으며 따라서 전체와 관계가 있기 때문이다.

그러므로 개인의 삶은 물론 과거의 모든 역사는 언제나 새로운 해석의 대상이 된다. 부분들의 의미에 대한 규정은 삶의 흐름에서 변하기 때문이다. 삶의 흐름에서 부분적인 삶의 의미가 변하기 때문이다. 그러나 삶의 이런 부단한 연속성은 극단적인 상대주의를 야기하지 않는가? 딜타이도 이런 문제점을 인식하였지만 다음과 같은 주장과 함께 그런 문제점에 대처할 수 있다고 생각했다. "전체는 그것이 부부들로부터 이해될 수 있는 한 단지 우리를 위해서만 전체이다."(a.a.O.) 이런 주장은 충분하지 못하다. 부분들의 의미는 바로 부분들로부터 파생할 수 없는 전체에 의

---

37) W. Dilthey a.a.O. 237.
38) W. Dilthey a.a.O. 233.

존하기 때문이다. 물론 전체는 부분들을 포괄하며 따라서 (부분적으로는) 부분들을 통해 규정되기는 하지만 말이다. 상대주의의 파국적인 결과들을 피하기 위해서는 아직 끝나지 않은 삶의 과정에서 삶 전체에 대한 관계가 있어야 할 것이다.

하이데거는 『존재와 시간』에서 인간의 역사성에 대한 그의 분석은 딜타이의 영향을 받았다고 고백했다.[39] 하이데거는 이 책에서 역사성은 인간의 고유한 존재방식에 본질적인 요소라고 보았다. 이런 사실을 고려해 볼 때 딜타이의 사상은 『존재와 시간』의 총체적 구상을 위해 근본적으로 중요한 의미를 가짐을 알 수 있다. 경험의 역사성에 따르는 상대주의의 문제점에 대해 하이데거는 딜타이를 넘어서는 해결책을 제시했다. 하이데거에 의하면 삶의 역사의 부단한 연속성에도 불구하고 인간은 자신의 죽음의 가능성을 미리 앞당겨 생각함으로써 "전체적 현존재를 실존적으로 선취할 수 있으며, 따라서 전체적 존재가능성으로서 실존할 수 있다."[40] 딜타이가 죽음의 순간에 삶 전체와 삶의 부분들의 의미를 궁극적으로 인식하기 위해 죽음의 순간을 기다려야 한

---

39) M. Heidegger, *Sein und Zeit*, 1927, 403 f. 이때 하이데거는 특히 딜타이와 바르텐부르크의 백작 요르크(Graf Yorck von Wartenburg)와의 서신왕래 및 역사적인 것과 사실적인 것을 철저히 구분하는 요르크의 주장을 전거로 제시했다. 하이데거는 이런 서신왕래와 요르크의 주장에서 중요한 것은 사물들처럼 단순히 "수중에 있는 것"(das Vorhandene)의 존재방식과 인간 현존재의 존재방식인 역사성과의 관계에 대한 존재론적 물음이라는 사실을 주목했다(ebd.). 하이데거의 이런 판단에서 우리는 인간 현존재의 존재방식을 분석하여 존재일반의 의미를 해명하려는 『존재와 시간』의 목적을 발견할 수 있으며, 동시에 하이데거의 이런 견해 전체에 대해 딜타이가 얼마나 중요한 역할을 했는지 알 수 있다.

40) M. Heidegger, *Sein und Zeit*, 1927, 264, vgl. 260ff.

다고 주장했는데 반해(위의 각주 37), 하이데거는 아직 완성되지 않고 과정에 있는 이런 전체적 삶의 선취(Vorwegnahme)가 가능하다고 - 비록 잠재적 가능성으로서의 총체적 삶이긴 하지만 - 말했다. 그런 선취는 비록 원칙적으로 계속적인 경험을 통해 수정되기는 하지만, 그런 선취가 경험 과정에서 사실로 입증되는 한 상대주의에 빠지지 않는다. 역사적 경험의 흐름에서 아직 도래하지 않은 삶의 전체성과 그의 궁극적 진리가 선취되기 때문이다.

그렇지만 하이데거는 이런 사상을 단지 개인의 삶에 관해서만 적용했는데 반해, 딜타이는 의미이동(Bedeutungsverschiebung)의 문제는 개인의 삶의 과정에서와 마찬가지로 개인의 삶을 포괄하는 역사에서도 발생한다고 생각했다. 개인의 삶은 보다 큰 삶의 관계들에 연루되어 있기 때문에, 개인의 개별적인 경험들의 전체성과 의미는 전체성의 삶으로부터 완전히 분리될 수 없다.[41] 따라서 시간의 흐름 속에서 개별적 삶과 그 삶의 경험들의 궁극적 의미를 알 수 있다면, 하이데기의 "죽음으로의 선구"(Vorlaufen zum Tode)에 상응하게 역사의 전체성을 역사의 종말로부터 예상할 수

---

41) 그렇기 때문에 개인의 삶은 그의 마지막 가능성인 죽음을 선취함으로써 그의 청체성에 도달할 수 있다는 하이데거의 주장에 대해 이의를 제기하는 것은 타당하다. (참조, W. Pannenberg, "Über historische und theologische Hermeneutik"(1964), in: *Grundfragen systematischer Theologie. Gesammelte Aufsätze* 1, 1967, 123-158, 145f.) 이미 사르트르도 하이데거에 대해 이런 반론을 제기한 적이 있었다. 삶은 죽음의 순간 단절되기 때문에 전체성으로 완성될 수 없다(참조, Vf. *Systematische Theologie* 3, 19093, 600ff.). 그렇기 때문에 자신의 죽음을 선구적으로 선취한다고 해서 죽음의 순간 죽음을 넘어서는 존재의 전체성이 확보될 수는 없다.

있는 가능성이 있다.[42]

　기독교 신앙에는 역사에서 역사의 종말을 경험할 수 있게 하는 그런 사건이 하나 있다. 예수의 부활이 바로 그런 사건이다. 예수의 부활은 유대인들이 기다리는 종말론적 사건이 아직 진행되고 있는 역사에서 바로 이 사람에게서 선취된 사건이기 때문이다. 그렇지만 만일 어떤 사람이 이 사건을 역사에서 실제로 일어난 사건으로 믿을 수 있으려면, 그는 "죽은 자를 살리시며 없는 것을 존재하게 하시는"(롬 4:17) 전능한 창조자인 하나님의 존재를 인정해야 한다.

　그렇지만 딜타이는 삶의 전체성, 즉 개별적 체험들에서 의미 있는 모든 경험의 조건이 삶의 통일성의 근거인 하나님과 필연적으로 결합된다고 생각하지 않았다. 딜타이에 따르면 이런 결합은 단지 다양한 "세계관들" 중 하나로서, 즉 철학적 세계관과 다른 종교적 세계관일 뿐이다.[43] 딜타이에 의하면 종교, 특히 일신론적인 종교들의 신 개념은 "인간이 그의 의지가 자연계 전체로부터 독립적임을 깨닫는 가장 큰 종교적 체험을 할 때 그런 체험이 투사된 것에 불과하다."[44] 그의 이런 주장이 청년 슐라이어마

---

42) 참조, W. Pannenberg, "Über historische und theologische Hermeneutik" a.a.O. 148; "나사렛 예수의 출현과 운명의 선취적 구조"에 관해서는 참조, 151ff. 우리는 여기서 판넨베르크의 역사신학이 딜타이의 사상과 하이데거를 통한 딜타이 해석에 의해 영향을 받았음을 알 수 있다.

43) 참조, W. Dilthey, *Gesammelte Schriften V*, 378ff.

44) W. Dilthey, a.a.O. 390.

허의 종교관을 상기시키는 것은 우연이 아니다. 슐라이어마허에 따르면 인간이 "우주"를 직관할 때 신을 생각하느냐 아니냐 하는 것은 인간이 어떤 방향의 상상을 하느냐에 달려있다. "여러분의 상상은 여러분의 자유의 의식에서 이루어지며 따라서 그런 상상이 근원적으로 작용하는 것이라고 생각해야 하는 것을 자유로운 본질의 형식에서와 다르게 생각하는 것을 극복할 수 없다면, 그런 상상은 우주적 정신을 의인화할 것이고, 여러분은 하나의 신을 가지게 될 것이다." 그러나 그런 상상이 오성에서 이루어진 다면, "당신은 신이 아니라 하나의 세계를 생각할 것이다."[45] 여기서 우리는 철학자로서 딜타이의 자기이해는 종교와 다름을 잘 알 수 있다. 딜타이는 개별적인 체험들은 삶 전체와의 관계에서 의미를 가진다고 생각하는데, 그가 생각하는 이런 삶 전체는 슐라이어마허의 "우주"에 해당된다. 그러나 그가 생각하는 삶 전체는 신 없는 우주이다. 딜타이에 의하면 형이상학은 신이 세계의 근원이라고 철학적으로 사유하는 것이다. 따라서 딜타이가 볼 때 형이상학의 종교적 기원도 형이상학의 역사에 속한다.[46] 그러나 형이상학은 근대에 모든 삶의 현상들의 역사성을 통찰함으로써 결정적으로 종말에 이르렀다. 그러나 딜타이의 삶 전체와 슐라이어마허의 "우주"도 여전히 형이상학적 사상이 아니냐 하는

---

45) F. Schleiermacher, *Über die Religion*, 1799, 129.

46) W. Dilthey, *Gesammelte Schriften V*, 387, 참조, 391. 그렇지만 여기서 딜타이는 "철학적 세계관"이 종교적 세계관에 실제적이고 지속적으로 의존하는 이유를 인식하지 못했다.

물음은 여전히 가능하다. 그와 함께 이런 삶의 전체가 삶의 계기들을 전체로 통일시키는 삶의 통일적 근거가 없이 생각될 수 있느냐 하는 물음도 제기된다. 어쨌든 슐라이어마허는 이런 이유로 인해 "우주"의 자기충족성에 관한 표상을 포기하였으며, 그런 표상을 『변증법』에서 다음과 같은 명제로 대치했다. "세계 없는 신은 없고, 신 없는 세계는 없다."[47]

삶 전체 개념으로 인해 딜타이에게서 야기되는 물음에도 불구하고, 그가 형이상학의 역사성을 모든 삶의 현상들에 통용되는 역사성과 관련시켰다는 사실은 철학적 통찰에서 헤겔을 넘어서는 중요한 진전이었다. 삶의 현상들이 가지는 특수한 형태의 유한성에 대한 통찰이 역사의 개방성 의식과 결합되었다. 그런 유한성은 삶의 현상들의 역사성과 함께 주어져 있기 때문이다. 따라서 철학적 의식에서 이런 개방성을 박탈한 형이상학적 "논리주의"에 대한 딜타이의 비판은 타당하다. 딜타이의 해석학은 그가 역사성의 관점에서 제기한 인간의 유한성에 기초하여 인간의 상황을 새로 규정하는데 기여한다.

---

47) F. Schleiermacher, *Schleiermacher*, R. Odebrecht(hg.), 1942, 303. 여기서 슐라이어마허는 "모든 대립들이 배제된 통일성"으로서의 신과 "모든 대립을 포함하는 통일성"(ebd.)으로서의 세계를 구분하였다.

3. 신 죽음 이후의 새로운 인간론

헤겔 이후 인간론으로의 전환이 가지는 반기독교적이고 무신론적인 의미를 니체보다 더 깊이 파악하고 철저하게 성찰한 철학자는 없다. 따라서 그의 사상은 20세기 실존주의 철학의 출발점이 되었다. 실존주의는 니체를 통해 열린 허무주의의 영역에서, 그러나 니체와는 다른 방향에서 인간 현존재의 의미를 새롭게 규정하였다. 이때 실존주의는 니체와 달리 인간 현존재의 새로운 의미규정에 근거하여 무신론적 전제를 수정하려 시도하기도 하였다. 이미 키에르케고르가 헤겔 이후 인간으로의 전환을 계기로 그렇게 했듯이 말이다. 그러나 동물과 인간을 비교하여 인간의 본성을 객관적으로 규정하고 이를 통해 보편타당성을 요구하는 "철학적 인간론"에 도달하려는 시도들은 상황을 중요시하는 실존주의적 구상들과 근본적으로 다르다.

3-1. 허무주의 철학자[48]

---

48) 참조, Mazzino Motinari, *Friedrich Nietzsche. Eine Einführung*, 1991. 이 책은 주로 니체의 생애에 초점을 맞추었는데 반해, 뢰비트는 니체의 철학을 그의 핵심적 사상을 중심으로 제시했다. 참조, K. Löwith, *Nietysches Philosophie der ewigen Wiederkehr des Gleichen*, 1956, 3. Aufl. 1978. 니체에 관한 많은 저서들에도 불구하고 뢰비트의 이 책은 - 주로 니체와 자신들의 관계를 증명하는데 관심을 가지는 야스퍼스나 하이데거의 해석과 달리 - 니체의 철학을 여전히 근본적으로 해석하고 있다. (참조, M. Montinari a.a.O. 85).

니체(Friedrich Nietzsche; 1844-1900)는 작센 주 개신교 목사의 아들이자 손자로 경건한 신앙의 집안에서 자랐다. 그렇지만 그는 이미 김나지움 학생이 되자마자 이런 경건한 신앙에서 멀어지기 시작했다. 이런 경건한 신앙의 특징은 니체가 후에 "나움부르크의 미덕"이라 부른 도덕주의였다. 그렇지만 그런 신앙은 하나님에 대한 믿음에 근거한 도덕주의였다. 하나님에 대한 니체의 믿음은 김나지움에 입학해 포이어바흐의 『기독교의 본질』을 읽으면서 크게 흔들렸다.[49] 니체는 어머니가 원하는 대로 1864/65년에 본대학에서 신학을 공부하기 시작했다. 그렇지만 그는 기독교 역사를 공부하면서, 그리고 특히 슈트라우스(David Friedrich Strauß)의 『예수의 생애』를 읽으면서 아주 급속하게 기독교의 내적 모순을 확신하고 라이프치히에서 고대철학으로 전공을 바꾸었다.[50] 여러 해 동안 집중적으로 철학을 공부하면서 니체는 쇼펜하우어의 『의지와 표상으로서의 세계』에 깊은 감명을 받았다. 1869년 3월에 그는 라인 지방 박물관에서 발표된 고대철학 연구들을 토대로 라이프치히에서 박사학위를 받았다. 박사학위를 받기 전에 이미 그는 바젤대학 교수로 초빙되어 있었으며 1869년 4월에 이 초빙에 응했다. 바젤에서 10년 동안 가르치면서 니체는 1872년에 그의 첫 번째 저서 『비극의 탄생』(Die Geburt der Tragödie

---

49) M. Montinari a.a.O. 19.

50) M. Montinari a.a.O. 29f.

aus dem Geist der Musik)을 출판하여 바그너에게 헌정했다. 이 책은 또한 바그너와 그의 부인 코지마와의 10년에 걸친 우호적 결합을 보증하는 문서이기도 했다. 니체는 『인간적인, 너무나 인간적인』을 출판하고 1878년에 갑작스럽게 바젤에서의 활동을 중단했다. 다음 해 그는 악화된 건강을 이유로 교수직을 사임해야 했다. 그 후 10년 동안 그의 중요한 철학적 저술들이 출판되었다.

니체는 이미 그의 선배이자 후계자인 포이어바흐를 통한 신 개념의 이론적 해체를 결정적 전환점이라고 회고했다. 이런 "새로운 역사의 위대한 사건"[51]은 단지 포이어바흐의 영향만은 아니었다. 니체는 이미 프랑스의 계몽운동과 특히 칸트의 이성비판을 통해 신과 형이상학은 불필요하고 입증할 수 없는 것이 되었다고 생각했다.[52] 그렇지만 니체가 결정적으로 신의 존재를 인정하지 않게 된 것은 포이어바흐의 논증을 통해 "하나의 신이 존재한다는 믿음이 어떻게 생성될 수 있었으며, 이런 믿음이 어떻게 그의 무게와 중요성을 획득하게 되었는지" 알게 되었기 때문이다.[53] 그 후 신의 죽음은 너무나 결정적이어서 시장에서 대낮에 등불을 들고 신을 찾는 "미친 사람"도 신을 더 이상 발견하지 못한다. "그가 소리쳤다. 신이 어디 있느냐? 그가 어디 있는지 내가

---

51) F. Nietzsche, *Fröhliche Wissenschaft*, 1882, Buch 5, Aph. 343.

52) 참조, E. Kuhn, *Friedrich Nietzsches Philosophie des europäischen Nihilismus*, 1992, 122ff. 이 책에 따르면 니체의 이런 판단은 1872년까지 소급된다.

53) F. Nietzsche, Morgenröthe. *Gedanken über die moralischen Vorurteile*, 1881, Aph. 95. 또한 각주 55에서 인용된 1878년(1876)의 경구를 참조하라.

너희들에게 말하겠다! 우리가 그를 죽였다. 너희들과 내가! 우리 모두가 그를 죽였다."[54] 니체의 주제는 이제 막 "유럽에 그림자를 드리우기 시작하는" 이런 사건의 결과들이었다. 이런 결과들의 본질은 무엇보다 "이런 믿음이 전복된 후에 이제부터 나타나야 하는 모든 것들을 완전하고 일관되게 파괴하는 것이다. 왜냐하면 그런 것들은 이런 믿음에 기초하여 건설되었고, 그런 믿음에 의존하며, 그 안으로 파고들어 성장했기 때문이다. 예를 들면 유럽의 도덕 전체가 그렇게 파괴되어야 할 것이다."[55] 이와 관련하여 허무주의는 그런 해체와 그런 파괴의 과정에서 세계를 부정하는 원리라는 관념도 나타난다.[56]

그렇다면 니체 자신의 철학은 신 죽음 이후 여전히 남은 신의 그림자를 제거하기 위해 신 죽음의 파괴적 결과들을 가속화했다는 점에서 볼 때 허무주의적이지 않은가? 실제로 니체는 적어도 한동안은 자신의 철학을 "허무주의"라고 부를 수 있었다.[57] 그

---

54) F. Nietzsche, *Fröhliche Wissenschaft*, 1882, Aph. 125. 그렇지만 여전히 신의 그림자를 물리칠 필요가 있다(격언 108).

55) F. Nietzsche a.a.O. Aph. 343. "그러나 신에 관한 표상이 없어진다면, 신의 명령을 어겨서 생기는 죄책감도 사라질 것이다."(*Menschliches, Allzumenschliches. Ein Buch für freie Geister I*, 1878, Aph. 133)

56) F. Nietzsche a.a.O. 346. 쿤(E. Kuhn)은 그 용어는 1880년 이후 니체의 저술들에서 사용되기 이전에 이미 1880년 무렵 러시아 전항운동가들의 암살행위와 관련하여 널리 사용되었음을 지적한다(a.a.O. 10ff.). 쿤에 의하면 니체가 1880년에 그 개념을 수용한 것은 쇼펜하우어의 염세주의는 물론 루터의 영향이기도 했다(13). 그렇지만 쿤은 슈티르너와의 관계는 고려하지 않았다. 물론 23쪽 이하에서 헤겔주의자들이 "허무주의자들의 선구자들"이라고 말하기는 하지만 말이다. 슈티르너에 관해서는 참조, K. Löwith a.a.O. 155f.

57) K. Löwith a.a.O. 60.

렇지만 이것은 삶을 긍정하는 니체 사상의 전반적인 경향과 모순되지 않는가?

1887년의 한 단편에 의하면 기독교 도덕은 세 가지 측면에서 인간을 허무주의로부터 보호했다. 첫째, 기독교 도덕은 "인간에게 하나의 절대적 가치를 제시해 주었다." 둘째, 기독교 도덕은 세상에 완전성의 짐을 지웠다. 셋째, 기독교 도덕은 인간이 절대적 가치를 알 수 있도록 해 주었다. 기독교 도덕은 인간이 허무주의에 빠지지 않도록 보호해 줌으로써 "인간이 인간으로서 자괴감에 빠지지 않도록 해주었으며, 인간이 삶을 부정하지 않도록 해주었으며, 인간이 무지로 인해 절망하지 않도록 해주었다." 따라서 기독교 도덕은 "실천적 허무주의와 이론적 허무주의를 고치는 치료제"였다는 것이다. 그렇지만 이런 도덕에 필연적으로 따르는 율법적 의무감은 결국 도덕의 토대인 하나님에 대한 믿음을 파괴하게 되었다는 것이다.[58] 마찬가지로 1887년의 『도덕계보학』에 의하면 사실상 진짜 무신론은 "하나님에 대한 믿음에서 거짓말을 하지 않는 2천년에 걸친 진리훈육의 - 경외심을 요구하는 - 대재앙이다."[59] 그렇지만 이런 사상과 함께 유럽 허무주의 역사를 니체에게 다시 한 번 새롭게 조명해 준 또 하나의 사상이 있었다.

---

58) F. Nietzsche, *Nachgelassene Fragmente* 5, 71, zit. bei M. Montinari 110. 참조, E. Kuhn a.a.O. 194f.

59) F. Nietzsche, *Zur Genealogie der Moral*, 1887, III, Aph. 27.

니체는 하나님에 대한 믿음에 기초한 가치들이 생을 부정하는 허무주의로부터 인간을 보호해 주었기 때문에 하나님에 대한 믿음이 끝나면서 비로소 허무주의가 등장했다고 확신했다. 따라서 그는 하나님에 대한 믿음의 전제를 재건하고자 하지 않았다. 그것은 성실해야 하는 비판자의 의무에 위배되기 때문이었을 것이다. 니체는 그의 비판적 "불신"[60]을 한 번도 근대의 무신론과 그 옹호자들의 주장에 대해 제기하려 한 적이 없었다. 대신 그는 신을 제거한 후 이제 다음 차례로 제거되어야 할 도덕에 대해 그런 불신을 제기했다.

『아침노을』(Morgenröte)의 서문에 의하면 "선과 악에 관한 지금까지의 사유는 최악이다." 니체 자신은 이미 그의 두 번째 주저 『인간적인, 너무나 인간적인 I』(1878)에서 "도덕 감정의 심리학적 역사"를 집중적으로 다루었다. 그러나 그는 그의 가장 대표적인 철학저서라 할 수 있는 『도덕 계보학』(1887)에서 동일한 주제를 가장 예리하고 엄격하게 다시 다루었다. 이 책에 수록된 세 편의 논문들 중 첫 번째 논문에서 니체는 도덕 감정의 기원과 관련하여 강자에 대한 약자의 "르상티망"(ressentiment)에서 생긴 '선'(Gut)과 '악'(Böse)의 대립을 '좋음'(Gut)과 '나쁨'(Schlecht) 사이의 "귀족적" 구분으로 대체했다.[61] 두 번째 논문은 죄의식의 발생사를 다

---

60) 참조, 『즐거운 학문』(*Die fröhliche wissenschaft*), 1882, Aph. 343.

61) 참조, *Zur Genealogie der Moral*, I, Aph. 16. 여기서 니체는 이런 대립적인 관찰방식들이 지배를 당하는 유대인들의 로마인들에 대한 반감에서 기원되었다고 보았다. "도덕

룬다. 죄의식은 약속해도 좋은 동물인 인간에게 고유한 책임감이라는 인간론적 현상에서 발단된다는 것이다.[62] 죄책감과 달리 채무라는 개념은 "채권법"(6), 즉 "판매자와 구매자 사이의 관계, 채권자와 채무자 사이의 관계"(8)에서 유래하여, 공동체에 대한 개인의 의무에 적용되었으며, 마지막에는 조상 또는 신에 대한 개인의 의무에 적용되었다는 것이다.(19f.) 마찬가지로 "깊은 질병으로서의 양심의 가책"도 공동체에 대한 의무감에서 유래되었다. 인간이 "드디어 공동체에 편입되어 평안을 누리게 되었음"을 알게 되었을 때, 그의 공격본능이 내면으로 자기 자신에게 지향되어 깊은 질병으로서의 양심의 가책이 발생했다는 것이다.(16) 그러나 신에 대한 죄책감은 기독교의 하나님과 관계에서 최고조에 달했다(20). 인간 편에서 죄책감이 하나님을 만족시키기 위한 전제조건으로서의 자학의지와 결합되었기 때문이다.(22) 니체에 의하면 인간은 무신론에 의해 비로소 이런 종교적 "신경증"[63]으로부터 해방된다.[64]

에서 노예들의 반란"(Aph. 7ff.)에서는 "르상티망 자체가 창조적이 되고 가치를 낳는다."(Aph. 10) 니체에 의하면 기독교의 사랑의 윤리는 바로 이런 노예들의 반란에서 기원되었다.(Aph. 8)

62) F. Nietzsche, *Zur Genealogie der Moral*, 1887, II, Aph. 2. 본문의 괄호 속 숫자는 이 논문에 있는 경구의 번호이다.

63) 프로이트의 핵심개념인 "신경증"은 이미 니체에게서 발견된다. 참조, F. Nietzsche, *Jenseits von Gut und Böse III*, 47; *Zur Genealogie der Moral III*, 21. 몬티나리(M. Montinari)는 프로이트가 요셉 파네트(Joseph Paneth) 박사를 통해 니체 사상을 알게 되었다는 사실을 확인했다(M. Montinari a.a.O. 96).

64) F. Nietzsche, *Zur Genealogie der Moral*, 1887, II, Aph. 20. 그렇지만 니체는 이 책에서 하나님 자신이 인간의 죄를 대신해 희생했다는 "기독교의 기발한 발상"을 통해 인류의

세 번째 논문은 금욕주의적 이념들이 삶에 끼치는 부정적 영향, 특히 그 이념들이 내세의 삶을 위해 현실의 삶을 부정하는 성직자들에 의해 이용될 때의 위험성에 관해 논한다.[65] 성직자는 구원을 갈망하도록 하기 위해 죄책감을 이용했다는 것이다.(20) 니체는 금욕주의 이념이 가지는 긍정적인 효과들에 관해서도 언급했다. "2천년에 걸친 진리탐구"를 통해 기독교의 하나님이 무의미함을 발견한 것이 그런 긍정적 효과 중 하나라는 것이다.(27) 뿐만 아니라 금욕주의 이념의 본질적인 작용은 무엇보다 고통을 견딜 수 있게 해주는데 있다. "인간은 금욕주의 이념과 함께 구원되었으며, 하나의 의미를 가졌다."(28) 그러나 금욕주의 이념은 본질적으로 허무주의적이다. "인간적인 것에 대한 이런 미움, 동물적인 것에 대한 이런 미움, 물질적인 것에 대한 이런 미움, 의미에 대한 혐오, 이성 자체에 대한 혐오, 행복과 아름다움에 대한 두려움, 모든 현상과 변화와 죽음과 희망과 욕구 자체로부터 멀어지려는 이런 욕구. 이 모든 것은 무에 대한 의지, 즉 삶에 대한 적대감을 의미한다. 우리는 이것을 알아야 한다."(28)

도덕의 유래를 탐구한 『도덕 계보학』은 유럽의 허무주의를 이

___

고통이 "일시적으로 완화되었음"에 관해 언급했다(Aph. 21). 바울에게서 "율법의 폐지"의 근원에 대해서는 참조, 『아침노을』(Morgenröte, 1881) Aph. 68; M. Montinari a.a.O. 79f.

65) F. Nietzsche, Zur Genealogie der Moral, 1887, III, Aph. 11. 니체에 의하면 이런 유형의 금욕주의 이념은 "퇴화된 생명의 보호본능과 안녕본능"에서 유래하며, 금욕주의 성직자의 권력은 여기에 의존한다(13). "고통당하는 자 위에 군림하는 것이… 그의 나라이다."(15) 본문의 괄호 안에 있는 다음의 숫자들은 이 논문의 경구 번호이다.

해하는데 크게 기여했다. 이전까지 허무주의는 신 죽음의 결과
였는데, 이제는 이런 진단이 심화되고 확장되어 기독교와 기독교
의 하나님 자신이 이미 근원적으로 허무주의적이라고 진단되었
다.[66] 이런 해석은 문제점들을 가지고 있었다. 니체도 이런 문제
점들을 전혀 부정하지 않았다. 만일 기독교가 영지주의와 그의
이원론적 세계관에 따라 발생되었다면 이런 난점들은 거의 없었
을 것이다. 니체가 허무주의적 동기에서 유래했다고 간주했던(참
조, 위 각주 64) 그리스도의 대속의 죽음에 관한 교리 이외에도 특
히 기독교의 창조론은 기독교에 대한 허무주의적 해석을 거부한
다. 니체는 『도덕 계보학』이 출판되던 해에도 여전히 그렇게 생각
했다.(참조, 위 각주 58) 그렇지만 만일 이렇게 창조론과 대속 교리
가 허무주의적 해석을 거부할 때 중요한 것이 신 죽음을 야기한
허무주의적인 근원행위의 결과들이 아니라 이미 기독교 자체에
구축되어 있는 원리의 논리적 일관성이라면, 허무주의 역사에 관
한 견해의 체계적 완결성은 당연히 크게 강화된다.

그러나 철학적 진리탐구가 신 죽음의 결과로 나타나는 단절과

---

66) 니체가 "허무주의" 또는 "허무주의적"이란 표현을 사용할 때 이들 두 시기의 차이가 문헌
에서 종종 간과되고 있다. 그렇지만 그런 구분은 중요하다. 허무주의가 초기의 자료들에
서처럼 신 죽음의 결과이냐 하는 물음과 기독교와 기독교의 하나님 자신이 이미 허무주
의적 경향의 표현이냐 하는 물음은 동일한 것이 아니기 때문이다. 내용적으로 볼 때 후자
의 견해는 쇼펜하우어에까지 소급되는 더 오랜 뿌리를 가진다. 그럼에도 불구하고 그 용
어의 사용을 고려할 때 중요한 것은 초기의 이런 좁은 의미의 언어사용이 확장되었다는
점이다. 이런 사실에 주목할 때에만 니체에게서 무신론과 허무주의의 관계가 올바르게
규정될 수 있다. 니체의 허무주의에 대해서는 참조, Nishitani Keiji, *The Self-Overcom-
ing of NIhilism*, übersetyt von G. Parkes 1990, 29-99.

파괴과정에 참여하는 일이 정당하다는 니체의 판단은 단지 그런 참여를 통해 비로소 삶에 대한 새로운 긍정이 가능해진다는 주장일 수 있었다. 『차라투스트라는 이렇게 말했다』(1883/84) 이후 니체의 긍정적 선언에서 사용된 세 가지 핵심적 개념들은 삶을 긍정하는 그의 이런 주장과 관계가 있다. 즉, 신 죽음 새로 출현해야 할 "초인", "힘에의 의지" 그리고 "동일한 것의 영원한 회귀"가 그런 개념들이다.

『차라투스트라는 이렇게 말했다』가 '자기극복에 관하여'라는 제목으로 힘에의 의지를 다루고 있는 것은 우연이 아니다.[67] 그곳에서 차라투스트라는 말한다. "생명이 있는 것을 발견한 곳에서, 나는 힘에의 의지를 발견했다." 여기서 힘에의 의지란 특별히 타자를 지배하고자 하는 의지를 가리키는 개념이 아니다. 물론 그런 지배의지도 힘에의 의지의 한 현상이기는 하지만 말이다. 몬티나리에 의하면 "힘에의 의지"는 결코 형이상학적인 원리가 아니라 "단지 생명 자체를 의미하는 또 다른 개념, 즉 생명을 정의하는 다른 방식일 뿐이다."[68] 니체에 따르면 "존재에의 의지"(Wille zum Dasein)는 생명을 정의하는데 적합하지 않은 표현이다. "없는 것이 생명이 있는 것에게 생명 자체보다 더 높이 평가되기 때문이다."(Zarathustra a.a.O.) 생명은 "언제나 스스로 자신을

---

67) F. Nietzsche, *Also Sprach Zarathustra*, 2 Teil(1883) 상호 간.

68) M. Montinari a.a.O. 99.

극복해야 하는 것"이기 때문이다. 따라서 자기극복은 힘에의 의지의 본질이다.

힘에의 의지는 초인(Übermensch) 사상으로 연결된다. 『차라투스트라』 서문에 의하면 인간은 초인이 되어가는 과정에서 "넘어감과 내려감"이다. 따라서 초인은 인간의 자기극복에서 탄생한다. 그러나 인간에게서 극복되어야 하는 것은 무엇인가? 니체가 발병 이후 삶에 대한 혐오감에 사로잡혀 차라투스트라를 쓰던 시기의 한 단편에 의하면 니체는 "삶을 긍정하는 초인을 기다리며" 삶을 단지 견디었다고 한다.[69] 그 책의 서문에서 니체는 차라투스트라에게 삶을 긍정하도록 촉구한다. "대지에 충실하라. 너희들에게 저 세상에서의 희망에 관해 이야기하는 자들을 믿지 마라." 니체처럼 그런 희망을 현세의 삶에 대한 부정이라고 생각하는 사람이 볼 때 저 세상에 대한 그런 희망은 피해야 할 것이다. 대지에 충실하고자 한다면 말이다. 그렇지만 그러기 위해서는 삶을 혐오하려는 유혹과 고통에도 불구하고 자기를 극복하려는 노력이 전제되어야 한다.

삶에 대한 그런 긍정은 동일한 것의 영원한 회귀 사상에서 가장 분명하게 나타난다. 그런 사상은 "무('무의미한 것')가 영원하다는 가장 극단적인 형태의 허무주의이다." 그러나 그런 사상은 또한 현세의 삶에 대한 무한한 긍정을 포함하며, 현세의 삶을 다

---

69) F. Nietzsche, *Nachgelassene Fragmente* 4, 81, zit. bei M. Montinari a.a.O. 91.

시 한 번 그리고 무한히 반복하여 살아야 한다는 기대를 포함한
다.[70] 뢰비트에 의하면 이런 사상은 "반기독교적 근대성의 최고
봉에서" 고대의 윤회사상을 반복한 것에 불과하다.[71] 니체가 그
런 사상을 가지게 된 것은 당시의 자연철학적 견해들을 통해 고
무되었기 때문이기도 하다.[72] 그러나 그가 이런 사상을 가지게
된 결정적인 동기는 1881년의 한 단편에서 발견된다. "만물의 순
환과정을 믿지 않는 사람은 전제적인 신을 믿어야 한다. 그러므
로 나의 연구는 지금까지의 모든 유신론적 이론과 대립될 수밖
에 없다."[73] 따라서 기독교의 창조신에 대한 반감은 여기서 다시
한 번 니체가 반대 입장을 취하게 된 결정적인 계기였다. 이때 그
단편은 신 죽음에 관한 명제를 독특한 방식으로 재조명한다. 왜
니체는 그렇게 많은 내적 저항들에도 불구하고 동일한 것의 영원
한 회귀를 주장해야 했는가? 그 신이 죽었다면 말이다.

　뢰비트에 의하면 『차라투스트라』가 모든 가치를 전도시키려
는 미래지향적 기획과 관련하여 영겁회귀 사상을 주장한 것은 여

---

70) K. Löwith, *Nietzsches Philosophie der ewigen Wiederkehr des Gleichen*, 1956, 60ff. 참
　　조, *Die fröhliche Wissenschaft*, Aph. 341.

71) K. Löwith a.a.O. 113ff., 124, 194. "영겁회귀는 동일한 것, 즉 모든 생명체 안에 있는 동
　　일한 생명의 영원한 반복이다." 또한 뢰비트는 동일한 것의 영원한 회귀 사상을 동일한
　　것의 (역사적) "반복"을 요구하는 키에르케고르의 사상과 비교한다. a.a.O. 161ff. bes.
　　172ff.

72) 참조, M. Montinari a.a.O. 86ff; G. Vattimo, *Friedrich Nietzsche. Eine Einführung*,
　　1992.

73) F. Nietzsche, Nachgelassene Fragmente 11, 312, zit. bei M. Montinari a.a.O. 86. 참조,
　　K. Löwith a.a.O. 192. 뢰비트에 의하면 니체는 윤회사상과 결합된 자연으로 돌아가려는
　　경향 때문에 "19세기의 루소"이다.

전히 기독교 정신에 고착된 것이었다. "어떤 그리스 철학자도 그렇게 철저하게 미래의 지평에서 생각하지 않았으며, 어느 누구도 자신을 역사적 숙명이라고 생각한 사람은 없었다." "최고의" 그리고 "마지막" 의지는 "유대교적-기독교적 전통, 즉 세계와 인간은 하나님의 전능한 의지에 의해 창조되었으며, 하나님과 그의 인간적 형상은 본질적으로 의지라는 믿음에서 유래한다."[74] 이런 믿음에서 중요한 것은 자유의지가 없이 기독교적 기본입장에 고착된 것이라면, 니체의 차라투스트라는 완전히 의식적으로 예수의 선포에 대한 대립으로서 기획되었다. 복음서들에서 사용된 개념들과 유사한 많은 개념들을 사용하면서 말이다. 차라투스트라는 "마치 기독교의 설교자처럼" "구원"에 관해 말한다. "구원"은 바그너 음악의 주된 동기였을 뿐만 아니라 니체 자신의 중심 사상이기도 했다. 그 책은 "문학적 형식과 내용에 있어서 모두 반기독교적 복음이며 전도된 산상설교이다."[75]

기독교 신학은 니체를 개신교 목사관과 그 목사관의 경건한 신앙적 분위기와 관련하여 이해해야 한다.[76] 니체는 이런 경건한 신앙적 분위기에서 자랐지만 그런 분위기를 거부했다. 니체 자신이 1887년의 『도덕 계보학』 서문에서 "도덕"이란 주제에 관해 그

---

74) K. Löwith a.a.O. 125f.

75) K. Löwith a.a.O. 189f.

76) P. Köster, "Nietzsche-Kritik und Nietzsche-Rezeption in der Theologie des 20. Jahrhunderts", in: *Nietzsche-Studien* 10/11, 1981/82, 615-685.

가 일찍부터 가지고 있었던 "회의적 감정"을 표시했다. "나는 아주 일찍부터, 어떤 강요도 없이, 저지할 수 없을 정도로, 환경과 나이와 본보기와 가문을 거슬러 그런 회의적 감정을 가지고 있었기 때문에 그런 감정을 나의 '선험성'(a priori)이라 부르기에 주저하지 않았다." 니체의 이런 자기고백에서 우리는 니체의 무신론이 실제로 죄와 대속을 강조하는 기독교 도덕에 대한 혐오에서 비롯되었는지 묻게 된다. 허무주의 역사에서는 오히려 역으로 신의 죽음이 도덕적 가치들의 전복을 위한 전제이자 계기였음에도 불구하고 말이다. 어쨌든 니체는 그가 기독교와 도덕에 대해 혐오감을 갖기 시작할 때부터 이미 신의 죽음과 함께 죄책감의 근거가 붕괴되었다는 생각을 가지고 있었다.[77]

니체의 무신론을 개신교의 대속사상에 대한 그의 혐오감의 표현이라고 생각한다면,[78] 왜 니체가 그의 예리한 지성적 의혹을 한 번도 근대적 무신론의 주장들과 무신론의 사회적 조건들에 대해 제기하지 않았는지 이해할 수 있을 것이다. 니체가 그처럼 권장한 진실성의 덕은 그에 의해 실제로는 대단히 일방적이

---

77) 참조, F. Nietzsche, *Menschliches, Allzumenschliches. Ein Buch für freie Geister I*, 1878, Aph. 133; 같은 책 III, Aph. 114. "기독교는 … 인간을 완전히 압살시켰으며 인간을 깊은 수렁에 빠뜨렸다. 그런 다음에 기독교는 전혀 구원의 가능성이 없다고 생각하는 인간에게 신적인 자비의 빛을 단번에 밝혀 주었다. … " 니체는 그것을 "심각한 머리오염과 가슴오염"이라 불렀다. 그러나 "기독교의 모든 심리학적 기분들은 그런 오염을 목표로 한다. 기독교는 무화시키고, 파괴시키고, 무감각하게 만들고, 취하게 만들 것이다. … "

78) 참조, B. Lauret, Schulderfahrung und Gottesfrage bei Nietzsche und Freud, 1977, 167ff. 그렇지만 라우렛은 무신론과 허무주의의 관계가 니체의 도덕비판의 배경이라는 사실을 과소평가했다. 쇼펜하우어의 영향을 받아 기독교 자체를 연민의 종교라고 해석한 것은 이런 관계를 이해하는 열쇠가 아니라 단지 하나의 계기일 뿐이다.

고 편파적으로 실행되었다. 이런 사실은 바로 앞에서 언급되었듯이 해명을 필요로 한다. 그럼에도 불구하고 기독교는 니체가 마련해 준 거울에 대해 감사해야 할 것이다. 비록 그 거울이 일그러진 거울이라 할지라도 말이다. 신학은 기독교의 왜곡된 경건에 대한 변절한 기독교인의 지적을 외면해서는 안 된다. 그것이 바로 니체, 특히 그의 『도덕 계보학』이 신학에 대해 가지는 잠재적 의미이다. 이런 의미에서 필연적인 기독교적 니체수용은 아직도 여전히 시작에 불과하다. 니체에 의해 신경증적으로 표현된 세계 부정과 자기부정의 독자성은 철회되어야 하고, 기독교의 창조신앙에 근거한 포괄적인 자기긍정과 세계긍정의 한 계기로서의 자기부정은 드러내져야 한다. 하나님의 구원하는 사랑과 창조자의 사랑의 공속성이(마 5:45) 기독교적 경건성 의식을 규정해야 한다. 그러나 이때 이미 창조자의 사랑은 창조적으로 이해되어야 하며, 따라서 언제나 변화에 지향된 것으로 이해되어야 한다. 한편 하나님의 구원 역사와 그 역사의 종말론적 완성은 저 세상을 지향하여 현세의 삶을 무시하는 것이 아니라 대지를 긍정하는 차라투스트라처럼 하나님이 그의 피조물을 변형시킴으로써 확고하게 보존함을 표현하는 것으로 간주되어야 한다.

3-2. 하이데거와 실존주의

허무주의의 상황에 대한 니체의 서술은 두 차례의 세계대전 과정에서 다양한 유형의 실존주의가 등장하는 배경이 되었다. 하이데거(1889-1976)는 이미 오래전부터 니체의 사상을 신뢰하기는 했지만, 그가 본격적으로 니체의 허무주의 개념에 관심을 가지게 된 것은 『존재와 시간』(1927)이 출판된 20년대 후반 이후부터였다.[79] 그러나 하이데거의 사상은 이미 일찍부터 허무주의가 신 죽음의 결과라는 니체의 사상에 의해 영향을 받았다. 물론 하이데거는 이후로는 - 니체의 이런 영향권 안에서 - 허무주의를 극복하고자 노력했다.

하이데거는 이미 학생시절에 브렌타노의 『아리스토텔레스에게 있어서 존재자의 다양한 의미에 관해』(Von der mannigfachen Bedeutung des Seienden nach Aristoteles, 1862)를 읽었으며, 1909~1911년에 칼 브라이그(Carl Braig)에게서 카톨릭 신학을 공부하는 학생으로서 특히 존재론적 물음들에 관심을 가지고 있었다. 그렇지만 그는 4학기를 마친 후 완전히 철학에 전념하게 되었으며, 신칸트학파 리케르트의 영향을 받아 존재론은 인식론적 근거해명을 필요로 한다고 확신하게 되었다. 이와 함께 그는 (신)스콜라 철학의 존재론에서처럼 신을 최고의 존재자라고 주장하지 않게 되었

---

79) 하이데거에 있어서 니체의 의미에 관해서는 참조, O. Pöggeler, Der Denkweg Martin Heideggers(1963) 2. Aufl. 1983, 104ff. 그의 니체 이해에 대해서는 1910 a.a.O. 25f. 후기 하이데거의 니체이해를 위해서는 참조, "Nietzsches Wort 'Gott ist tot'", in: Holzwege(1950), 4. Aufl. 1961, 193-247). "초감각적 세계는 영향력이 없다. 그 세계는 아무런 생명도 제공해 주지 않는다."(200) 니체에 의하면 허무주의의 "역사적 운동"(201)은 "기독교의 하나님이 부정되는 곳에서 비로소" 시작된다.(202) 그러나 하이데거는 니체의 이런 허무주의 개념이 아니라 일반적인 의미의 허무주의 개념을 따라 허무주의를 특히 플라톤주의에 의해 규정된 형이상학의 운명과 관련시켰다.

다.[80] 하이데거의 사상에서 "신의 죽음"은 그가 신을 스콜라 철학에서처럼 최고의 존재자로 생각하지 않는다는 뜻이다. 그는 니체의 사상을 접하기 훨씬 이전에 이미 신의 죽음에 관해 이런 방식으로 생각하고 있었다. 이런 사유과정을 통해 야기된 신앙과 사유의 구분에도 불구하고 하이데거는 기독교와의 내적 관계를 확고히 유지하고 있었다.[81] 그러나 그가 기독교와 이런 내적 관계를 유지한 동기는 전통적인 존재론과 무관하였으며, 현상학적 존재론과도 전혀 무관하였다. 하이데거의 사상에서 기독교적 동기는 교수자격논문(1915) 이후 그가 1923년까지 프라이부르크에서 후설과 함께 연구하던 시기에 "현사실적"(faktischen) - 하이데거가 "역사적"이라고도 표현했던[82] - 경험에 대한 관심과 관련하여 작용했다. 역사적-현사실적 삶의 경험에 대한 하이데거의 견해를 위해 중요한 역할을 한 것은 체험의 역사성에 대한 딜타이의 분석 이외에도 부활한 그리스도의 재림을 고대하는 바울의 "카이로스적" 신앙이해였다.[83] 이런 카이로스적 신앙이해는 이

---

80) M. Jung, *Das Denken des Seins und der Glaube an Gott. Zum Verständnis von Philosophie und Theologie bei Martin Heidegger*, 1990, 23 und 25f. 칸트에 의하면 범주들의 사용은 공간적으로 주어진 것에 한정되며 따라서 실체라는 범주도 그렇게 한정된다. 피히테는 칸트의 이런 주장에 근거하여 신은 실체로 간주될 수 없다고 생각했다.

81) M. Jung a.a.O. 34f.

82) O. Pöggeler a.a.O. 38. 후에 하이데거는 "삶을 위한 역사의 이익과 불이익"(*Unzeitgemäße Betrachtungen II*, 1873/74)에 관한 니체의 고찰과 관련하여 역사성과 현재의 역사를 구분했다. 참조, M. Jung a.a.O. 130, Anm. 37)

83) M. Jung a.a.O. 121ff., 42ff. 참조, K. Lehmann, "Christliche Geschichtserfahrung und ontologische Frage beim jungen Heidegger", in: O. Pöggeler(Hg.), *Heidegger. Perspektiven zur Deutung seines Werks*, 1984, 140-168. 레만에 따르면 하이데거는 원시기

미 아우구스티누스에게서 신플라톤주의적인 사상을 통해 은폐되었지만, 초기 루터는 어떤 철학을 통해서도 이해할 수 없는 이런 신앙이해의 의미를 새로이 부각시켰다. 그렇지만 하이데거는 원시기독교의 경험을 철학적으로 해석하여 단지 역사성의 패러다임으로 간주함으로써 지나치게 형식화하여 그런 경험이 가지는 특별한 의미, 즉 그런 경험에 본질적인 하나님과 그리스도와의 관계가 퇴색되었다.[84] 이후에도 하이데거는 기독교 신앙을 언제나 단지 하나의 특별한 형태의 실존경험으로 간주하여 신앙 자체에 본질적인 대상관계를 무시했다.

하이데거의 대표적 저서인 『존재와 시간』(1927)은 역사성의 차원을 후설의 현상학적 존재물음과 결합시킨 결과물이라 할 수 있다.[85] 자신의 존재를 이해하는 것이 언제나 이미 주된 관심사인 인간의 현존재를 실마리로 하여 "존재의 의미"가 해명되어야 하며, 그와 함께 모든 형식 존재론과 영역 존재론의 전제가 해명되어야 한다.[86] 존재의 의미에 대한 이런 해명은 단순히 주어진

독교의 이런 역사경험으로부터 아리스토텔레스의 시간을 고려하지 않는 존재개념의 한계를 발견했다(a.a.O. 154). 참조. M. Jung a.a.O. 59 Anm. 147.

84) 레만도(K. Lehmann a.a.O.) 하이데거의 이런 점을 비판적으로 부각시켰다.

85) 후설의 현상학적 본질탐구 계획에서 존재론 개념의 전체적인 기본 기능을 위해서는 참조. E. Husserl, *Ideen zu einer reinen Phänomenologie und phänomenologischen Philosophie I* (1913), 4. Aufl. hg. von W. Biemel, 1950 (Husserliana III), 23ff. 특히 "대상의 형식적 본질 일반"(26)을 규정해야 하는 형식존재론과 영역존재론들 사이의 구별을 위해서는 참조 26f. 하이데거는 이런 구분에 "존재의 의미"를 무엇보다 먼저 해명해야 하는 "기초존재론"의 과제를 추가했다. 후설의 현상학적 탐구방식은 하이데거와 마찬가지로 신의 존재에 대한 물음을 원천적으로 차단했다.

86) M. Heidegger, *Sein und Zeit*, 1927, 7f. und 12f. 존재의 의미를 무엇보다 먼저 해명해야

모든 존재자들과 달리 현존재의 존재를 특징짓는 시간성과 역사성을 분석함으로써 이루어진다.[87] 그런 해명의 결과 하이데거는 존재자와 존재의 존재론적 차이에 주목하게 되었다. 그런데 이런 존재론적 차이가 형이상학의 역사를 통해 체계적으로 은폐되어 왔다는 것이다.

하이데거는 「형이상학이란 무엇인가?」(1929)라는 그의 프라이부르크대학 총장취임 강연에서 '존재는 존재자의 무인데, 이 무는 현존재 자신의 존재에 대한 불안(Angst um sein Sein)에서 드러난다'고 주장했다.[88] 그는 자기가 무와 불안의 철학을 지지한다는 오해를 차단해야 했다.[89] 존재는 헤겔이 주장하듯이 존재자의 규정된 부정이 아니다. 존재는 존재자의 무이지만, 절대적인 무(Nichtigkeit schlechthin)는 아니다.

하이데거에 의하면 형이상학은 그리스에서 니체에 이르기까지 존재자의 존재에 관해서만 말하고 존재 자체에 관해서는 말하지 않음으로써 존재와 존재자의 존재론적 차이를 망각했다.[90] 하이데거의 이런 주장에 대해서는 이미 신은 실존하기 위해 부가적인

하는 당위성에 대해서는 ebd. 11. 현존재란 개념에 대해서는 참조, M. Heidegger, "Einleitung zu 'Was ist Metaphysik?' (1949)", in: *Wegmarken*, 365-383, 373ff.

87) M. Heidegger, *Sein und Zeit*, 1927, 403.

88) M. Heodegger, "Was ist Metaphysik?" (1929), in: *Wegmarken*, 103-122, 113ff.

89) M. Heidegger, "Nachwort zu 'Was ist Metaphysik?' (1943)", in: *Wegmarken*, 303-312, 305f.

90) M. Heidegger, "Einleitung zu 'Was ist Metaphysik?' (1949)", in: *Wegmarken*, 365.ff., 370.

존재를 필요로 하는 모든 실체들과는 다른 "존재의 행위"(actus essendi)[91]라고 표현한 토마스 아퀴나스의 주장에 근거하여 반론이 제기되었으며, 신플라톤주의의 존재론 전통에서도 반론이 제기되었다.[92] 하이데거를 그런 비판으로부터 변호하는 입장에서 보면, 그들은 하이데거가 강조하는 존재자가 아닌 존재의 역사성을 간과했다고 말할 수도 있을 것이다. 그렇지만 이런 사실이 인정된다 할지라도 하이데거가 주장하듯이 형이상학의 역사 전체에서 존재자의 존재와 존재 자체가 구분되지 못하고 둘이 혼동되었다고 단적으로 말할 수는 없을 것이다. 게다가 중세철학의 보편실재론을 인정하지 않으면서 존재자체에 관해 이야기하는 것은 자기모순이다. 존재자체에 관해 이야기하는 것은 추상적 보편자로서의 존재 개념을 실체로 간주한다는 의혹에 직면하기 때문이다. 후기 하이데거는 추상적인 것을 실체화한다는 의혹에 대해 충분한 해명이 없이 존재에 관해 마치 스스로 은폐하거나 계시하는 신비한 주체인 것처럼 말했다.

하이데거의 『존재와 시간』은 그의 의도와는 달리 철학적 인간론으로 간주되었으며, 바로 그런 인간론으로서 대단히 큰 영향을 끼쳤다. 하이데거 자신이 해명했듯이 이 책의 중요한 목표는

---

91) Thomas von Aquin S. theol. I, 3, 4; C. Gent. I, 22f. und das opusculum "De ente et essentia".

92) 참조, W. Beierwaltes, *Einheit und Identität als Weg des Denkens*, V. Melchiorre(ed.), Mailand 1990, 3-23, 20ff.; ders., *Identität und Differenz*, 1980, 4ff. und 131ff.

결코 "현존재의 완전한 존재론"이 아니었다. 비록 현존재의 존재론이 철학적 인간론의 존재론적 '터 닦기'로서 필수적이었을 것임에도 불구하고 말이다.[93] 현존재 분석의 목표는 단지 현존재의 특수한 존재방식을 그의 역사성에서 밝혀내는 것이다. 이런 분석을 기초로 하여 "존재일반의 의미"를 해명하는 작업은 이 책의 2부에서 다루어질 계획이었지만 2부는 출판되지 않았다. 그러나 하이데거는 후에 존재를 존재자의 가능조건으로서 해명하기 위한 『존재와 시간』의 "초월론적" 방법론을[94] 존재해명 과제에 적합하지 않다고 생각하여 포기했다.[95] 이것은 『존재와 시간』에서 취한 방법론이 그 책을 철학적 인간론으로 오해하는데 책임이 있음을 인정하는 것이 아닌가?

이미 불트만은 하이데거의 "현존재 분석"을 철학적 인간론으로 간주하였으며, 그런 분석은 신앙을 갖지 않은 (또는 신앙을 갖기 이전의) 현존재의 존재이해를 보여주는 대표적인 예라고 생각했다. 마치 "불신앙이 인간 현존재 전체의 근본규정"인 것처럼 말이다. 물론 철학은 인간 현존재 전체의 근본규정을 보지만, 이런 근본규정을 불신앙이라고 보지는 않는다. "철학적 입장에서 볼

---

93) M. Heidegger, *Sein und Zeit*, 1927, 17.

94) 참조, M. Jung a.a.O. 79f.

95) 이런 사실은 이미 하이데거가 "인본주의에 관하여"란 제목으로 1946년에 장 보프레 (Jean Beaufret)에게 보낸 편지에서 암시되어 있다. 이 편지에서는 -『존재와 시간』에 대한 사르트르의 해석과 달리 - 존재가 인간 현존재로부터 규정되는 것이 아니라 역으로 인간이 "존재의 빛"으로서 규정되었다. 그러나 인간은 존재의 진리를 간직해야 하는 "존재의 목자"이다.

때 현존재는 자유, 즉 근원적 자유에서 구성된다."[96]

『존재와 시간』에서 기술된 현존재의 자기실현은 사실상 현존재가 그의 자유에서 자기를 구성하는 것이라 할 수 있다. 이때 현존재는 미래에 닥칠 자신의 죽음을 미리 앞당겨 생각함으로써 환경의 자명성에 "빠져있음"("세상사람")으로부터 자신의 본래성을 회복한다. 하이데거의 이런 현존재 분석은 키에르케고르와 딜타이의 사상을 새롭게 해석함으로써 이루어졌다. 키에르케고르에 의해 기술된 불안의 현상이 하이데거에게서는 인간을 일상성의 비본래성으로부터 벗어나게 하는 가장 중요한 기능을 하게 되었다. 불안에서 개인의 가장 중요한 관심사는 자기 자신과 자신의 자유이기 때문이다.[97] 그러나 하이데거는 키에르케고르와 달리 불안을 본래적 실존의 자유에 이르는 통로라고 긍정적으로 해석한다.[98] 키에르케고르에게 있어서 불안은 인간이 자기 자신과 자신의 자유와 관계하는 특수한 방식이다. 유한한 인간이 자유를 마음대로 사용하면 진정한 정체성으로부터 이탈하게 되어

---

96) R. Bultmann, "Problem der 'natürlichen Theologie'", in: Glauben und Verstehen. GA 1, 1933, 294-312, 309f. 불트만의 이런 표현이 철학과 신학의 관계에 관한 하이데거 자신의 견해와 정확하게 일치한다는 사실은 하이데거의 『현상학과 신학』(1927/28)에서 분명히 드러난다. 그럼에도 불구하고 레만이 옳게 지적했듯이 불트만이 하이데거의 존재물음에서 현존재 분석을 넘어서는 의도들을 인정하지 않은 것은 "처음부터 하이데거의 진정한 문제를" 파악하지 못한 것이다(a.a.O. 147). 불트만이 하이데거의 후기사상을 더 이상 수용하지 않은 것도 이런 이유 때문이다.

97) M. Heodegger, *Sein und Zeit*, 184ff. 참조, S. Kierkegaard, *Der Begriff Angst*(1844), deutsch von E. Hirsch 1952, 41ff; W. Diez, *Sören Kierkegaard. Existenz und Freiheit*,1993, 253ff., 279f. 하이데거는 『존재와 시간』 190쪽의 각주와 253쪽의 각주에서 케에르케고르의 사상을 직접 언급한다.

98) M. Heidegger a.a.O. 265f., 251.

결국 절망에 빠지게 된다. 왜냐하면 자유가 영원자로부터 구성된 인간의 본질적 구조와 어긋난 방식으로 행사되기 때문이다. 이와 달리 하이데거와 이후의 실존주의 철학자들에게서는 키에르케고르의 주체성의 비본래적 실존형식이 "그 자체로 유일한 진리가 된다 … 키에르케고르가 주장하는 절망이 인간의 긍정적인 규정으로 받아들여진다."[99]

하이데거는 인간을 영원자에 대한 유한성의 관계로 정의한 키에르케고르의 형이상학적 틀[100]을 딜타이가 주장하는 시간성에 기초한 현존재의 의미 전체성 개념으로 대체했다. 따라서 삶의 최종적 의미는 죽음의 순간에 비로소 결정된다는 것이다. 하이데거에 의하면 미래에 닥칠 자신의 죽음을 미리 앞당겨 생각함으로써 죽기 전에 이미 현존재의 가능한 전체성이 그의 유한성에서 드러난다. 그렇지만 어떻게 인간이 아직 닥치지 않은 자신의 죽음을 생각함으로써 그의 현존재가 유한하다는 것을 인정할 수 있느냐 하는 물음은 여전히 남는다. 이런 물음에 대해『존재와 시간』은 현존재가 양심의 소리에서 자기 자신을 부른다고 설명함으로써 대답한다. "현존재는 양심에서 자기 자신을 부른다."[101] 그런데『인본주의 서간』에 의하면 인간은 "존재 자체에

---

99) G. Rohrmoser, "Kierkegaard und das Problem der Subjektivität", in: *Neue Zeitschrift für systematische Theologie und Religionsphilosophie* 8, 1966, 289ß310, 309.

100) S. Kierkegaard, *Die Krankheit zum Tode*, 1849, deutsch von E. Hirsch 1954, 8(SV XI 127).

101) M. Heidegger, *Sein und Zeit*, 275. 참조, 267-301).

의해 존재의 진리를 지키도록 부름을 받는다."[102]

사르트르는 『존재와 무』(1943)에서 하이데거를 따라 인간 존재의 존재론을 제시했다. 그러나 그의 존재론은 하이데거처럼 인간 현존재를 넘어 존재 자체를 존재자와의 차이에서 드러내는 것을 목표로 하지 않았을 뿐만 아니라 데카르트와 베르그송에 의해 체계화된 의식철학을 고수했다. 사르트르는 하이데거가 현존재란 개념을 통해 의식을 축출했다고 비판했다.[103] 사르트르는 의식을 사물들의 즉자존재(An-sich-sein)와 대립되는 대자존재 (Für-sich-sein)라고 규정했다. 대자존재는 자유를 통해 규정되며, 따라서 모든 다른 존재자들에 대해서와 마찬가지로 자기 자신에 대해서도 부정적으로 관계하기 때문에 자기 자신 내에서도 존재 결핍을 특징으로 가진다.[104] 이런 존재결핍은 대자존재가 자신의 고유한 즉자존재의 근거로서, 즉 자기원인(causa sui)으로서 존재하게 될 때에만 비로소 극복될 것이다. 그러나 그것은 신적인 존재에게만 가능하다. 따라서 사르트르에 의하면 인간은 본질적으로 "신이 되고자 하는 욕망"을 가지기는 하지만,[105] 즉자이면

---

102) M. Heidegger, *Über den Humanismus*, 1947, 29 (GA 9 342).

103) J.-P. Sartre, *Das Sein und Nichts. Versuch einer phänomenologischen Ontologie* (1943) deutsch 1962, 125ff., vgl. 58.

104) J.-P. Sartre a.a.O. 711. "대자존재는 자기 자신이 자신의 고유한 존재결핍인 그런 존재이다. 그리고 대자존재에 결핍되어 있는 존재는 즉자존재이다." 참조, 139, 142., 151, 157. 키에르케고르에 대한 하이데거의 해석에 따라(참조, 71) 사르트르도 자유는 불안을 통해 자각된다고 주장했다(77ff.).

105) J.-P. Sartre a.a.O. 712, 776.

서 동시에 대자인 "전체성"으로서의 이런 목표에 도달하지는 못한다.[106] 따라서 사르트르는 1946년에 「실존주의는 휴머니즘인가?」란 논문에서 자유는 인간의 운명이라고 주장했다.[107] 인간이 인간인 것은 그의 자유의 행위 때문이다. 이런 의미에서 실존은 본질에 앞선다.[108] 그러나 이제 사르트르는 자유와 함께 인간에게는 그의 존재에 대한 책임도 있음을 역설했으며, 더 나아가 칸트와 마찬가지로 자유로운 기획을 통한 총체적 인간성을 요구하기도 했다. "내가 나를 선택함으로써, 나는 인간을 선택한다."[109] 대자존재의 철학과 모순되는 이런 사상적 전환은 사르트르가 후에 혁명적 공산주의를 지지하게 되는 가교 역할을 했다.[110]

하이데거는 『인본주의 서간』에서 자신의 사상은 사르트르의

---

106) J.-P. Sartre a.a.O. 712, 779ff. 140, 142. 결핍은 본질적으로 가능한 전체성과의 관계에서 경험된다. 하이데거에 의하면 현존재는 죽음을 향한 선구적 결의성에서 "유한성의 자유로운 선택"을 통해 자기 자신을 전체성으로서 구성할 수 있다. 그러나 사르트르는 하이데거의 이런 해결책을 거부했다. 죽음은 삶을 전체로서 구성할 수 있게 하는 것이 아니라 오히려 삶에서 모든 의미를 박탈하기 때문이다(679f.).

107) J.-P. Sartre, *Drei Essays*, 1963, 16.

108) J.-P. Sartre a.a.O. 11. 사르트르에 의하면 실존이 본성에 앞서는 이유는 인간의 본성이 정해져 있지 않기 때문이다. 그리고 인간의 본성이 정해져 있지 않은 이유는 "인간의 본성을 기획한 어떤 신도 존재하지 않기 때문이다."(ebd.) 따라서 인간은 그가 지향해 가는 목표이다.

109) J.-P. Sartre a.a.O. 13, 참조, 12. 『존재와 무』는 "'함께 있음'과 '우리'"에 대해 이와 다르게 설명한다(527ff., 특히 547).

110) J.-P. Sartre, *Kritik der dialektischen Vernunft I, Theorie der gesellschaftlichen Praxis*(1960), deutsch 1967. 이 책은 사르트르의 이런 사상적 전환을 보여주는 대표적인 저서이다.

주장과 달리 실존주의에 속하지 않는다고 주장했다.[111] 실존을 본질에 귀속시키는 형이상학을 떠나 실존이 모든 본질규정에 앞선다고 주장하는 사상적 전환은 여전히 형이상학적 사상의 범주에 머문다. " … 하나의 형이상학적 명제의 전복은 여전히 존재의 진리를 망각한 하나의 형이상학적 명제이다."그렇지만 이런 전환은 "실존주의라는 명칭이 이런 철학에 어울리는 명칭"임을 입증해 준다. 그렇지만 그런 철학과『존재와 시간』은 공통점을 전혀 가지지 않는다는 것이다.[112]

하이데거는 여섯 살 위의 야스퍼스와 두드러지게 거리를 두지는 않았다.[113] 오히려 1919년에 출판된『세계관의 심리학』과의 논쟁은 - 이 책을 계기로 야스퍼스는 정신의학에서 철학으로 전공을 바꾸었다 -『존재와 시간』에 이르는 하이데거 자신의 사상 발전 과정에서 하나의 단계에 속한다. 딜타이의 세계관 개념과 그의 이해의 심리학에 기초한 - 이해의 심리학은 객관적인 설명심리학과 달리 의미연관성에 대한 이해를 강조한다(*) - 야스

---

111) 참조, J.-P. Sartre, Drei Essays, 9. 여기서 사르트르는 "두 유형의 실존주의자들"을 구분하였다. 그의 구분에 따르면 한편에서는 야스퍼스와 가브리엘 마르셀과 같은 기독교적 실존주의자들이 있으며, "다른 한편에서는 하이데거와 프랑스 실존주의자들 및 나 자신을 포함한 무신론적 실조주의자들"이 있다. 야스퍼스는 자신을 기독교 실존주의로 분류하는데 당황했을 것이며, 마찬가지로 하이데거도 자신을 무신론자로 분류하는데 동의하지 않았을 것이다.

112) M. Heidegger a.a.O. (위 각주 95) 17f.(GA 9, 328f.).

113) 야스퍼스에 관해서는 여기서 자세히 다루어질 수 없다. 참조, J. Salaquarda, "Jaspers", in: *TRE* 16, 1987, 539-545. 야스퍼스의 철학과 기독교의 관계에 대해서는 참조, W. Lohff, *Glaube und Freiheit. Das theologische Problem der Religionskritik von Karl Jaspers*, 1957.

퍼스의『세계관의 심리학』을 논평하면서 하이데거는 야스퍼스의
사상이『존재와 시간』이전까지의 자신의 사상과 다르지 않다
고 느꼈다. 특히 그는 죽음, 고통, 전쟁, 죄책감과 같은 "한계상
황들"에 대한 설명과 본래적 실존에 도달하는데 그 한계상황들
이 가지는 의미에 대한 야스퍼스의 설명이 그렇다고 느꼈다.[114)
한편 하이데거는 야스퍼스의 이론을 견인하는 "삶 전체를 선취
함"(Vorgriff)은 "철저한 방법론적 해명을 필요로 한다"고 비판했
다.[115)『존재와 시간』의 현존재 분석은 그런 방법론적 해명이 특
징이다. 그것은 현존재의 존재방식을 분석하기 때문이다. 그렇
지만 야스퍼스는 하이데거의 이런 존재론적 문제제기를 인정하
지 않았다.[116)『철학』(1932) 1권(Weltorientierung, 세계관)에서 야스퍼
스는 주체와 객체의 상관관계에 기초한 세계인식은 어떤 세계상
도 제시해 줄 수 없다고 비판하였다. 한편 2권(Existenzerhellung, 실
존해명)은 인간존재의 본질이 현존재, 의식일반, 역사적 정신에 있
다고 보는 이론적 견해들을 거부하고 자기존재와 그의 통일성의
절대적 근거인 "실존"을 부각시켰다. 세 번째 책(형이상학)은 실존

---

114) M. Heidegger, "Anmerkungen zu Karl Jaspers 'Psychologie der Weltanschauun-
gen'"(1919/21), in: *Gesamtausgabe* 9(*Wegmarken*),1-44. 하이데거는 이 논평을 1921
년에 야스퍼스에게 직접 보냈다.

115) M. Heidegger a.a.O. 12 und 10. 하이데거는 또한 야스퍼스가 "의도된 문제들에 적극적
으로 개입하여 해결책을 모색함과 관련하여 철학적으로 설명하지 못했다"고 비판하기
도 했다(15).

116) K. Jaspers, *Philosophie*(1932) 2. Aufl. 1948, 662ff. 실존조명은 존재론이 아니다. 오히
려 실존조명은 자기 자신만 포착할 수 있는 실존에 호소한다. 참조, 특히 666ff.

을 포함한 현실적 대상세계를 초월하는, 그리고 한계상황에 직면하여 자신의 실존을 의식할 때에 비로소 경험할 수 있는 초월자와 실존의 관계를 기술한다. 그리고 이런 관계에서 실존은 초월자로부터 그의 유한성이 부여되었음을 깨닫게 된다.[117] 실존은 초월자와의 관계에서만 그의 전체성을 발견한다. 죽음은 단지 "내가 전체적 존재자인지 그리고 나의 존재가 단순히 끝나는 것은 아닌지" 묻게 할 뿐이라는 것이다.[118]

야스퍼스는 하이데거나 사르트르와 달리 실존과 초월자를 대립시킴으로써 자아존재를 개인의 자기의식과 행동의 대상인 신과의 관계로 이해하는 키에르케고르의 실존분석 틀을 고수했다. 그러나 야스퍼스에 의하면 세계존재를 초월하는 초월자는 보편타당성을 요구할 수 있는 지식의 대상이 아니다. 초월자는 단지 개인의 실존의식에서만 이해될 수 있다. 따라서 실존의식은 오직 "암호들"을 통해서만 초월자 안에 있는 그의 근거를 확인한다. 그런데 암호들은 인식될 수 있는 것이 아니다. "암호들의 진리는 실존과의 관계에 있다."[119] 야스퍼스에 의하면 기독교의 하

---

117) K. Jaspers a.a.O. 675ff., 733. 참조. K. Jaspers, *Der Philosophische Glaube*, 1958, 20. "나는 나의 존재가 초월자를 통해 나에게 부여되었음을 깨달음으로써 실존으로서 존재한다. 나는 나를 통해서만 결단하는 것이 아니다. '나를 통해서'는 나에게 '선물로 주어진 나의 자유'이다.

118) K. Jaspers, *Philosophie* 2. Aufl. 1948, 751.

119) K. Jaspers, *Der philosophische Glaube angesichts der Offenbarung*, 1962, 153. "암호들"이란 주제는 이 책에서 다시 한 번 자세하게 다루어진다(213-428). 참조, *Philosophie*(1932) 2. Aufl. 1948, 785-879.

나님도 그런 암호들 중 하나이다.[120] 물론 기독교의 하나님은 단지 계시신앙의 대상일 뿐만 아니라 철학적 신앙의 대상이기도 하다.[121] 그러나 계시신앙은 오직 실존적으로만 접근할 수 있는 암호를 "육체적 현실성"으로 대체하여 이것이 모든 사람을 위한 절대적 진리라고 주장하게 된다는 것이다.[122] 야스퍼스는 기독교의 이런 "배타성 요구"가 기독교적 불관용의 원천이라고 생각하여 거부했지만,[123] 그런 요구에 의해 정화된 성서적 내용, 즉 도그마의 그리스도가 아니라 예수를 보존하고자 했다.[124]

기독교 신학은 예수 그리스도에게서 만인을 위해 계시된 하나님의 진리와 그에 기초한 선교를 포기할 수는 없다. 그러나 야스퍼스가 비판하듯이 불관용 때문에 복음이 왜곡된다는 사실도 주목해야 하며, 계시의 진리와 그 진리에 대한 신학적 지식을 구분함으로써 그런 위험에 대처해야 할 것이다. 그렇지만 야스퍼스가 제안했듯이 종교적 신앙의 내용이 암호로 대체되면 신앙에서 포착된 진리가 인간의 주체성에 제한되며, 이전에 포이어바흐가 선

---

120) K. Jaspers, *Der philosophische Glaube angesichts der Offenbarung*, 1962, 214ff. 야스퍼스는 "일자의 강력한 암호"를 "실존을 위해 불가피한 것"이라고 표현하는데 반해, 인격신의 암호는 비록 "역사적으로 최고도로 영향력이 있기는 하지만 필연적이지는 않다"(225).

121) K. Jaspers, *Der philosophische Glaube*, 1948, 29f.

122) K. Jaspers, *Der philosophische Glaube angesichts der Offenbarung*, 1962, 163f., 174.

123) K. Jaspers, *Der philosophische Glaube*, 1948, 69ff.; *Der philosophische Glaube angesichts der Offenbarung*, 1962, 507f.

124) K. Jaspers, *Der philosophische Glaube angesichts der Offenbarung*, 225ff. 삼위일체론을 위해서는 256쪽을 참조하라.

언했듯이 신학이 인간론으로 축소된다. 아무리 긍정적으로 해석한다 할지라도 말이다. 따라서 야스퍼스의 암호이론은 인간은 주체성에 의존하여 실존을 이해함으로써 그의 자유의 행위에서 존재의 전체성과 그 전체성의 토대인 신을 떠나게 된다는 키에르케고르의 통찰의 급진성에 미치지 못한다.

하이데거는 신과 신들이 현현할 수 있는 거룩함의 영역이 있다는 신중한 입장을 취했는데, 그의 이런 입장이 야스퍼스보다 더 적절해 보인다. 하이데거는 『인본주의 서간』(1947)에서 사르트르가 자신을 무신론적 실존주의자로 분류한 것에 대해 반박했다. 오히려 하이데거는 거룩함의 본질은 존재의 진리로부터 비로소 사유될 수 있으며, 신성과 신의 본질은 거룩함의 본질로부터 사유될 수 있다고 주장한다.[125] 철학 자체는 유신론적이지도 않고 무신론적이지도 않다는 것이다. 그럼에도 불구하고 하이데거는 1927/28년에 행한 「현상학과 신학」이란 강연에서 – 이 강연의 내용은 1969년에 출판되었다 – 존재에 대한 철학적 물음은 신앙의 하나님과 전혀 다르다는 입장을 취했다. 이 강연에서 하이데거는 신앙은 철학의 "대적"(Todfeind)이란 표현을 사용했다. 신앙은 "총체적 현존재의 자유로운 자기정립"을 방해하기 때문이다.[126] 그럼에도 불구하고 하이데거는 철학은 "실증적 학문"으

---

125) M. Heidegger, *Über den Humanismus*, 1947, 36f.

126) M. Heidegger, *Phänomenologie und Theologie*, GA 9(Wegmarken) 45-67. Zitat 66. 위의 각주 96번에서 불트만의 동일한 주장을 참조하라. 하이데거의 이 강연에 관해서

로서의 신학을 "조정하는" 기능을 한다고 주장했다. 왜냐하면 신앙은 중생이며 "그 안에는 현존재의 신앙 이전의, 즉 신앙이 없는 실존이 지양되어 보존되어 있기" 때문이다.[127]

신학과 철학의 관계를 규정할 때 하이데거는 유감스럽게도 신학의 대상을 "인간 현존재의 실존방식"으로서의 신앙에 국한시키거나 아니면 거기에 기초한다고 생각한다.[128] 이때 물론 신앙의 근원은 "신앙의 대상", 즉 "십자가에 달린 하나님"인 그리스도라는 사실이 언급되었다. 그러나 만일 신앙의 근원이 하나님과 그의 계시라면, 신학의 고유한 대상은 하나님과 그의 계시이다. 그렇다면 신학은 하나님을 모든 존재자의 근거이자 존재의 근원으로 생각해야 한다.[129]

존재론의 주제를 신 개념으로부터 분리하여 완전히 독립시키려는 하이데거의 노력이 지금은 그의 의도와는 달리 무신론적인 것처럼 보이는 것은 헤겔 이후의 철학이 신칸트학파의 인식론과 후설 현상학에서처럼 인간론으로 방향을 전환했기 때문이다. 존재론적 주제를 그렇게 독립시키려는 의도에서 하이데거는 신앙을 통해 규정된 인간의 실존만이 신학의 대상이라고 생각했다.

는 참조, M. Jung, Das Denken des Seins und der Glaube an Gott, 1990, 113-149.

127) M. Heidegger a.a.O. 63. 철학적 측면에서가 아니라 신학에 의해 요청된 "조정자"로서의 철학의 기능에 관해서는 참조, 65쪽.

128) M. Heidegger a.a.O. 52.

129) 참조, M. Jung a.a.O. 139. 융은 여기서 하이데거가 신학의 대상을 실존적 신앙사건에 제한시켰다고 비판한다.

그렇기 때문에 그는 신 개념을 근거로 철학을 신학적 사유에 귀속시키려 한 교부신학에 대해서도 관심을 가지지 않았다. 그러나 하이데거가 주장하듯이 믿음을 통한 인간의 중생(重生)이 신앙 이전의 현존재가 신앙적 실존으로 지양된 것이라면, 창조자 하나님에 대한 신앙은 철학적 존재론의 현실분석이 세계를 하나님의 피조물로 설명하는 신학적 기술로 지양될 것을 요구한다. 따라서 신앙은 철학의 "대적"일 필요가 없다. 인간의 중생도 피조물로서의 그의 존재가 무화되는 것이 아니라 인간의 고유한 본질로 회복되는 것이기 때문이다.

3-3. 철학적 인간학

하이데거의 『존재와 시간』은 하이데거의 존재론적 의도에도 불구하고 존재론적 주제를 인간 실존의 존재이해에 기초하여 논의하는 철학적 '기초 인간론'(Fundamentalanthropologie)이라 할 수 있다. 따라서 사르트르에게서는 존재론적 용어가 의도적으로 인간 실존을 그의 대자적 특성에서 설명하는 개념이 되었다. 그러나 야스퍼스의 철학에서도 실존의식은 철학적 세계관의 기초이며, 암호어로서의 형이상학을 해석하는 기초이다. 야스퍼스가 실존을 세계 내에서 인간의 현존과 차별화하고, 주체와 대상의 상관관계로서의 의식영역과 차별화하며, 역사적-사회적 정신의 영역과 차별화함으로써 실존의 입지를 확립하는 한, 이렇게 확보된

입지는 인간론적으로 확립된 것이다. 그렇지만 바로 야스퍼스에게서 분명한 것은 이런 영역들의 상호관계와 특히 실존의식과 인간 현존재의 구체적 현실과의 관계가 과소평가되어 있다는 점이다. 따라서 실존철학은 헤겔 이후 인간론으로의 방향전환을 통해 형성된 서로 다른 경향들에도 불구하고 의식철학의 전통에 서 있다.[130] 이런 판단과는 달리 포이에르바하의 이론을 계승한 니체는 이미 정신을 육체보다 우위에 두는 전통적인 입장을 거부하고 육체와 육체의 "이성"이 가지는 근본적인 의미를 강조한 적이 있었다.[131] 니체의 이런 사상은 실존철학에서 계속 추구되지 않았다. 이런 사상은 심신 연계성을 주장하는 베르그송의 생철학에서 계승되어 발전되었다.[132]

셸러를 중심으로 하는 철학적 인간론은 인간을 육체와 영혼의 통일성으로 이해하고자 한다.[133] 인간의 생명형식을 식물이나 동물의 생명과 비교해 보면 인간의 고유한 특성을 이해하는데 도움이 된다는 것이다. 이때 "우주에서 인간의 위치"에 대한 물음은 우선 다른 생명체들 가운데 인간이란 종(種)이 차지하는 고

---

130) 슐츠(W. Schulz)는 실존철학을 유한성의 철학이면서 동시에 내향성의 철학이라고 규정했다. 참조, W. Schulz, Philosophie in der veränderten Welt, 1972, 272ff.

131) 특히 니체의 『차라투스트라』(Also Sprach Zarathustra, 1883) 첫 장 "육체의 경멸에 관해"를 참조하라.

132) 참조, H. Bergson, Materie und Gedächtnis. Eine Abhandlung über die Beziehung zwischen Körper und Geist, 1896.

133) M. Scheler, Die Stellung des Menschen im Kosmos(1928). 참조, W. Schulz a.a.O. 419-432; W. Pannenberg, Anthropologie in der theologischer Perspektive, 1983, 32ff.

유한 특성에 대한 물음이라 할 수 있으며, 다음에는 비록 돌연변이가 발생했다 할지라도 다른 모든 생명체들보다 두드러진 인간의 특수한 위치에 대한 물음이라 할 수도 있다. 셸러에 의하면 식물의 "감각충동"은 다른 모든 생명형식들의 토대인데, 이 토대가 동물에서는 본능활동과 "연상적" 기억 및 (고등동물에게서는) "실천적 지성"을 통해 다른 형태로 전환된다. 인간에게는 셸러가 특수한 의미에서 "정신"이라 부른 능력이 추가되는데, 이 능력은 다른 생명기능들과의 관계에서 보면 그런 기능들의 "억제", 특히 본능적 충동의 억제로서 나타난다.[134] 본능적 반응의 이런 억제는 셸러가 처음으로 인간의 "세계개방성"(Weltoffenheit)이라 부른 능력, 즉 객관적인 대상지각 능력과 자신의 태도를 스스로 결정할 수 있는 자유의 능력을 가능하게 한다.[135] 셸러에 의하면 "정신에 의한 세계개방성"은 또한 자신의 고유한 생명의 중심, 즉 자신을 대상화할 수 있는 자기의식으로부터 거리를 취할 수 있게 한다.

셸러에 따르면 정신은 "인간의 생명을 포함한 생명 일반에 대립되는 원리"이며, 세계의 어떤 소여성으로부터도 추론할 수 없기 때문에 "최고의 존재근거 자체에게서" 기원되었음이 분명하다.[136] 셸러는 정신에 관한 이런 견해로 인해 비록 그가 인간의

---

134) M. Scheler a.a.O. 37, 35f.

135) M. Scheler a.a.O. 36. 그런 세계개방성은 지각이 특정한 종에 속하는 특징들의 합을 통해 그 종의 본능과 충동에 적합하게 형성된 종적인 "환경"에 제한되지 않음을 의미한다.

136) M. Scheler a.a.O. 35, 44. 참조, W. Pannenberg, *Anthropologie in theologischer Perspektive*, 1983, 34쪽 각주 24에 제시된 참고문헌.

고유성에 대한 물음에 있어서 인간의 신체성과 그의 신체적 활동을 강조하는 철학적 인간론을 새로이 주장했음에도 불구하고 여전히 고대 그리스에서 기원된 육체와 정신의 이원론에 의해 영향을 받았다. 겔렌은 셸러의 철학적 인간론을 더욱 발전시켜 이원론적 경향을 극복하고자 했다.[137) 그는 인간의 고유한 생명형태가 동물들의 환경종속성과 다른 인간의 세계개방성에 있다는 셸러의 견해를 지지했다. 그는 또한 이런 견해의 토대가 되는 주장, 즉 인간의 지각은 지각 대상을 단순히 충동 상관자로서가 아니라 내적 대상으로서 파악한다는 주장에도 동의했다. 그는 셸러와 마찬가지로 인간의 이런 지각이 충동의 "억제"에서 기원한다고 주장했다. 그렇지만 겔렌은 셸러와 달리 그런 억제의 근원이 "정신"이라고 보지 않았다. 대신 그는 단순히 인간에게는 충동기제와 대상지각 사이에 단절된 층이 존재하며, 따라서 충동과 행위 사이에도 단절이 존재한다는 객관적인 서술에 머물렀다.[138)

겔렌에 따르면 이런 사태의 원인은 인간에게는 동물들에 비해 감각기관들이 특화되어 있지 않고 그로 인해 본능이 결핍되어 있기 때문에 특정한 환경에 적응하는 능력이 떨어지기 때문이다. 따라서 인간은 다른 동물들에 비해 "결핍된 존재"(Mängelwesen)이

---

137) A. Gehlen, *Der Mensch. Seine Natur und seine Stellung in der Welt*(1940), 6. Aufl. 1950.

138) A. Gehlen a.a.O. 56. 다른 곳에서(59)겔렌은 그런 단층이 충동의 억제가능성의 결과라고 주장했으며 362f.에서도 그랬다. 참조, W. Pannenberg, *Anthropologie in theologischer Perspektive*, 1983, 36f.

다.[139] 마찬가지로 인간에게는 감각기관들이 특화되어 있지 않기 때문에 본능도 퇴화되었다. 인간의 인지작용은 결코 정확한 본능적 반응이 아니다. 감각기관들은 본능에 중요한 것만 골라 통과시키는 필터가 아니기 때문에, 충동과 직접 연관되지 않고 따라서 즉시 반응하지 않는 자극들과 지각들이 무수히 많다.

따라서 인간은 먼저 지각 영역에서 방향설정을 필요로 하며, 다음에는 그런 방향설정에 비추어 충동을 조절할 필요가 있다. 방향설정이 결여되면 충동의 에너지는 "과도한 충동"으로 나타나기 때문이다. 겔렌에 따르면 이런 두 가지 과제를 위해 결정적으로 중요한 것은 언어교육과 문화육성이다. 언어와 문화는 인간의 행위의 산물이다. 인간은 언어행위와 문화행위를 통해 생물학적 약점들을 장점으로 바꾸어 자연적 조건들을 극복하였다. 인간은 언어와 문화를 통해 상징적 우주를 창조하여 다양한 질서를 제정하고 충동에 방향을 설정해 줌으로써 그의 행위를 통해 그를 엄습하는 자극들에서 벗어난다. 따라서 겔렌에 의하면 인간은 자신의 세계를 지배함으로써 자기 자신을 창조하는 "행동하는 존재자"이다.[140] "쉘러는 인간의 정신이 '최고의 존재근거'에 의해 부여된 것이라고 생각한다. 이와 달리 겔렌에 의하

---

139) A. Gehlen a.a.O. 21, 참조, 35. 겔렌의 이런 주장은 헤르더(J. G. Herder)에 의존한다. 그렇지만 헤르더에 의하면 인간은 본능의 결핍 대신 이성과 하나님의 형상을 선물로 부여받았다.

140) A. Gehlen a.a.O. 24ff., 33. 이 책 전체의 내용전개에서 행동 개념은 중요한 역할을 한다.

면 인간은 자기를 창조하는 존재자이며, 종교와 신은 단지 인간이 세계를 지배하는 과정에서 생성된 부산물에 불과하다는 것이다."[141] 종교와 도덕은 "제도들", 즉 개인적 행위의 상호관계로부터 생성되었음에도 불구하고 자기목적으로서 이런 근원에서 독립하여 사회적 삶에서 개인의 행동을 통제하는 "제도들"에 속한다.[142] 그렇지만 겔렌은 행동 개념에 대한 일방적인 해석 때문에 개인에 대한 제도의 구속력은 제도의 기초가 되는 의미에 근거한다는 사실을 간과했다. 그 의미가 개인과 그의 행위에 앞서 이미 주어져 있다면 말이다. 만일 어떤 제도가 인간적 근원을 무시한 인간의 행위의 결과에 불과한 것이라면, 그 제도는 개인으로 하여금 진심에서 우러난 의무감을 갖게 할 수는 없고 단지 독단적 규제로 느껴질 뿐이다. 겔렌은 언어의 기원이 행위에 있다고 주장함으로써 더 이상 언어를 인간에게 천부적으로 부여된 의미전달 수단으로 이해할 수 없었으며, 따라서 사회적 제도들과 문화적 제도들에게서 처음부터 구속력을 박탈하였다. 그런 제도들이 개인들에게 대해 가지는 구속력을 강조하고자 한 그의 의도와는 달리 말이다.

인간을 "행동하는 존재자"로 파악한 겔렌의 견해는 경험의식의 세계가 자아의 "사실행위"(Tathandlung)에서 유래한다고 주장한

---

141) W. Pannenberg, *Anthropologie in theologischer Perspektive*, 1983, 37f.

142) 참조, A. Gehlen, *Urmensch und Spätkultur* (1956) 2. Aufl. 1964; W. Pannenberg a.a.O. 1983, 390ff.

초기 피히테의 이론에 근거한다.[143] 겔렌은 인간의 결핍성에 근거하여 이런 사상을 주장하였지만, 그런 결핍된 존재자가 도대체 어떻게 행동할 수 있는 능력을 가지게 되었는지, 즉 그가 어떻게 환경과 자기 자신에 대해 "입장을 표명할 수 있게 되었는지"에 대해서는 물음을 제기하지 않았다. 인간의 특수성이 정신에 있을 뿐만 아니라 그의 신체성과 행위에서 현실화된다고 말하는 것과 인간을 행동하는 존재로 이해하여 "인간에게 동물적 조건들 이외에도 정신이 추가되어 있는지의 여부는" 중요하지 않다고[144] 주장하는 것은 다르다. 행위가 형태론적 "결핍"을 보완하고 이를 통해 "그런 존재자의 생존능력"을 보장한다고 해서[145] 행동 개념이 셸러가 주장하는 정신을 대신할 수는 없다. 이미 포르트만 (Adolf Portmann)은 인간에게는 본능의 약화와 그에 따른 형태론적 퇴화 대신 "다른 중요한 충동기제가 크게 발달하게 되었으며" 결과적으로 "다량의 대뇌피질과 그 회로"가 발달하게 되었다고 주장했다.[146] 행동능력은 이미 인간 지성의 특수성을 전제로 하는

---

143) 겔렌은 그의 『의지의 자유에 관하여』(*Theorie der Willensfreiheit*)에서 그의 이런 주장이 초기 피히테의 이론에 근거함을 분명히 밝힌다. 참조, W. Schulz, *Philosophie in der veränderten Welt*, 1972, 442f.

144) A. Gehlen, *Der Mensch*, 6 Aufl. 1950, 24. 겔렌의 이런 유보적인 표현은 24쪽과 함께 29쪽에서도 발견된다. 이 책 마지막 부분에서 우리는 겔렌이 정신은 인간의 행위를 통해 – 특히 언어행위를 통해 – 구성된 "내면세계"의 후속 현상으로 이해하고 있음을 분명히 알 수 있다(277f.).

145) A. Gehlen a.a.O. 130.

146) A. Portmann, *Zoologie und das neue Bild vom Menschen* (1951), 62f. 92f.; ders, "Der mensch – ein Mängelwesen?", in: A. Portmann, *Entläßt die Natur den Menschen? Gesammelte Aufsätze zur Biologie und Anthropologie*, 1970, 200-209.

데, 겔렌은 이 점을 간과했다. 여기서 우리는 셸러와 겔렌의 인간론에 비해 플레스너(Helmuth Plessner)가 주장하는 세 번째 유형의 철학적 인간론이 더 타당함을 알 수 있다.

플레스너는 『유기체의 단계들과 인간』(Die Stufen des Organischen und der Mensch)에서 유기체가 처한 "처지"(Positionalität)에 따라 환경세계에 적응하는 세 가지 기본적인 유형들을 구분하였다. 식물은 환경에 저항하지 않고 순응하여 아무런 독립성도 가지지 않는데 반해, 동물은 자기만의 독자적인 생명형식을 가지기 때문에 환경에 저항하기는 하지만 자기 자신과 관계하지는 못한다. 이와 달리 인간의 생명은 그의 "탈중심성"(Exzentrizität)에 근거하여 자기 자신에 관계하는 특징을 가진다. 인간은 그의 생명이 가지는 그런 특성에 의존하여 "그의 실존이 가장 중요하다는 것을 의식하게 된다. ... 자신의 실존의 중심을 지향하는 생명체로서 인간은 이 중심이 무엇인지 알고, 체험하며, 따라서 그 중심을 초월한다."[147] 플레스너의 이런 주장에서 중요한 것은 자기의식이다. 그러나 이때 플레스너가 생각하고자 했던 자기의식은 추상적인 자아의 자기관계가 아니라 자신의 구체적 현존재에 대한 관계로서의 자기의식이다. 이와 함께 자신의 현존재에 대한 관계에 하나의 "단층"(Hiatus)이 주어지는데,[148] 이 단층은 자기로부터 거리

---

147) H. Plessner, *Die Stufen des Organismen und der Mensch*(1928) 2. Aufl. 1965, 290, 291. "탈중심성"(Exzentrizität)이란 단어는 이런 사태를 표현하는 개념이다.

148) 여기서 "단층"은(H. Plessner a.a.O. 292) 겔렌이 후에 주장한 충동과 지각 사이의 단층,

를 취할 수 있는 능력으로서 영혼을 육체로부터 구분하는 토대, 즉 인격의 - 인격체들의 공동세계를 포함하는 인격의 - 토대이다.[149)]

플레스너는 탈중심성이 인간의 존재형식이라고 주장했지만, 탈중심성의 기원에 관해서는 묻지 않았다. 그러나 그의 이런 주장은 인간 존재의 신체적 고유성에 대한 기술이라고 보아야 한다.[150)] 이런 기술은 셸러의 "세계개방성" 개념과 어떤 관계에 있는가? 플레스너는 본능과 무관한 세계개방성은 인간에게서 완전히 실현되지 않는다고 비판했다.[151)] 그리고 그는 "탈중심성"보다는 자신의 중심으로부터 거리를 취할 수 있는 능력을 통해 - 따라서 모든 다른 소여성들로부터도 거리를 취할 수 있는 능력을 통해 - 인간의 세계개방성을 더 잘 설명할 수 있다고 믿었다. 그러나 자신의 신체적 현존에 대해 반응할 수 있는 능력은 이미 - 셸러가 그의 세계개방성 개념을 통해 표현하고자 했듯이 - 인간은 그의 지각활동에서 어느 정도 본능적 충동에서 벗어난 상태로 지각 대상들 곁에 있을 수 있음을 전제한다고 보아야 할 것

즉 충동과 행위 사이의 단층과 동일한 것이 아니다. 여기서 플레스너가 주장하는 단층은 자기관계에서의 균열이기 때문이다.

149) H. Plessner a.a.O. 293ff. 자기관계에서의 균열은 '다른 자아'(*alter ego*)의 발견을 포함하는데(299f.), 다른 자아는 공동세계가 근원적으로 자아와 동일하다는 경험의 토대가 된다(301f.).

150) 슐츠의 비판에 따르면(W. Schulz a.a.O. 458) 자기관계에 관한 주제와 함께 플레스너는 경험적 인간론의 차원을 떠났다. 참조, W. Pannenberg, *Anthropologie in theologischer perspektive*, 1983, 61.

151) H. Plessner, *Conditio Humana*, 1964, 47.

이다.[152] 인간의 지각이 이렇게 대상들 속에 함께 있을 수 있기 때문에 인간은 지각 대상들을 서로 구분할 수 있으며, 자신의 신체적 현존을 다른 대상들 가운데 하나의 대상으로 지각할 수도 있다.[153] 따라서 어린이들은 "자아"라는 단어가 자기관계성을 가지는 단어라는 사실을 알기 전에 가장 먼저 다른 사람들이 자신을 부르는 이름이 자신의 이름인 줄 알게 된다.[154]

그러므로 플레스너가 주장한 인간의 탈중심적 위치는 이미 지각활동의 "세계개방성"과 겔렌이 제시한 약화된 본능에서의 세계개방성의 조건들을 전제한다. 그렇다고 플레스너의 주장이 잘못되었다는 것은 아니다. 오히려 그의 주장은 인간의 신체성에 주목하여 신체의 특수성을 묻는 철학적 인간학을 체계화하려는 노력들의 일환으로 이해되어야 한다. 그렇다면 세계에서 인간이 취하는 태도와 그가 처한 상황의 고유한 특징인 "세계개방성"은 (세계개방성을 통해 가능해진) 자기관계를 강조하는 플레스너의 이론을 통해 한층 더 그 의미가 부각되었다고 볼 수 있다. 이렇게 보완된 이론은 동시에 행동에 관한 겔렌의 세분화되지 않은 견해를 수정하는 출발점이기도 하다. 왜냐하면 행동은 행동하는 주체의

---

152) 여기서 "어느 정도"라는 표현을 사용한 것은 세계개방성이 "완전하게", 즉 본능적 잔여가 전혀 없이 실현되느냐의 여부는 중요한 문제가 아니기 때문이다. 플레스너도(a.a.O 48) "인간의 세계개방성의 불완전성"에 관해 말하고 있다.

153) 참조, W. Pannenberg, *Anthropologie in theologischer Perspektive*, 1983, 63ff.

154) "지침어"(Indexwort)으로서의 "자아"라는 단어의 기능에 관해서는 참조, W. Pannenberg, *Anthropologie in theologischer Perspektive*, 1983, 199ff., 215ff.

통일성을 전제하는데, 탈중심성에 근거한 자기관계의 분열을 주장하는 플레스너의 이론은 주체의 통일성을 전제하지 않기 때문이다.

플레스너는 인간의 "탈중심적 위치"의 결과들을 세 가지 "인간학적 근본법칙들"을 통해 자세하게 설명했다. 첫째, "인간은 탈중심적 유기체로서 그의 존재 가능성을 추구한다."[155] 인간은 본래 예술적이다. 인간은 탈중심성을 본질로 하는 존재로서 실존의 균형을 최우선으로 추구하기 때문이다. 물론 그렇게 도달된 모든 결과는 다시 깨어질 수 있다. 탈중심적 생명형식의 두 번째 결과는 "매개된 직접성"(vermittelte Unmittelbarkeit),[156] 즉 인간 삶의 모든 직접성은 이미 자신의 존재에 대한 반성적 거리감을 통해 매개되어 있다는 사실이다. 이런 매개된 직접성은 특히 자신의 몸에 대한 관계에서 그렇다. 몸은 매개된 직접성을 통해 인격을 "표현하기" 때문이다.[157] 마찬가지로 "역할"을 할 수 있는 능력도 매개된 직접성이며, 자신의 활동에 의해 생산된 것들이 자신의 인격의 "표현"임을 아는 능력도 매개된 직접성이다.

인간의 탈중심적 위치의 세 번째 결과는 신학적 인간학을 위해 특히 중요하다. 탈중심성으로 인해 인간은 현존재의 우연성을 알

---

155) H. Plessner, *Die Stufen des Organischen und der Mensch*, 2. Aufl. 1965, 309.

156) H. Plessner a.a.O. 321ff.

157) 참조, H. Plessner, *Lachen und Weinen*, 1950. 플레스너는 역할 개념에 대해서 후에 더 자세히 다루었다. 참조, H. Plessner, *conditio Humana*, 1964, 53ff., 56ff.

게 되며, 그와 함께 적어도 암묵적으로는 인간의 삶이 우연적이지 않게 해주고 모든 주어진 것으로부터 거리를 취하지 않을 수 있게 해주는 하나님을 알게 된다.[158] 그렇지만 인간은 거리를 취할 수 있는 능력을 가지기 때문에 하나님에 대해서도 그렇게 할 수 있다. 그러나 플레스너에 따르면 인간의 탈중심적 존재형식과 절대적 세계근원인 하나님 사이에는 "본질상관성"이 존재한다.[159]

그러므로 플레스너가 주장하는 인간의 탈중심성과 셸러가 주장하는 세계개방성은 모두 결국 하나님을 향한 개방성,[160] 즉 세상에 주어진 모든 것을 넘어 세계와 인생의 궁극적 근원을 향한 개방성을 의미했다. 플레스너는 셸러가 1911년에 쓴 「인간의 이념에 관하여」('Zur Idee des Menschen')란 논문에서 주장하는 정신 이론에 관해 다음과 같이 말한다. "어떤 인간도 스스로 존재하지는 못한다. 인간은 하나님과의 관계를 통해 인간이 된다."[161] 플레스너 자신의 이론도 셸러의 이론과 크게 다르지 않았다. 비록 그는 거리를 취할 수 있는 인간의 탈중심성 능력에는 무신론의 가능성도 있다고 보았지만 말이다. 그러나 플레스너와 셸러는 모

---

158) H. Plessner, *Die Stufen des Organischen und der Mensch*, 2. Aufl. 1965, 341ff.

159) H. Plessner a.a.O. 345. 『인간의 조건』(*conditio Humana*)에 의하면 인간의 탈중심적 위치는 "능력과 높이에 있어서 최고의 존재자를 ... 평형추로서"를 요구한다(67).

160) 참조, W. Pannenberg, *Was ist der Mensch? Die Anthropologie der Gegenwart im Lichte der Theologie* (1962), 7. Aufl. 1985; ders., *Anthropologie in theologischer perspektive*, 1983, 66.

161) H. Plesnner, *Die Stufen des Organischen und der Mensch* 2. Aufl. 1965, Xf.

두 이런 문제에 있어서 겔렌과 다른 입장을 가지고 있었다. 겔렌은 종교적 제도를 포함한 모든 제도들은 기껏해야 안정적 태도를 취하게 하는 부차적 기능을 할 뿐이라고 생각했기 때문이다.

4. 자연철학적 인간론

셸러 이후에 전개된 철학적 인간론들은 인간의 고유한 특징을 규정할 때 인간을 원시적 자연과 대비시켰을 뿐만 아니라 인간을 자연의 진화와 관련하여 탐구했다. 이것은 다윈 이전에 이미 스펜서가 간파했던 과제이다.[162] 그러나 이런 과제는 무엇보다 다윈의 『종의 기원』(Ursprung der Arten, 1859)과 『인간의 유래』(Abstammung des Menschen, 1872)가 출판된 이후에 특히 영국에서 논의되기 시작했다. 20세기에는 철학에서 진화 개념을 보다 정확하게 이해하려는 노력들을 통해[163] 그리고 알렉산더(Samuel Alexander)[164]와 화이트헤드(Alfred North Whitehead)의 과정철학에서 그 개념이 우주 이해에까지 확대 적용됨으로써 이런 논의가 계속되었다.

이런 논의의 역사에서 베르그송(Henri Bergson, 1859-1941)의 역할

---

162) 참조, H. Spencer, *The Development Hypothesis*, 1952.

163) 참조, Lloyd Morgan, *Emergent Evolution*, 1923.

164) S. Alexander, *Space, Time and Deity*, 1920.

은 특히 중요하다. 그는 생명현상들의 정신적 요소와 신체적 요소를 종합하여 진화에 대한 이해의 기초를 제시해 줄 수 있는 철학적 생명이해를 위해 실재에 관한 새로운 이론을 주장하였으며 이를 통해 과정철학의 출발점이 되었다.[165] 그에 의해 시작된 과정철학은 화이트헤드에게서 꽃을 피우게 되었다. 동시에 베르그송은 인간의 자기경험 특히 시간경험으로부터 생명에 대한 새로운 이해의 길을 열었다. 따라서 그의 철학은 인간론적 출발점이 자연철학으로 확장된 것이라 할 수 있다. 화이트헤드도 마찬가지이다. 베르그송과 화이트헤드의 과정철학은 인간론에서 출발했다는 점에서 다른 유형의 자연철학들과 다르다.

베르그송은 처음에는 스펜서의 진화론에 의해 영향을 받았지만, 후에 "스펜서의 이론은 시간의 의미를 간과했음을" 발견하고 다음과 같은 물음을 제기했다. "시간은 사물들의 가장 깊은 내면이 결정되어 있지 않다는 사실을 입증하는 것은 아닐까? 그리고 시간은 바로 이런 비결정성 자체가 아닐까?"[166]

베르그송은 의식의 직접적 소여성에 관한 그의 두 번째 책에서 인식에는 분석적 오성과 함께 그리고 오성 이전에 작용하는 직관의 의미를 강조했다.[167] 실제로 존재하는 것의 통일성은 그것이

---

165) H. Bergson, *L'evolution creatrice*, 1907. 틴데일(John Tyndall)은 1874년에 이미 진화를 이해하기 위해서는 물질에도 영혼이 깃들어 있다고 생각해야 한다고 주장했다.

166) H. Bergson, Denken und schöpferisches Werden, 1948, 112f.

167) H. Bergson, *Essai sur les donnees immediates de la conscience*, 1889; 참조, M. Capec, *Bergson and Modern Physics. A Reinterpretation and Re-evaluation*, 1971, 89ff.

지각의 통일성이든 아니면 생명체 자체이든 시간 속에서 직관의 형식으로 우리에게 주어진다. 인간의 지각과 생명체는 모두 지속(duree)의 형식을 가진다. 그러나 이때 지속은 변하지 않는다는 의미에서의 지속이 아니다. 지속은 부단히 변하며 따라서 끊임없이 새로운 것을 생산하는 지속이다. 베르그송에 따르면 시간의 연속은 물론 지속적인 상황변화이기는 하지만, 고립된 순간들의 연속이 아니다. 우리는 시간을 지속적인 흐름, 즉 "미래를 갉아먹으면서 부풀어 오르는 과거의 돌진"으로 체험한다. 기억은 우리의 삶의 역사가 보존되어 쌓이는 장소이다. 물론 우리는 이미 경험한 모든 것을 지속적으로 기억하지는 못한다. 우리의 생각은 경험되어 기억에 보존된 것을 골라내는 기능을 할 뿐이다. 우리를 추진시키는 힘은 우리의 희망, 의지, 행위에서 무의식적으로 작용하는 경향이다.[168] 이때 "경향"이란 표현은 목표지향성을 의미하는 것이 아니라,[169] 원뿔 형태로 퍼지는 "폭발력",[170] 즉 정해진 목표가 없이 새로운 변화를 일으키는 생명의 약동(elan vital)을 의미한다.[171] 그러나 새로운 것은 과거와의 단절이 아니라 과거의 변화이다. 심지어 새로운 것의 새로움 자체는 과거와의 관계를 통해

---

168) H. Bergson, *L'evolution creatrice*(1970), 77. ed. 1948, 4f. 이 책의 첫 번째 장에서 베르그송은 이전에 설명한 것들을 다시 한 번 종합하였다.

169) 베르그송에 의하면 목표지향성은 기계적 관찰방식과 마찬가지로 미래의 새로운 것에 대한 개방성을 배제한다(a.a.O. 104f.).

170) H. Bergson a.a.O. 99f.

171) H. Bergson a.a.O. 88, 참조, 103f.

서만 선명하게 드러난다.[172]

우리가 이미 직접 관찰했듯이 베르그송에 의하면 부단한 생성 형태의 지속은 우주의 본성이기도 하다.[173] 오성의 사유는 지속적 생성을 무시하고 단지 외적으로 드러난 사실들의 상태변화에만 주목한다. 오성은 생성을 공간화하여 사물들과 상태들을 시간적이고 공간적인 연속들로 파악한다.[174] 우리는 일반적으로 변화를 확정된 것의 관점에서 해석하는 경향이 있다. 베르그송에 의하면 이런 경향은 우리의 지성이 실용적 목적을 위해 사용되기 때문이다. 인식은 우리로 하여금 감각세계에서 행동하여 그 행동을 통해 상황이 변화되게 할 수 있을 것이다. 그러나 그렇게 함으로써 우리는 부단한 생성의 본질을 파악할 수 없게 된다.[175] 생성의 본질을 파악하는 대신 우리는 상태들과 그 상태들의 규칙적인 반복을 설명하고자 한다. 지성에 의해 그렇게 구성된 질서는 상태들과 사물들의 공간적 질서, 즉 기하학적 질서이다.[176] 그렇게 확보된 질서는 경험적 지식의 모든 연역들과 귀납적 합법칙성의 기초가 된다. 그리고 연역과 귀납은 "시간을 고려하지 않는다."[177] 왜냐하면 사건들은 시간과 무관하게 규칙적으로 일어

---

172) M. Capec a.a.O. 127f.

173) H. Bergson a.a.O.272, 참조, 11 und 200.

174) H. Bergson a.a.O. 190.

175) H. Bergson a.a.O. 273.

176) H. Bergson a.a.O. 211ff.

177) H. Bergson a.a.O. 217.

난다고 생각하기 때문이다. 그러나 이런 자연관은 부단히 새로운 것을 생성시키는 지속적 생성의 성격을 가지는 실재를 추상화하여 제시하는 인위적 구성이다.[178] 상태들의 단순한 연속을 통해서는 필름을 하나씩 촬영할 때와 마찬가지로 어떤 운동도 일어나지 않는다. 운동은 관찰자가 시간의식을 통해 연속된 그림들을 종합적으로 경험할 때 비로소 가능해진다.[179] 그러나 실제로는 지속적 생성이 근원적이고, 개별적 상태들의 연속은 추상의 산물이다.

물론 창조적 생성과 함께 생명 형태들의 소멸도 있다. 소멸은 생명의 창조적 힘이 쇠퇴한 곳에서 일어난다. 자발성, 에너지 그리고 자유가 상승하는 방향으로의 생명진화는 엔트로피 법칙을 통해 기술된 우주진화 방향과 정반대 방향의 진화이다.[180] 우주진화가 "하강하는 방향으로" 진화하여 결국 모든 에너지들이 평균화되어 결국 동일한 온도에 도달하는데 반해, 생명의 진화는 에너지가 축적되고 생명이 점점 더 복잡해지고 자유가 증가함으로써 "상승하는 방향으로" 일어난다.[181] 베르그송에 의하면 생명의 진화는 무생물이 진행하는 경향과 반대 방향으로 일어난다. 무생불은 중력의 법칙에 따르는데 반해, 생명은 중력의 법칙

---

178) H. Bergson a.a.O. 218.

179) H. Bergson a.a.O. 272ff.

180) H. Bergson a.a.O. 254ff., 참조, 240.

181) H. Bergson a.a.O. 11, 참조, 368, 209.

을 거슬러 비탈길을 다시 올라가려 노력한다.[182] 물질이 엔트로피 법칙에 따라 소멸하는데 반해 생명은 엔트로피 법칙을 거스르는 방향으로 일어난다는 베르그송의 견해는 많은 사람들에 의해 수용되었다. 그러나 그의 이런 견해는 종종 마치 생명의 진화가 엔트로피 법칙에 의해 지배되지 않는 것처럼 오해되기도 했다. 오늘날 우리는 유기체들 내에서 다양성이 증가하면 유기체에 영양을 공급하는 환경세계에서 엔트로피가 빠르게 증가한다는 사실을 알고 있다.[183]

베르그송의 역동적인 세계이해는 이례적으로 커다란 영향을 끼쳤다. 그럼에도 불구하고 이런 세계이해는 창조적 진화의 연속성에 관한 그의 견해를 정확하게 이해하는데 장애가 되는 문제점들을 야기하는데, 이런 문제점들에 대해 베르그송은 만족할 만한 대답을 제시하지 않았다. 만일 베르그송이 다윈주의가 강조하는 우연성에 대해 비판적이었다면,[184] 진화과정에서 전혀 새로운 것의 출현은 어떻게 이해되어야 하는가? 베르그송에 의하면 끊임없이 발생하는 새로운 사건은 이미 시간 자체의 경험을 통해 주어졌다. 그리고 우연성에 대한 그의 반박은 주로 이 개념이 고정된 형식들에 관한 표상을 보완하는 역할을 한다는 사실에 대한 비판이었을 것이다. 그러나 진화 과정에서 새로운 것의 등장이 어

---

182) H. Bergson a.a.O. 246.

183) 참조, W. Pannenberg, *Systematische Theologie* 2, 1991, 136f., 118f, 152f.

184) H. Bergson a.a.O. 86f.

떻게 이해될 수 있느냐 하는 문제는 여전히 미해결인 채 남는다. 마찬가지로 도대체 어떻게 진화에서 출현하는 형태들의 차이를 진화의 연속성과 모순되지 않게 구별할 수 있느냐 하는 물음도 여전히 대답될 수 없는 물음으로 남는다. 베르그송에 의하면 그런 형태들의 차이는 오성의 공간화 작업에 의해 파악될 수 없기 때문이다.

이 지점에서 알렉산더와 화이트헤드는 베르그송을 넘어섰다. 그들은 자신들의 사상에 대한 베르그송의 커다란 의미를 강조했다. 알렉산더에게 있어서 베르그송은 당시에 시간을 진지하게 고려한 최초의 철학자였으며,[185] 화이트헤드에게 베르그송은 고전 물리학이 설명하는 자연현상의 "공간화"를 거부했기 때문에 의미가 있었다.[186] 화이트헤드는 자연을 생성과정으로 이해한 베르그송의 견해를 지지했다. 비록 그가 생성과정에 대해 애매한 시간 개념보다 과정의 시간 개념을 더 선호하긴 했지만 말이다.[187] 그렇지만 알렉산더와 화이트헤드는 모두 자연의 과정에서 발견되는 불연속성을 베르그송보다 더 강조할 필요가 있다고

---

185) S. Alexander, Space, Time, and Deity, 1920.

186) A. N. Whitehead, *Science and the Modern World*(1925), MacMillan Mentor Book 162, 1960, 134, 52.

187) A. N. Whitehead, The Concept of Nature, 1964, 54. 화이트헤드는 "과학과 일상적 삶에서 사용하는 측정 가능한 시간"대신 "과정"(process) 또는 "자연의 과정"(passage of nature)이란 개념을 사용했다. 후에는 "과정"이란 표현이 주로 사용되어 그의 철학을 대표하는 개념이 되었으며, 그가 전에 사용했던 "유기체 철학"이란 명칭을 대체했다. 참조, **Process and Reality. An Essay in Cosmology**, 1929; *Science and the Modern World* a.a.O. 71; *organic conception of nature*, 130; *organic theory of nature* 134.

생각했다.[188] 따라서 화이트헤드에 따르면 분리로부터 결합으로 진행하는 사건이 일어나며, 이 과정에서 새로운 것이 출현하게 된다.[189] 실제로 연속성은 최초의 현상이 아니라 다양한 것의 결합의 결과이다.

불연속적으로 주어진 것이 먼저라는 생각은 이미 알렉산더에 의해 주장된 적이 있었다. 그것도 시간 개념과 관련하여 말이다. 알렉산더에 의하면 시간은 본래 불연속적인 순간들이 공간과의 관계를 통해 비로소 서로 결합된 연속이다. 그러나 공간은 시간과 마찬가지로 그 자체로는 어떤 연속체도 이루지 못할 것이다. 공간 자체는 공허하기 때문이다. 시간에 의해 비로소 공간에 차별성과 분할가능성이 나타나며, 시간은 공간을 통해 연속적인 진행의 특성을 획득한다. 왜냐하면 각각의 시간적 계기가 서로 다른 장소들에 공통적일 수 있으며, 역으로 서로 연속된 시간적 계기들이 동일한 장소에서 발생할 수 있기 때문이다.[190] 베르그송에 의하면 오성을 통해 시간의 "공간화"가 발생하는데, 이런 공간화는 더 나아가 전통적인 실체형이상학의 오류 때문이다. 그런데 알렉산더에 따르면 이런 공간화는 시간 자체의 본질에 속

---

188) 이런 사실이 위에 인용된 카펙(M. Capec)의 책에서는 간과되었다. 그의 책은 화이트헤드와 베르그송의 유사성을 드러내는데 머물렀다.

189) A. N Whitehead, *Process and Reality*, a.a.O. 32. "가장 근본적인 형이상학적 원리는 분리로부터 결합으로 진행하는 사건이며, 이 과정에서 분리에서 주어진 실체들과 다른 고상한 실체가 생성된다."

190) S. Alexander, *Space, Time, and Deity I*, 48f. 시간적 연속은 그 자체로 "소멸하는 순간들로 이루어져 있을 것이다."(45)

한다.[191]

화이트헤드에게 있어서 불연속적으로 나타나는 "사건들"(events)의 연속은 알렉산더가 주장하는 시간적 계기들의 부단한 연속에 해당된다. 이때 후에 일어나는 사건들은 이전에 일어난 사건들을 반복하며, 그렇게 해서 지속(endurance)이 발생한다.[192] 그러나 화이트헤드에 따르면 시간적 연속과 달리 사건의 공간성은 특정한 양식(pattern)이 지속되면서 형성된다.[193] 따라서 화이트헤드는 베르그송과 마찬가지로 시간이 공간보다 우선한다고 확신하였지만, "공간화"는 사건들의 연속에서 형성된 양식들 또는 "영원한 대상들"(eternal objects)[194]의 결과라고 생각했다. 색, 음조, 냄새, 기하학적 형식들이 사건들에서 실현되어 그들의 양식을 형성하듯이 말이다. 한편 화이트헤드는 베르그송과 달리 시간의 연속은 근원적 현상이 아니라 사건들(Ereignisse)이 연속될 때 양식들이 반복되고 변화됨으로써 형성된 파생적 현상이라고 생각했다.

화이트헤드는 양자물리학의 이론에 의거하여 자연계에서 일어

---

191) S. Alexander a.a.O. 143, 149.

192) A. N. Whitehead, *Science and the Modern World* a.a.O. 102. " ... 물질의 지속은 사건들의 역사적 통로를 통해 전달된 특정한 정체성을 연속적으로 물려받는 과정이다." "지속은 연속적인 사건들에서 나타나는 양식의 반복이다."(116) 화이트헤드는 지속(endurance)과 하나의 전형을 구현하는 한 이미 개별적인 사건에 고유한 존속(duration)을 구분했다.(117)

193) A. N. Whitehead a.a.O. 111f.

194) A. N. Whitehead a.a.O. 97, 참조, 144f.

나는 사건(Geschehen)은 사건들(Ereignisse)의 형식이 반복되고 변
화될 때 발생하는 진동(Vibration)의 흔적이라고 생각했다[195] 사
건들의 연속적인 반복과 변화를 통해 자연계는 베르그송의 창조
적 진화(evolution creatice)에 상응하는 "창조적 발전"의 특성을 가
지게 된다.[196] 그러나 화이트헤드는 베르그송보다 더 명확하게
개별적 생성형태들의 소멸을 생성의 근본특징과 결합할 수 있었
다. 그는 생성의 기본형식을 성장(concrescence)과 소멸(transition)의
두 형식으로 구분했다. 모든 사건이 그의 생성이 끝난 후 다른
성장과정을 구성하는 요소가 되는 한 소멸은 언제나 "넘어감"이
기도 하다.[197]

   화이트헤드에 따르면 사건들(Ereignisse)은 세계를 구성하는 궁
극적인 유일한 실재들(the final real things)이다.[198] 따라서 그는 자
신의 철학을 원자론적이라고 표현했다.[199] 물론 그가 주장하는
원자론은 물체가 가장 미세하고 분할 불가능한 입자들로 구성

---

195) A. N. Whitehead a.a.O. 97, 참조, 119f. 특히 121.

196) A. N. Whitehead, *Process and Reality. An Essay in Cosmology* (1920), Macmililan
   Edition 340, 참조, 42. 화이트레드가 실체의 가장 근원적 구성요소라고 생각하는 개개
   의 사건들이 생성의 결과들로 간주되어야 한다는 문제점에 관해서는 여기서 자세히 다
   루어질 수 없다. 참조, W. Pannenberg, *Metaphysik und Gottesgedanke*, 1988, 85f.

197) A. N. Whitehead, *Process and Reality* a.a.O. 320f., 참조, 322.

198) A. N. Whitehead a.a.O. 27. 화이트헤드는 과학과 현대 세계에서 주로 사용하는 사건
   (event)이란 표현 대신 "현실적 실재"(actual occasion 또는 actual entity)란 표현을 사
   용한다. 사건(event)는 보다 일반적인 의미로 사용되어 현실적 실재들(actual occa-
   sions)의 복합체를 가리킨다(a.a.O 114, 124). 일반적 의미의 사건과 달리 현실적 실재
   는 "하나의 구성성분만 가지는 제한적 유형의 단일 사건"(a.a.O 113)으로 정의된다.

199) A. N. Whitehead a.a.O. 40(실재의 원자론). "따라서 궁극적인 형이상학적 진리는 원자
   론이다."(53)

되었다는 데모크리토스나 고전물리학의 원자론과 달리 사건들의 원자론이긴 하지만 말이다. 사건들과 달리 형식적 요소들(양식들, 영원한 대상들)은 자신의 고유한 실재성(Realität)을 가지지 못하고 단지 사건들에서 나타나기 때문에 현실적(real)이다. 시공간의 연속체도 마찬가지이다. 시공간은 단지 "외연적 분할 가능성"(potentiality for extensive division)[200) 또는 역으로 현실적 실재들(actual entities)과 이전의 현실적 실재들의 관계가 형성되는 구체적인 사건에서 구체성을 추상한 결과이다.[201)

그러나 다양한 현실적 실재들을 궁극적 요소로 제시하는 화이트헤드의 원자론은 모든 형이상학적 원자론과 마찬가지로 플라톤이 이미 그의 『파르메니데스』 결론 부분에서 지적했던 많은 문제점들을 가진다.(Parm. 165 e f.) 하나가 없다면 하나와 다른 것은 하나일 수도 없고 다수일 수도 없으며, 따라서 도대체 아무것도 존재하지 않을 것이다. 많은 하나들은 동일한 것(추상적인 하나)의 다수이다. 그러나 그런 하나들은 서로의 관계에서도 다수이며 따라서 전체의 부분들로서 다수이다. 만일 다수가 아무런 공통성도 이루지 못한다면, 그것들은 동일한 하나를 예시하는 것으로 생각될 수 없을 것이다. 어쨌든 원자들이 통일적 단위들로 생각

---

200) A. N. Whitehead a.a.O. 96. "외연(extension)은 - 그의 공간화와 시간화는 예외로 하고 - 많은 대상들이 결합되어 경험의 실제적 통일성을 이룰 수 있도록 수용능력을 제공해주는 일반적인 관계성 도식이다."(105)

201) 참조, A. N. Whitehead, *The Concept of Nature* (1920), 1964, 74ff.

될 수 있기 위해서는 이미 하나의 포괄적인 통일성이 전제되어야
한다.

화이트헤드는 이런 근본적인 문제점을 어디서도 논의한 적이
없는 것처럼 보인다. 비록 그가 『관념의 모험』에서 다양한 유형
의 원자론을 언급한 적이 있기는 하지만 말이다.[202] 여기서 그는
현대의 자연과학적 원자론의 기원이 된 데모크리토스, 에피쿠로
스와 루크레티우스의 원자론을 비판했다. 이때 화이트헤드가 비
판한 것은 원자론에서는 원자들이 단지 우연을 통해 또는 원자
들 자체와는 무관한 외적인 법칙들에 따라 서로 결합된다는 점
이었다. 화이트헤드는 이미 1925년에 『과학과 현대 세계』에서 모
든 사건은 내적 관계들을 통해, 즉 현재의 사건 자체에 본질적
인 관계들을 통해 이전의 사건들과 관계를 맺고 있다고 주장했
다.[203] 화이트헤드에 의하면 그런 내적 관계들은 사건들이 맺고
있는 관계들을 통합하는 자발적 행위, 즉 개별적 사건들의 주체
성을 전제한다.[204] 그런 사건주체성의 행위들로서 사건을 구성
하는 내적 관계들은 "파악"(prehension), 즉 세계의 모든 요소들을
통합하는 파악이기도 하다. 이런 세계에 새로운 사건이 발생하
고 그렇게 발생된 사건은 자기 자신을 통해 세계와 관계해야 한

---

202) A. N. Whitehead, *Adventures of Ideas* (1933), Mentor Book edition, 125ff.

203) A. N. Whitehead, *Science and Modern World* a.a.O. 98, 115.

204) A. N. Whitehead a.a.O. 115.

다.[205)]

　새로운 사건들이 이전의 사건들과 내적으로 관련되어 있다는 화이트헤드의 주장을 통해 무엇보다 고전적 원자론의 일방적인 주장들이 극복된 것처럼 보일 수도 있다. 새로운 사건은 그 사건이 발생하는 세계의 - 그리고 그 사건이 그의 것으로 인정해야 하는 세계의 - 모든 사건들을 "파악"해야 하기 때문에, 개별적 사건이 나머지 사건들 전체를 통해 제한되어 있는 것처럼 보인다. 그러나 화이트헤드에 따르면 우주 또는 공간-시간-연속체는 현실적 전체로서 개별적 사건보다 먼저 주어져 있지 않다. 개별적 사건이 맺고 있는 많은 관계들을 전체로 통합하는 것은 언제나 개별적 사건 자체이기 때문이다.[206)]

　화이트헤드의 견해는 당연히 라이프니츠의 모나드론을 상기시킨다. 화이트헤드는 여러 차례에 걸쳐 자신의 이론과 라이프니츠의 관계를 언급한 적이 있다. 그는 단지 모나드를 사건으로 이해했으며, 모나드들의 상관성을 인정하지 않는 라이프니츠의 "창문 없는 모나드" 대신 모나드들의 내적인 상호관계를 통한 결합을 주장했다.[207)] 화이트헤드는 그의 이런 주장과 함께 라이프니

---

205) A. N. Whitehead, *Process and Reality* a.a.O. 71f. 이 책에서는 내적 관계와 외적 관계에 관한 논의 대신 "파악"(prehension)이란 개념이 강조되어 전면에 등장한다.

206) 이런 의미에서 화이트헤드는 다음과 같이 주장한다. " … 모든 현실적 실재(actual entity)는 현실적 실재를 위해 존재하는 우주로부터 발생한다."(*Process and reality* a.a.O. 124)

207) 참조, A. N. Whitehead, *Science and Modern World* a.a.O. 68; ders., *Adventures of Ideas* a.a.O. 138.

츠의 모나드론이 다원주의에 빠지지 않도록 했던 계기, 즉 개개의 모든 모나드들에는 신적인 근원모나드에 근거한 우주의 통일성이 반영되어 있다는 사상을 포기하였다. 라이프니츠에 의하면 개개의 모나드들에 앞서 우주의 통일성이 주어져 있으며, 따라서 모나드들은 상호 조화를 이룬다. 그러나 화이트헤드는 그렇게 생각하지 않는다. 화이트헤드에 의하면 개개의 사건들은 스스로, 즉 그들의 주체성을 통해 독자적인 세계의 통일성을 처음으로 형성한다. 물론 화이트헤드도 우주의 통일성은 궁극적으로 신을 통해 보장된다고 보았다.[208] 그러나 이 신은 우주의 창조자로서 우주 밖에 있지 않다.[209] 신은 그의 "근본적 본성에서"(primordial nature) 모든 "영원한 대상들", 즉 개개의 사건들이 자기를 구성할 때 실현되는 모든 가능성들의 장소에 불과하다. 신은 개개의 사건이 자기를 실현하기에 적합한 가능성들을 그에게 최초의 목적으로 마련해 준다. 그러나 사건 자체는 그 목적이 이런 가능성들을 구현할 수 있는지 그리고 어떻게 구현하는지 그의 "주체성"에서 결단해야 한다. 신은 다른 모든 현실적 실재와 마찬가지로 여타의 모든 사건들을 파악해야 한다. 그러나 신은 영원하기 때문

---

208) 화이트헤드에 의하면 신은 구체적인 사건들에서 가능한 것이 "구체적으로 되는 원리"이다. 참조. M. Welker, *Universität Gottes und Relativität der Welt. Theologische Kosmologie im Dialog mit dem amerikanischen Prezeßdenken nach Whitehead*, 1981, 109ff.; J. Cobb, A Christian, *Natural Theology based on the Thought of Alfred North Whitehead*, 1966, 135-175.

209) A. N. Whitehead, *Process and Reality* a.a.O. 519-533. "하나님이 세계를 창조한다고 말하는 것과 세계가 하나님을 창조한다고 말하는 것은 같은 의미이다"(528). "하나님은 세계를 창조하지 않는다. 그는 세계를 보존한다. ..."(526)

에 그의 "일관된 본성"(consequent nature)에서 우주 전체를 통합하여 궁극적 통일성을 이루게 한다.[210) 화이트헤드의 철학에서 볼 때 그는 오직 이런 의미에서만 세계의 창조자이다. 그러나 이것은 그가 개개의 사건들의 존재의 근원이라는 의미는 아니다. 개개의 사건들은 그들의 "주체성" 자체가 창조적이기 때문이다.

화이트헤드의 철학에 기초하여 기독교 신학을 쇄신하려는 신학자들 특히 북아메리카의 신학자들이 느끼는 가장 큰 어려움은 바로 여기에 있다.[211) 신학이 화이트헤드의 철학에 매력을 느끼는 것은 충분히 이해할 수 있다. 그의 철학은 신의 존재를 현대의 자연과학적 세계이해에 부합할 수 있는 세계개념을 통해 생각할 수 있게 하기 때문이다. "과정신학"은 신개념과 세계개념이 불가분의 관계에 있음을 잘 알고 있으며, 신학에서 경건한 경험주관주의는 세계의 현실성은 물론 신의 실재성도 놓칠 위험에 처해 있음을 잘 알고 있다. 그렇지만 화이트헤드의 신은 성서와 기독교 신앙에서 말하는 창조자로서의 하나님이 아니다. 그는 개개의 사건들의 창조자가 아니라 이 사건들이 자기 자신을 창조하도록 자극할 뿐이기 때문이다.[212) 화이트헤드의 과정철학은 세계창조를 연속적인 창조(creatio continua)로 이해할 수 있는 길을

---

210) A. N. Whitehead a.a.O. 523f.

211) 미국의 "과정신학"에 관해서는 참조, M. Welker a.a.O. 138-202.

212) 화이트헤드의 철학적 신학을 기독교의 창조론과 화해시키려고 노력한 가장 대표적인 사람은 콥이었다. 참조, J. B. Cobb, *God and the World*, 1969.

열어놓았을 뿐만 아니라 동시에 피조물들이 자유로이 저마다 세계형성에 창조적으로 기여하도록 함으로써 종말론적으로 완성될 우주창조의 과정으로 이해할 수 있는 길도 열어놓았다. 그러나 만일 하나님이 이런 과정에서 그가 창조한 개개의 피조물들도 창조했다면, 화이트헤드의 철학은 그의 토대가 되는 개개의 사건들의 "주체성"에 관한 견해에서 근본적인 변화가 필요하다.

화이트헤드의 "형이상학"은 윌리엄 제임스(William James)의 심리학과 밀접하게 연관되어 있다. 화이트헤드는 제임스를 그의 사상에도 영향을 끼친 선구적인 사상가라고 생각했다.[213] 제임스는 칸트와 달리 자아를 우리의 의식에서 모든 경험들의 통일성의 조건으로서 "머물러 서있는" 주체라고 생각하지 않았다. 오히려 그는 자아를 이전의 자아계기들과 결합하여 이 계기들은 물론 이 계기들과 결합된 세계의식을 통합해야 하는 순간의식이라고 보았다. 우리는 제임스의 이런 견해가 매순간 이전의 사건들과의 관계를 통해 자신을 구성해야 하는 사건들의 연속을 주장하는 화이트헤드의 견해와 동일함을 발견한다. 화이트헤드는 자아의식에 국한된 제임스의 심리학 이론을 보다 일반화하여 사건 주체성에 관한 자신의 이론을 완성했다고 볼 수 있을 것이다. 이것은 형이상학적 주제들이 어떻게 일반화를 통해 형성되는지에 관

---

213) 자세한 내용을 위해서는 판넨베르크가 1988년에 『형이상학과 신개념』(*Metaphysik und Gottesgedanke*)의 부록으로 출판한 책 80-91쪽을 참조하라. 참조, William James, *The Principles of Psychology*, 1890, Neuausg. hg. von G.A. Miller, 1983; W. Pannenberg, *Anthropologie in theologischer Perspektive*, 1983, 211f.

한 화이트헤드 자신의 설명과도 일치한다.[214] 이런 점에서 볼 때 화이트헤드의 과정철학은 베르그송의 생철학과 마찬가지로 인간론을 일반화하여 자연철학으로 확장한 것이라 할 수 있다. 자연적 사건의 이해를 위해 견본의 역할을 한 것이 베르그송에게 지속(duree)이란 시간경험이듯이, 화이트헤드에게는 자아 주체성의 순간적 사건이었다. 화이트헤드는 모든 사건은 필연적으로 그의 이전 사건들과 관계를 맺으며 이런 관계를 통해 고유한 정체성이 형성된다고 주장했는데, 그의 이런 사상은 모든 자아계기를 이전의 자아계기들과 동일시하는 제임스의 이론을 일반화한 것이라 할 수 있다. 이때 화이트헤드는 그의 이런 사상을 통해 매 순간 새로운 것이 동시에 등장할 때 경험되는 시간경험의 연속성에 관한 베르그송의 견해를 그대로 수용했지만 그와는 다른 방향으로 발전시켰다.

그럼에도 불구하고 다양한 원자들이 궁극적 실재라는 주장을 인정한다 할지라도 현상들의 상호관계를 어떻게 이해해야 할 것인가 하는 원자론의 문제는 여전히 해결되지 않은 채 남는다. 그러기 위해서는 전체의 통일성이 부분들의 조건으로서 그리고 부분들의 관계를 가능하게 하는 조건으로서 전제되어야 하지 않는가? 그리고 전체의 통일성도 개개의 사건들과 마찬가지로 실제적이지 않는가?

---

214) A. N. Whitehead a.a.O. 7ff., 참조, 11.

화이트헤드와 달리 알렉산더는 전체가 부분보다 우선한다고 생각했다. 알렉산더는 칸트의 선험적 미학에 따라 우리는 이미 공간과 시간을 무한한 전체로서 전제하지 않고는 부분으로서의 공간이나 시간을 생각할 수 없다고 주장했다.[215] 따라서 무한한 점의 순간들인 사건들은 시공간의 제한들이라고 생각될 수 있다. 알렉산더는 무한한 공간과 무한한 시간을 주관적 직관형식들에 불과하다는 칸트의 견해를 거부하고 스피노자의 견해를 과정철학의 관점에서 역동적으로 이해했다.[216] 우주는 인간 의식의 통일성에서 이미 도달하기는 했지만 아직 궁극적인 형태로 완성되지는 못한 그의 다양성을 통합해 가는 과정에 있다. 알렉산더는 자연의 다양성이 통합된 궁극적 형태를 신적인 것에 참여했다는 의미에서 "신성"(deity)이라고 표현했다. 그러나 그에 의하면 이런 신성은 우주의 창조자인 하나님은 아니다.[217]

베르그송의 생철학도 신 개념을 다루면서 끝을 맺었다. 이 경우에는 그의 마지막 저서에서 중점적으로 다루어졌던 종교철학

---

215) S. Alexander, *Space, Time, and Deity*(1920) I, 1966, 38ff. "... 무한한 공간은 유한한 어떤 공간보다 앞선다."(147) 그렇지만 알렉산더는 (클라크와 칸트와는 달리) 이런 무한한 공간이 기하학의 무한한 공간과는 달리 분할되지 않은 공간이라고 보지는 않았다 (참조, 147). S. 클라크에 관해서는 참조, W. Pannenberg, *Systematische Theologie* 2, 1991, 106; 109.

216) S. Alexander a.a.O. I, 39 각주 1.

217) S. Alexander a.a.O. II, 397. 비록 알렉산더가 시공간이 신의 "몸"이라고 표현할 수 있기는 했지만, 그는 범신론을 거부하고 유신론의 견해를 지지하여 신은 세계에 내재하지만 세계를 구성하는 본질적 요소라고 생각하지는 않았다.(395)

의 관점에서 그렇게 했다.[218] 베르그송은 여기서 정적인 종교와 역동적 종교를 구분했다. "정적인" 종교는 죽음과 무상함을 느끼는 사람들에게 개인의 삶의 의지를 사회적 삶과의 관계에서 보존해 주는 기능을 한다.[219] "역동적" 종교인 신비주의와 기독교는 더 나아가 인간을 우주의 창조적 발전의 근원인 신의 사랑과 결합시킴으로써 물질과 무상함에 매인 삶의 변혁을 촉구한다.[220]

다양한 유형의 20세기 과정철학은 각자의 고유한 방식으로 세계 개념과 절대자 이념의 불가분적 연관성에 관한 플레스너의 주장이 타당함을 인정한다. "이런 이념을 포기하는 것은 … 하나의 세계의 이념을 포기하는 것이다. 무신론은 말처럼 그렇게 쉽지 않다."[221] 플레스너의 이런 선언은 세계 이념이 신학을 위해서도 얼마나 중요한지 말해준다. 루터가 주장하듯이 왜 인간은 하나님을 아버지로 믿는가? "하나님 이외에는 누구도 하늘과 땅을 창조할 수 없을 것이기 때문이다."[222]

218) H. Bergson, *Le deux sources de la morale et la religion*, 1932, deutsch in dem Band, *Materie und Gedächtnis und andere Schriften*, 1964, 247–489.

219) H. Bergson, *Die beiden Quellen der Moral und der Religion* a.a.O. 361, 344ff, 406. 베르그송에 의하면 "종교는 인류와 동시에 탄생했기 때문에" 인간존재의 구조에 속함이 분명하다(380).

220) H. Bergson a.a.O. 441f., 428.

221) H. Plessner, *Die Stufen des Organischen und der Mensch*(1928) 2. Aufl. 1965, 346.

222) M Luther, *Großer Katechismus*(1529), *Erläuterung zum ersten Glaubensartikel*(B-SLK 647, 45f.)

5장 오늘의 신학과 철학

1. 인간과 종교

기독교가 서방 기독교의 종파분열로 인해 문화의식과 사회의 토대로서 그의 자명한 영향력을 상실한 17세기 이후 근대문화에서 인간이해는 본질적으로 중요한 것이 되었다. 딜타이는 이런 과정이 서구문명의 문화사에 끼친 영향력을 처음으로 인식한 사람이었다. 그렇지만 근대초기 철학에서 인간학은 무엇보다 종파적 대립과 무관하게 신 개념으로부터 세계 개념을 순전히 철학적으로 재구성하는 출발점에 불과했다. 로크는 이런 문제에 있어서 철학의 이런 기능을 기독교적 계시종교에 위임하였다. 흄과 칸트에게서 인간의 경험과 주체성이 주목되기 시작했지만 여전히 종교에 대해 적대적이지는 않았다. 헤겔은 세계 개념을 신 개념으로부터 철학적으로 재구성하여 완성된 형태로 제시했다. 헤겔에 대한 반발에서 비로소 신을 전제하지 않고 사실에 입각한 인간론에 기초하여 철저한 철학적 의식이 형성되었다. 인간론으로의 이런 전환은 오늘날에도 여전히 철학적 의식을 위해 본질적으로 중요한다. 비록 그런 철학적 의식이 이런 근거에서 예를 들어 막스 셸러와 헬무트 플레스너에게서처럼 또는 야스퍼스나 베르그송의 실존철학에서처럼 인간의 종교성을 특수하고 필연적인 인간의 현존형식으로서 정당화한다 할지라도 말이다.

기독교 신학도 지금은 신앙의 인간적 보편타당성을 입증하기 위해 무엇보다 인간론에 근거하지 않을 수 없다. 비록 이런 근거가 신 개념과 계시의 진리를 보증하기에 충분하지 못하다 할지라도 말이다. 하나님의 진리를 주장하기 위해서는 최소한 세계와 역사가 하나님의 창조와 그의 역사라고 생각할 수 있어야 한다. 그러나 인간도 세계와 역사에 속하며, 따라서 하나님에 대한 신앙의 보편타당성은 가장 우선적으로 인간론과 관련하여 입증되어야 한다. 포이어바흐에 따르면 신에 대한 어떤 믿음도 인간의 본성에 속하지 않으며, 오히려 종교는 인간의 자기오해로 인해 인간 자신의 의식에서 생성된 상상의 산물이다. 만일 그의 이런 주장이 옳다면 종교적 신 이해와 기독교의 진리에 대한 여타의 모든 물음들은 무의미하다. 따라서 기독교 신학은 여기서 기독교 신앙의 진리요구에 관한 최종적인 결정에 앞서 미리 해결해야 할 선결과제를 가진다. 이때 종교는 인간 심성에 있는 하나의 "고유한 영역"이라는 슐라이어마허의 주장은 더 이상 충분하지 않다. 만일 슐라이어마허의 이런 주장이 포이어바흐처럼 심리학적으로 상대화되어 종교가 상상의 산물로 간주된다면, 슐라이어마허의 주장은 거의 무의미할 것이다. 이런 의미에서 헤겔도 이미 슐라이어마허의 경험주관주의를 비판했다. 슐라이어마허의 종교적 직관 개념은 데카르트와 마찬가지로 유한자에 관한 모든 이해에 앞서 그리고 그런 모든 이해 안에 선재하는 무한자를 강조하기 위한 것이다. 이렇게 해석할 때 우리는 슐라이어마허 주장의 핵심을 객관적으로 파악할 수 있다. 그러나 의식의 본성에 관한 데카르트의 통찰은 삶의 형식 전반에 관한 이해에 내재하는 보다 포괄적인 토대를 필요로 한다. 막스 셸러와 헬무트 플레스너는 인간이 취하는 태도는 물론 그의 신체적 특수성들과 관련하여 삶의 "세계 개방적"이고 탈자적인 본질을 기술함으로써 이런 토대를 제시해 주었다. 무한자에 대한 직관이 모든 유한한 직관에 선행한다는 데카르트의 통찰, 슐라이어마허의 종교적 직관 그리고 자아의 자기의식에서는 자아의 자기구성이 불가능하다는 피히테의 통찰은 이런 인간학적 토대와 관련해서만 의미를 가지며 설 자리가 있다. 그밖에도 스스로 자기를 정립하는 유한한 자아의 불가피한 자기절대화를 주장하는 헤겔도 여기에 포함될 수 있으며, 자기정립과 함께 결과적으로 삶이 절망에 빠지게 된다는 키에르케고르의 통찰도 그렇다.[1] 헤겔좌파의 입장에서 볼 때 키에르케고르는 시간적인 것과 영원한 것, 유한한 것과 무한한 것의 대립을 지나치게 독단적으로 논증하였다. 그렇지만 이런 약점은 데카르트와 특히 헤겔을 통해 상쇄된다. 어쨌든 포이어바흐, 니체, 하이데거, 사르트르 등과 같이 종교적 주제가 인간의 본성에 본질적이지 않다는 해석을 부정할 수 있는 대단히 광범위한 그리고 보다 새로운 철학의 역사에 깊이 뿌리내린 확실한 근거가 주어졌다.

---

1) 종교와 관련된 인간론적 측면들에 관해서는 참조, W. Pannenberg, *Anthropologie in theologischer Perspektive*, 1983.

2. 철학적 신학과 역사적 종교

종교적 주제가 인간의 본성에 대해 가지는 본질적인 의미에 관한 신학과 철학 사이의 이해를 통해 철학적 신학, 즉 철학적 신 이해가 새로이 정초될 수 있는가? 이런 물음에 대해 회의적으로 대답할 수밖에 없는 이유가 있다. 아우구스티누스 이전의 고대에 철학적 신학이 발생하게 된 상황, 신학과 철학이 공생하던 중세에 철학적 신학의 기능, 그리고 17세기와 19세기 사이에 철학적 신학의 기능을 고려한다면 이런 회의적 시각은 더욱 강해진다.

고대 그리스 철학은 전통적인 종교의 신 개념에 대한 비판으로서 탄생했다. 철학자들은 신비적 전승을 비판하면서 철학이 우주의 통일성의 근원인 신의 진정한 본성을 가르친다고 믿었다. 철학이 종교적 전통을 비판적으로 해석할 뿐 아니라 그런 전통의 대안으로서 등장한 것은 철학이 다신론적 민간종교를 비판하면서 제시한 단일신론과 밀접한 관계가 있으며, 다른 한편에서는 철학을 위해 본질적이지 않다고 생각된 종교와 철학 자체의 역사성에 관한 나이브한 견해 때문이기도 하다.

기독교의 역사적 바탕에서 볼 때 철학적 단일신론은 더 이상 역사적 종교의 대안으로 등장할 수 없었으며 단지 역사적 종교를 위한 준비로서가 아니면 극복으로서 등장할 수 있었다. 철학적 신 이해를 기독교의 계시이해를 위한 전단계로 파악한 중세철학의 자연적 신 이해는 역사적 종교를 위한 준비단계라 할 수 있다. 이런 모델에는 내적 모순이 있다. 철학자들의 자연신학은 그의 역사적 기원과 특성에 따라 초자연적 보완을 목표로 하지 않고 오히려 신의 본성에 속하는 모든 것을 합리적으로 이해하고자 했기 때문이다. 이런 모순은 기독교가 교회분열과 그로 인해 야기된 결과들로 인해 기독교의 문화적, 사회적 기초로서의 권위가 약화되었을 때 극에 달했다. 이런 상황에서 데카르트 이후 철학적 신학의 갱신과 함께 기독교 신학을 그의 기능에서 해체하고 공동체의 문화의식에서 그의 보편타당한 기초를 제시해야 한다는 요구가 대두되었다. 종파분열 때문에 기독교 신학은 이런 기능을 제대로 수행할 수 없었다. 데카르트에서 헤겔에 이르는 형이상학 체계는 이런 기능에서 신학을 대체하고자 했다. 그러나 이런 시도는 헤르더와 헤겔 이후 인간의 삶과 문화체계의 역사성이 부각되면서 성공하지 못했다.

헤겔은 이미 역사적으로 현존하는 종교를 철학적 신 이해로 대치하는 것이 아니라 역사적으로 주어진 종교를 그의 개념에서 완전히 이해하고자 했다. 이와 함께 철학과 종교의 관계가 새롭게 규정되었다. 철학적 신 이해는 역사적으로 철학에 앞서는 종교를 전제하며, 그 종교의 내용을 단지 개념적으로 완전히 이해할 수 있을 뿐이며, 따라서 종교와 무관하게 절대적으로 독자적이지 않다. 물론 헤겔에게 있어서 '개념화'(Auf-den-Begriff-Bringen)는 종교를 철학적 개념으로 '지양함'(Aufhebung)을 의미하는 것이었다. 그렇지만 자기를 실현하는 절대적 이념의 논리에 기초한 헤겔의 이런 견해는 철학적 신 이해가 역사적으로 철학에 앞선 단계의 종교에 의존한다는 그의 견해와 모순된다. 헤겔의 이런 견해는 결과적으로 철학적 반성은 결코 그런 반성에 선행하는 역사적 전제조건으로서의 종교를 완전히 수용하거나 넘어설 수 없음을 인정하는 것이라 할 수 있다. 따라서 종교적 진리의 철학적 반성은 역사적 종교를 거점으로 하여 출발하기 때문에 유한하고 예비적임을 인정하는 것이다. 그랬다면 헤겔의 철학은 다음 세대에 그렇기 쉽게 강한 저항에 부딪히지 않을 수 있었을 것이다. 왜냐하면 거점의 유한성이 그 철학을 거부하는 명분이 될 수는 없었을 것이기 때문이다. 그러나 어쨌든 절대자에 대한 철학적 논의는 역사적으로 철학에 선행하는 종교를 전제한다는 견해에 따라 독자적인 신학 대신 철학이 할 수 있는 일은 한편에서는 단지 절대자의 기능에 상응하는 신 이해의 조건들을 체계적으로 제시하는 것이며, 다른 한편에서는 역사적으로 선행하는 종교의식의 진리내용을 철학적으로 반성하는 종교철학의 기능이다.

철학에 선행하는 종교에 대한 그런 반성이 신에 관한 종교적 표상들을 단순히 인간의 두려움과 갈망의 반영에 불과한 것으로 제시하는 형식을 취할 필요는 없다. 종교철학이 인간의 본성과 모든 유한자는 종교들에서 주제로 다루어지는 초월적 실체에 의존한다는 사실에 주목한다면, 종교철학은 종교가 신적인 실체 자체의 자기계시에 의존한다는 사실을 진지하게 받아들일 수 있다. 그렇기 때문에 철학은 이미 초기 그리스 철학의 종교비판이 그랬듯이 언제나 신에 관한 종교적 주장들을 신이 행하는 역할들에서 판단할 수 있다. 헤겔도 진무한(das wahrhaft Unendliche) 개념을 하나님의 무한성에 관한 신학적 주장을 판단하는 기준으로 제시함으로써 그렇게 했다. 철학은 종교적 전통에 대한 대안으로서 철학적 신학을 직접 개진하지 않고도 종교가 주장하는 진리들의 타당성을 판단하는 기준을 제시할 수 있다. 철학은 특정한 종교적 전통에 대해 비판적일 수 있을 뿐만 아니라 특정 종교의 전통에 따라 그 종교가 주장하는 진리를 해석하는 신학과는 달리 다른 종교들과의 비교를 통해 그렇게 할 수도 있다. 따라서 우리는 다양한 종교적 전통들의 진리에 대한 물음을 다루는 종교철학과 특정 종교의 신학과의 차이가 무엇인지 알 수 있으며 따라서 기독교 신학과의 차이도 알 수 있다. 한편 기독교 신학은 기독교의 신 이해가 철학적 비판에 의해 제시된 기준들과 일치하도록 기독교가 주장하는 진리를 해석하고자 노력할 것이다. 물론 이때 철학이 제시하는 기준들은 합리적이어야 한다. 어쨌든 인류의 종교사를 고려하지 않고 순전히 이성에 근거하여 구성된 독자적인 철학적 신학을 수립하려는 목표는 철학이 자신의 역사적 조건들을 충분히 고려하지 않았던 낡은 의식상태의 표현이다.

3. 세계 개념과 신 개념

　실증적인 학문을 추구하는 시대에도 철학의 과제는 의식 있는 삶을 위해 종합적이고 반성적인 방향을 제시하는 것이다(Dieter Henrich). 뿐만 아니라 자기의식의 문제와 자기의식의 근거 문제는 물론이고 가장 넓은 의미에서 공동체와 세계경험 영역에서 일어나는 경험의식도 철학의 과제에 속한다. 의식 있는 삶 전체에 대한 물음이 철학적 반성의 과제이기 때문에, 세계 개념을 우리의 경험 대상이 되는 총체적 현실을 제시해 주는 것도 철학의 과제에 속한다. 비록 경험영역의 현실적 제한성 때문에 세계를 전체로서 생각하는 것이 불가능하다 할지라도 말이다. 세계지평의 그런 상대성 때문에 철학은 세계 전체의 통일성을 칸트처럼 단순한 이념으로 다룰 수 있다. 세계 전체는 모든 유한한 경험의 한계를 넘어서기 때문이다. 그럼에도 불구하고 현대의 자연과학적 우주론에서 우주는 현재의 지식수준에 기초하여 추론하는 자연과학적 이론형성의 대상이 되었다.

　의식 있는 삶의 통일성을 철학적으로 확보하기 위해 필수적인 세계 개념은 신학을 위해서 특히 중요하다. 세계 개념과 신 개념은 언제나 불가분적 관계에 있기 때문이다. 이것은 하나의 신이 세계의 근원이자 창조자로 생각될 수 있기 때문이며, 통일성으로서의 세계도 그의 다양한 현상들을 고려할 때 오직 자신은 세계의 한 부분이 아닐 수 있는 통일성의 근거로부터만 이해될 수 있기 때문이다. 그러므로 세계 이해로부터 신 개념이 형성되고, 신 개념으로부터 세계를 이해하게 된다. 만일 세계가 처음에 제정되어 변하지 않고 지속되는 질서로 이해된다면, 신이 이 세계의 창조자라고 생각하는 신 개념은 세계가 미래를 향해 열려 있는 역사의 과정으로 생각될 때의 신 개념과는 다른 것처럼 보일 것이다. 반대로 신이 세계의 자유로운 근원, 즉 그의 본성의 필연성 때문이 아니라 자유에서 세계를 창조한 창조자로 생각된다면, 세계의 존재론적 우연성이 모든 개별적 사건 전체에서 나타날 것이다. 이와 같이 세계 이해와 신 개념은 불가분적 관계에 있다. 예를 들어 세계의 기원에 관한 초기 기독교 신학과 플라톤 사상의 차이, 세계의 근원에 관한 중세 전성기의 신학과 아랍 철학과의 대립 그리고 신의 지혜에 근거한 창조모델에 따라 세계가 창조되었다는 라이프니츠의 이론에 대한 칸트의 비판 등이 그렇다. 모든 개별적 사건에서 세계의 우연성에 관한 주제는 지금도 신학과 세계 개념 사이의 관계를 위해 근본적으로 중요하다. 특수한 현실들의 존재론적 이해와 세계 개념도 서로 결합되어 있다.

화이트헤드의 자연철학 체계에서 제시되었듯이 사물들의 실재성이 궁극적으로 사건들에 근거한다는 견해가 우연성의 동기를 가장 잘 설명한다. 따라서 아리스토텔레스의 실체론과는 반대로 모든 존재자의 정체성은 역사성을 가진다. 이것은 다른 전제들에서 시작했지만 유사한 결론에 도달한 딜타이의 견해이기도 했다. 딜타이는 인간 자신과 인간이 만나는 모든 것에 대한 경험의 역사성을 관찰함으로써 그런 견해에 도달했다. 화이트헤드는 딜타이나 과정철학의 창시자인 베르그송과 마찬가지로 인간의 경험이 세계이해와 인간 이외의 실재를 이해하기 위한 실마리라고 생각했다. 물론 화이트헤드의 출발점은 윌리엄 제임스의 철학적 심리학이었다. 그는 제임스의 철학적 심리학을 일반화하여 인간의 심리현상뿐 아니라 모든 요소 사건들이 주체성을 가진다는 이론을 제시했다. 딜타이는 개별적 경험의 역사성에 관한 제임스의 분석을 일반화하여 역사 전체의 이해에까지 적용했지만 자연사에까지 확대하지는 않았다. 그렇지만 생철학으로서 그의 철학은 생철학을 자연철학으로 확장한 베르그송의 생철학과 유사했다. 한편 '사건주체성'(Ereignissubjetivität)을 주장하는 화이트헤드의 존재론은 경험과정의 역사성에 관한 딜타이의 분석을 통해 그리고 전체가 부분에 존재론적으로 우선한다는 관점을 통해 - 이런 관점은 베르그송과 사무엘 알렉산더는 물론 화이트헤드에게도 유효하다 - 보완되어야 한다.

이런 다양한 견해들은 무시간적인 아리스토텔레스의 존재형식들과 달리 존재와 시간의 불가분적 관계를 강조한다는 점에서 내적 유사성을 가진다. 이런 견해들을 종합하면 세계를 모든 개별적 사건들의 본질과 세계 전체의 의미를 결정할 하나의 미래를 향해 열린 과정으로 이해하는 철학적 세계관이 형성될 수 있을 것이다. 그런 세계관에서 볼 때 우주가 팽창하고 있다는 현대의 자연과학적 세계관은 선이 모든 개별자들의 근거라고 주장하는 플라톤의 사상과 기독교의 종말론과 결합될 수 있으며, 따라서 하나님이 그의 나라의 미래로부터 피조물의 역사를 다스린다는 기독교의 하나님 이해와도 결합될 수 있을 것이다. 영원과 시간의 관계에 관한 플로티노스의 견해는 영원이 시간에서 분리된 것의 전체성을 자기 안에 보존하고 있다는 사상을 통해 이런 사실을 예시하는 것처럼 보인다. 플로티노스의 이런 사상에 따르면 미래는 (그곳으로부터) 영원이 시간 속으로 들어오는 영역이다. 또한 그의 사상에 따르면 공간은 하나님이 그의 모든 피조물들과 동시에 존재하는 영역으로, 하나님은 이 영역에서 피조물들이 그와 함께 그리고 서로 독자적으로 존재하게 한다.

지금까지 신학과 철학의 관계에 관한 몇 개의 주제들이 신 개념과 세계 개념의 결합과 관련하여 언급되었다. 이런 결합은 철학이 더 이상 전통적인 철학적 신 개념을 제시하지 않고 단지 철학적 세계관을 전개하는 과정에서 신이나 절대자에 관한 종교적 표상들을 판단하는 기준들을 마련할 뿐이라 할지라도 여전히 철학의 주제이다.

철학과 신학은 인간과 세계의 실재를 이해하고자 하는 공통의 주제를 가진다. 물론 우리는 다양한 방식으로 신학과 철학을 탐구할 수 있지만 인간과 세계의 실재를 이해하고자 하는 과제는 동일하다. 철학은 그의 위대한 전통에 따라 이런 과제를 수행할 때에만 다른 학문분야들에 의해 대체될 수 없는 기능을 수행한다. 이와 달리 신학은 인간과 세계의 창조자를 다루고 따라서 하나님에 관한 논의를 인간과 세계의 실재에 관한 총체적 이해와 관련하여 말할 때에만 비로소 하나님과 그의 계시에 관해 올바로 말할 수 있다. 이때 신학은 비판적으로 방향을 제시해 주는 철학적 반성을 필요로 한다. 한편 철학은 여러 종교들이 주제로 다루는 신적 존재로부터 인간과 세계 전체의 구성을 위한 종교의 중요성을 고려하지 않고는 세계에서 인간에 대한 포괄적인 이해에 도달할 수 없다. 이때 철학은 순수한 철학적 신 이해를 통해 종교들을 대체하려 해서는 안 된다. 그렇지 않아도 신학과 철학 사이의 긴장관계는 충분하다. 신학은 하나님과 그의 계시로부터 인간과 세계 전체를 사유해야 하는데 반해, 철학적 사유는 인간과 세계의 경험으로부터 그 경험의 절대적 근원을 묻기 때문이다.

INDEX

신학과 철학 II

-근대(18C)에서 현대까지-

초판 인쇄 2019년 6월 15일 | 초판 1쇄 출간 2019년 6월 17일 | 저자 볼프하르트 판넨베르크 | 옮긴이 오희천 | 펴낸이 임용호 | 펴낸곳 도서출판 종문화사 | 디자인 · 편집 디자인오감 | 인쇄 · 제본 한영문화사 | 출판등록 1997년 4월 1일 제22-392 | 주소 서울시 은평구 연서로34길 2 3층 | 전화 (02)735-6891 팩스 (02)735-6892 | E-mail jongmhs@hanmail.net | 값 20,000 원 | ⓒ 2019, Jong Munhwasa printed in Korea | ISBN 979-11-87141-45-7 94160 | 세트 번호 979-11-87141-43-3 94160 | 잘못된 책은 바꾸어 드립니다.

이 연구는 2019년도 서울신학대학교 교내연구비 지원에 의한 연구임
This work was supported by the Seoul Theological University Research Fund of 2019